KB070039

주역절중
周易折中

10

이 책은 (재)한국연구재단의 지원으로 학고방출판사에서 출간, 유통합니다.

한국연구재단 학술명저번역총서 동양편 620

주역절중
周易折中
10

繫辭下傳

편찬
이광지
李光地
책임역주
신창호
공동역주
김학목·심의용·윤원현

學古房

『주역』은 '변화(變化)의 성경(聖經)'이라 불린다. 그만큼 자연 질서와 인간 사회 법칙을 변화의 원칙에 따라 변주하며, 성스럽게 우주적삶의 기준을 구가한다. 그러나 '이현령비현령(耳懸鈴鼻懸鈴)'이라는말이 붙을 정도로 다양하고 복합적인 해석의 차원이 개입하면서, 『주역』은 축적된 역사 이상으로 심오하고 의미심장한 세계를 형성한다.그것이 『주역』의 특성이자 묘미일 수 있다.

본 번역 연구서 『어찬주역절중(御纂周易折中)』은 강희제(康熙帝)가 이광지(李光地, 1642~1718)에게 총괄책임의 칙명을 내려 1713~1715년에 걸쳐 완성한 『주역』 해설서이다. 전체 22권의 석판본(石版本)이 내부각본(內府刻本)으로 현존한다. 『주역절중』은 『주역』이 경전으로 성립된 이후 한대(漢代)에서 명대(明代)까지의 다양한 견해를핵심적으로 정돈한 『주역』 학술의 결정판이다. 주희의 견해를 기본으로 하여 경(經)과 전(傳)이 분리된 『주역』 고본(古本)의 체제를 회복하였다. 또한 주희의 주역관을 근거로 의리학(義理學)과 상수학(象數學)을 망라하는 다양한 학설을 폭넓게 해석하고, 의리에 국한되었던『주역전의대전(周易傳義大全)』의 결점을 보완하였다. 정주(程朱)의뜻을 존숭하면서도 그와 다른 주장들을 절충하고 있는 저작이다.

『주역절중』의 편찬자인 이광지는 중국 청대(淸代) 사람으로 복건성(福建省) 천주(泉州) 출신이다. 자(字)는 진경(晋卿)이고 호(號)는후암(厚庵)이다. 1670년 진사(進士)에 급제하고 삼번(三藩)의 난을평정함으로써 강희제의 두터운 신임을 받았고, 관직이 문연각대학사

겸이부상서(文淵閣大學士兼吏部尚書)에 이르렀다. 학문의 경지도 상당하여 경전에 두루 통달하였는데, 특히 『주역』에 정통하여 『주역통론(周易通論)』, 『주역관상(周易觀象)』, 『이문정역의(李文貞易義)』, 『역의전선(易義前選)』 등을 저술하였다. 당시 반주자학적(反朱子學的) 학풍을 대표하던 모기령(毛奇齡)과 달리 정주리학(程朱理學)의 학풍을 충실히 계승하였다.

『주역절중』의 체계와 내용을 보면, 경과 전을 분리하여 편찬하고, 64괘의 괘사와 효사, 「단전」, 「상전」, 「계사전」, 「문언전」, 「설괘전」, 「서괘전」, 「잡괘전」의 순서로 『주역』 전문을 서술하였다. 그리고 『역학계몽』, 「계몽부록(啓蒙附錄)」, 「서괘잡괘명의(序卦雜卦明義)」를 첨부하였다. 주희의 『주역본의(周易本義)』, 정이(程頤)의 『역정전(易程傳)』, 한대부터 명대까지 역학에 조예가 깊은 학자 218명의 「집설(集說)」, 편찬자의 「안(案)」, 이를 종합한 「총론(總論)」이 실려 있다. 그런 만큼 『주역절중』은 『주역』 관련 학술 연구에서 의미가 크다.

본 번역 연구는 내부각본을 저본으로 하고 문연각(文淵閣) 『사고전서(四庫全書)』본을 대교본으로 하였으며 무구비재(無求備齋) 『역경집성(易經集成)』본을 참고하였다. 1715년에 이광지가 『어찬주역절중』을 완성했으므로, 『주역절중』이 만들어진지 이제 막 300년이 지났다. 이 긴 세월의 무게만큼 『주역』 연구도 질적으로 깊이를 더하고 양적으로 방대해졌다. 그런 와중에 300년 만인 21세기 초반에 『주역절중』이 한글로 번역·출간되어 무척이나 기쁘다. 『주역』을 비롯한 역학연구자, 나아가 동양학을 연구하는 관련 학인들에게 조금이나마 보탬이 된다면 번역 연구자로서 더욱 보람을 느낄 것 같다.

본 번역 연구는 먼저, 『주역절중』의 본문을 완역하고, 원문 및 번역문을 온전하게 이해하기 위해 자세한 설명이 필요한 부분은 각주로 해설하였다. 아울러 『주역절중』에 등장하는 학자들의 「인명사전」을 별도로 작성하여 첨부하였다. 이런 연구 성과가 『주역절중』의 한문을 옮기는 수준을 훨씬 넘어서 있기에, 단순하게 『주역절중』 '번역'이라 하지 않고 '번역 연구'라고 자부해 본다.

본 번역 연구 작업은 2015년 5월~2017년 4월까지 2년여 동안 이루어졌다. 연구책임자를 맡은 신창호 교수를 비롯하여, 공동연구자인 윤원현 박사·김학목 박사·심의용 박사 등 우리 번역 연구진은 번역 연구기간 동안 수시로 만나 초교를 윤독하고 다양한 연구 자료를 교환하면서 『주역』의 학술 마당을 열었다. 한대부터 명대에 걸쳐 있는 『주역절중』의 특성상, 역학(易學) 사상의 방대함으로 인해 내용을 정확하게 이해하고 정돈하는데 애로 사항도 많았다. 하지만 전문 학자들의 자문과 번역 연구자 상호 간의 소통을 통해 문제점을 극복하려고 노력했다. 그러나 번역과 연구의 두 측면에서 여전히 아쉬운 부분이 많다. 대부분의 번역 연구가 장·단점을 지니고 있듯이, 본 번역 연구도 미비한 점이 있을 것이다. 특히, 제대로 연구가 이루어지지 않아 오류가 난 부분이 있다면, 사계의 권위 있는 학자들의 애정 어린 질정을 부탁한다.

본 번역 연구진 이외에 감사해야 할 분들이 있다. 먼저, 교정과 윤문 등 원고를 정돈하는 과정에서 수고해 준 고려대학교 대학원의 철학 및 교육철학 전공의 여러 제자들(김지은, 우버들, 위민성, 이유정, 임용덕, 장우재, 정순희, 한지윤 등)에게 고마운 마음을 전한다. 젊은 제자들은 그들의 시각에서 번역 연구 내용의 가독성과 표현 등 여러 부분을 꼼꼼하게 살피며 의미 있는 충고를 해 주었다.

또한 교육부와 한국연구재단에 감사를 드린다. 본 번역 연구는 2015년 한국연구재단의 '명저번역지원' 사업으로 2년 동안 지원을 받아 수행한 결과이다. 방대한 분량이기 때문에 한국연구재단의 지원이 없었다면, 실행하기 어려운 작업이었다. 마지막으로 어려운 사정에도 불구하고 편집과 출판을 맡아 책을 깔끔하게 정돈해 준 하운근 대표 님을 비롯한 도서출판 학고방 가족들에게 감사의 말씀을 전한다.

어떤 저술이건 혼자만의 노력과 작업에 의해 이루어지는 성과는 존재하지 않는다. 마찬가지로 이 『주역절중』의 번역 연구에도 많은 분들의 땀과 열정이 녹아들어 있다. 번역 연구에 직·간접으로 참여한 모든 분들과 이 책을 참고로 연구를 진행하는 여러 학인들도 『주역』의 사유가 더욱 풍성해지기를 소망한다. 나아가 미래에 또 다른 공동 노력의 결실로, 본 번역 연구보다 세련된 『주역절중』이 많이 저술되기를 기대해 본다.

2018. 6
번역 연구자를 대표하여
신창호 삼가 씀

1. 본 역서는 문연각(文淵閣)판본 『어찬주역절중(御纂周易折中)』을 저본으로 한다.

2. 본 역서는 원문을 먼저 제시하고 번역문을 붙이는 대조본 형식으로 한다.

3. 번역은 직역을 원칙으로 하되, 가독성을 높이기 위해 필요에 따라 의역을 가미한다.

4. 『역』의 경문(經文) 번역은 편자 이광지(李光地)가 정이(程頤)의 『이천역전』보다 주희(朱熹)의 『주역본의』를 전면으로 내세운 의도에 따라, 주희의 주장을 기준으로 한다.

5. 원문에는 최소한의 현대식 표점을 표기한다.

6. 인용한 선행 학설에 대해서는 가능한 출전을 밝히고, 요약문일 경우 필요에 따라 설명을 첨가한다.

7. 인용한 학설은 전체적으로 큰 따옴표(" ")로 묶고, 인용문 속의 인용문은 작은 따옴표(' '), 작은 꺾쇠(「 」) 순으로 한다.

8. 각주에서, 원문에 대한 각주는 원문을 먼저 제시하고(예 : 潛龍勿用[잠긴 용은 쓰지 않는다]), 번역문에 대한 각주는 한글을 먼저 제시한다(예 : 잠긴 용은 쓰지 않는다[潛龍勿用]).

9. 괘명(卦名)은 '곤(坤)괘'와 같은 형식으로 통일하되, 필요할 경우 '곤(坤▤▤)괘', '곤(坤☷)괘'와 같이 괘상(卦象)을 병기한다.

10. 국한문 병기는 매 장과 매 괘의 첫 부분에서 표기하고, 나머지는 국문을 중심으로 하되, 각주에는 한문으로 처리한 것도 있다.

11. 번역문이 10줄을 초과할 경우, 가독성을 높이기 위해 가능한 단락을 구분한다.

12. 『역』과 관련된 전문적인 개념어는 주석에서 풀이하고, 번역문에는 해석하지 않고 드러내어 용어 통일을 기한다.

13. 제1권의 뒷부분에 『주역절중』에서 인용된 학자들의 약력을 정돈한 별도의 「인명사전」을 작성하여 첨부하였다.

14. 『주역절중』의 맨 마지막 부분인 22권 「서괘·잡괘명의(序卦·雜卦明義)」는 편의상 「서괘·잡괘전(序卦·雜卦傳)」 다음에 배치하였다.

계사하전繫辭下傳

문언전文言傳

繫辭下傳
계사하전

제15권

계사하 1

[계사하 1-1]

> 八卦成列, 象在其中矣; 因而重之, 爻在其中矣.

8괘가 열(列)을 이루니 상(象)이 그 가운데 있고, 그것을 따라 거듭하니 효(爻)가 그 가운데 있다.

本義

'成列', 謂乾一·兌二·離三·震四·巽五·坎六·艮七·坤八之類. '象', 謂卦之形體也, '因而重之', 謂各因一卦而以八卦次第加之爲六十四也. '爻', 六爻也, 旣重而後卦有六爻也.

'열(列)을 이룬다'는 것은 건(乾)이 1이고, 태(兌)가 2이고, 리(離)가 3이고, 진(震)이 4이고, 손(巽)이 5이고, 감(坎)이 6이고 간(艮)이 7이고 곤(坤)이 8인 따위를 말한다. '상(象)'은 괘의 형체를 말한다. '그것을 따라 거듭한다'는 것은 각각 하나의 괘를 따라 거기에 8괘를 차례로 덧붙여 64괘를 만드는 것을 말한다. '효(爻)'는 6효(六爻)

이니, 이미 거듭한 뒤에 괘에 6효가 있다는 것이다.

● 韓氏伯曰 : "夫八卦備天下之理而未極其變, 故'因而重之', 以
象其動用,[1] 則爻卦之義, 所存各異, 故'爻在其中矣.'"[2]

한백(韓伯)이 말했다. "8괘가 천하의 이치를 갖추었지만 아직 그 변
(變)을 지극히 표현하지는 못했기 때문에 '그것을 따라 거듭하여'
그 움직임의 작용을 상징하면, 효와 괘의 의미가 보존하고 있는 것
이 각각 다르므로 '효(爻)가 그 가운데 있다'는 말이다."

● 『朱子語類』云 : "八卦所以成列,　乃是從太極·兩儀·四象漸
次生出, 以至於此. 畫成之後, 方見其有三才之象, 非聖人因見
三才, 遂以己意思維而連畫三爻以象之也. '因而重之', 亦是因
八卦之已成, 各就上面簡次生出. 若旋生逐爻, 則更加三變, 方
成六十四卦. 若並生全卦, 則只用一變, 便成六十四卦. 雖有遲
速之不同, 然皆自漸次生出, 各有行列次第, 畫成之後, 然後見
其可盡天下之變."[3]

....

1) 以象其動用 : 한백(韓伯), 『주역주소(周易註疏)』 권11에는 이 구절 뒤에
"擬諸形容, 以明治亂之宜; 觀其所應, 以著適時之功[형용하는 것에서
헤아려 치란의 마땅함을 밝히고, 호응한 것을 살펴보아 때에 맞는 공로
를 드러내면]"이라는 말이 더 있다.
2) 한백(韓伯), 『주역주소(周易註疏)』 권11.
3) 주희(朱熹), 『주문공문집(朱文公文集)』 권38, 「답원기중(答袁機仲)」.

『주자어류』에서 말했다.[4] "8괘가 열(列)을 이루는 것은 바로 태극 · 양의 · 4상(四象)에서 점차 생겨나 여기에 이르러서이다. 획이 이루어진 뒤에 비로소 그것이 삼재(三才)의 상(象)을 가지고 있다는 것을 알지, 성인이 그것을 따라 삼재를 보고 마침내 자기의 생각으로 사유하여 세 개의 효를 잇달아 그어 그것을 상징한 것은 아니다. '그것을 따라 거듭한다'는 말도 또한 8괘가 이미 이루어진 것을 따라 각각 그 위에 차례로 생겨난다는 것이다. 만약 매번 하나의 효가 돌아가며 생겨나게 한다면, 다시 세 번의 변(變)을 더해야 비로소 64괘를 만들 수 있다. 만약 전체 괘를 한꺼번에 생겨나게 한다면, 단지 한 번의 변(變)을 써서 곧바로 64괘를 만들었을 것이다. 비록 늦고 빠른 차이는 있지만 모두 본래 점차적으로 생겨나 각각 배열과 차례가 있으니, 획이 이루진 뒤에 천하의 변(變)을 다 표현할 수 있음을 알 수 있다."

● 柴氏中行曰 : "八卦列成, 則凡天下之象, 擧在其中, 不止八物. 如「說卦」中所列皆是."[5]

시중행(柴中行)이 말했다. "8괘의 배열이 이루어지면 천하의 상(象)이 모두 그 가운데 있으니, 8개의 사물에 그치지 않는다. 예컨대 「설괘전」에서 나열한 바가 모두 이것이다."

---

4) 『주자어류』에서 말했다 : 이 글은 주희, 『주자어류』가 아닌 『주문공문집』 권38, 「답원기중(答袁機仲)」에 있다.

5) 동진경(董真卿), 『주역회통(周易會通)』 권13에 시중행(柴中行)의 글로 실려 있다.

● 鄭氏曰 : "卦始於三畫, 未有爻也. '因而重之', 其體有上·下, 其位有內·外, 其時有初·終, 其序有先·後, 而'爻在其中矣.'"

정씨(鄭氏)가 말했다. "괘는 3개의 획에서 비롯하였지만 그 때는 아직 효(爻)가 없었다. '그것을 따라 거듭하니' 그 몸체에 상(上)·하(下)가 있고, 그 위치에 내(內)·외(外)가 있으며, 그 때에 처음과 끝이 있고, 그 차례에 선(先)·후(後)가 있어, '효(爻)가 그 가운데 있게 되었다.'"

계사하 1-2

剛柔相推, 變在其中矣, 繫辭焉而命之, 動在其
中矣.

강(剛)과 유(柔)가 서로 추이(推移)하니 변(變)이 그 가운데 있고,
거기에 설명[辭]을 붙여 알려주니 움직임이 그 가운데 있다.

本義

剛柔相推, 而卦爻之變, 往來交錯, 無不可見. 聖人因其如此,
而皆繫之辭以命其吉凶, 則占者所値當動之爻象, 亦不出乎
此矣.

강(剛)과 유(柔)가 서로 추이(推移)하니 괘와 효(爻)의 변(變)이 왕
래(往來)하고 교착(交錯)하여 볼 수 없는 것이 없다. 성인이 이와
같이 되는 것에 따라 모두 설명을 붙여 길흉을 알려주니, 점치는 자
가 만나서 마땅히 움직여야 할 효(爻)와 상(象)이 또한 여기에서 벗
어나지 않는다.

集說

● 虞氏翻曰: "剛柔相推而生變·化', 故'變在其中矣.' 繫象·象·
九六之辭, 故'動在其中', '鼓天下之動者存乎辭'者也."[6]

우번(虞翻)이 말했다. "'강(剛)과 유(柔)가 서로 추이(推移)하여 변·화를 낳기' 때문에 '변(變)이 그 가운데 있다.' 단(彖)과 상(象)과 구(九 : 양효)·육(六 : 음효)의 설명을 붙였기 때문에 '움직임이 그 가운데 있고', '천하의 움직임을 고무시키는 것은 설명에 있다'는 것이다."

● 孔氏穎達曰 : "上繫第二章云, '剛柔相推而生變·化', 是變·化之道, 在剛柔相推之中."[7]

공영달(孔穎達)이 말했다. "「계사상」제2장에서 '강(剛)과 유(柔)가 서로 추이(推移)하여 변·화를 낳는다'라고 한 것은, 변·화의 도(道)가 강(剛)과 유(柔)가 서로 추이(推移)하는 가운데 있다는 말이다."

● 蔡氏淸曰 : "天文地理, 人事物類, 一剛一柔盡之矣. 二者之外, 再無餘物也, 故凡剛者皆柔之所推也, 凡柔者皆剛之所推也. 而易卦中亦只是剛柔二者而已, 非剛則柔, 非柔則剛. 在剛皆柔之所推, 在柔皆剛之所推."[8]

채청(蔡淸)이 말했다. "천문(天文)과 지리(地理), 인사(人事)와 각종 사물들은 하나의 강(剛)과 하나의 유(柔)가 그것들을 다 발휘한다. 그 두 가지 밖에 다시 남은 것이 없으니, 강(剛)한 것은 모두 유(柔)가 추이(推移)한 것이고, 유한 것은 모두 강이 추이한 것이다. 역

---

6) 이정조(李鼎祚),『주역집해(周易集解)』권15에 우번(虞翻)의 말로 기재되어 있다.
7) 공영달 소(孔穎達 疏),『주역주소(周易註疏)』권12.
8) 채청(蔡淸),『역경몽인(易經蒙引)』권11상(上).

(易)의 괘 가운데에도 또한 강과 유 두 가지만 있을 뿐이니, 강이 아니면 유이고 유가 아니면 강이다. 강에 있는 것은 모두 유가 추이한 것이고, 유에 있는 것도 모두 강이 추이한 것이다."

● 蘇氏濬曰 : "'動在其中', 虞翻謂'鼓天下之動者存乎辭', 此說極是. 此'動'字, 與下文'生乎動'·'天下之動', 三'動'字俱同. 易之辭, 原是聖人見天下之動而繫之者, 故曰'鼓天下之動存乎辭.' 此卽'動在其中'之說, 非當動卦爻之謂也."

소준(蘇濬)[9]이 말했다. "'움직임이 그 가운데 있다'는 것에 대해 우번(虞翻)이 '천하의 움직임을 고무시키는 것은 설명에 있다'고 말한 것은 매우 옳다. 여기에서 '움직임'이라는 말은 아래 글의 '움직임에서 생겨난다'와 '천하의 움직임'이라고 한 것에서의 '움직임'과 모두 같다. 역(易)의 설명은 원래 성인이 천하의 움직임을 보고 그것을 설명한 것이므로 '천하의 움직임을 고무시키는 것은 설명에 있다'고 말했다. 이는 곧 '움직임이 그 가운데 있다'는 말이, 마땅히 움직여야 하는 괘와 효를 말하는 것이 아니라는 뜻이다."

---

9) 소준(蘇濬, 1542~1599) : 자는 군우(君禹)이고, 호는 자계(紫溪)이다. 명(明)대 진강(晉江 : 현 복건성 천주시〈泉州市〉) 사람이다. 만력(萬曆) 5년(1577) 진사(進士)에 급제하여, 남경형부주사(南京刑部主事), 섬서참의(陝西參議), 광서안찰사(廣西按察使), 광서참정(廣西參政) 등을 역임하였다. 청렴한 관료로서 인재등용에 신중하여 명대 중기 대신(大臣)인 이정기(李廷機)를 선발하였고, 『광서통지(廣西通志)』를 편찬하는 등 문헌관리에도 힘썼다. 저서에 『역경아설(易經兒說)』, 『사서아설(四書兒說)』. 『위편미언(韋編微言)』 등이 있다.

吉·凶·悔·吝者, 生乎動者也.

길·흉·회·린은 움직임에서 생기는 것이다.

本義

吉·凶·悔·吝, 皆辭之所命也. 然必因卦爻之動而後見.

길·흉·회·린은 모두 설명[辭]이 알려주는 것이다. 그러나 반드시 괘(卦)와 효(爻)의 움직임을 따른 뒤에 볼 수 있다.

集說

● 龔氏原曰 : "象者一卦之成體也, 故天下之蹟存焉; 爻者六位之變動也, 故天下之動存焉. 剛柔相推, 所以成爻也, 而'爻者言乎變', 則'變在其中矣.' '繫辭焉而命之', 所以明爻也, 而辭者以鼓天下之動, 則'動在其中矣.' 卦則兆於成列而備於重, 爻則兆於變而備於動, 故吉凶悔吝生焉."[10]

공원(龔原)이 말했다. "상(象)은 하나의 괘에서 몸체를 이루는 것이기 때문에 천하의 번잡한 것이 거기에 보존된다. 효(爻)는 6개의

---

10) 이형(李衡), 『주역의해촬요(周易義海撮要)』권8에 공원(龔原)의 말로 실려 있다.

자리에서 변하여 움직이는 것이기 때문에 천하의 움직임이 거기에 보존된다. 강(剛)과 유(柔)가 서로 추이(推移)하여 효를 이루고, 효는 변(變)을 말하니 '변(變)이 그 가운데 있다.' '거기에 설명을 붙여 알려주어' 효를 밝히고, 설명은 천하의 움직임을 고무시키니 '움직임이 그 가운데 있다.' 괘는 열(列)을 이루는 데서 조짐을 보여 거듭하는 것을 갖추고, 효는 변(變)에서 조짐을 보여 움직이는 것을 갖추므로 길·흉·회·린이 거기에서 생겨난다."

● 蘇氏濬曰 : "「傳」曰'寂然不動', 又曰'動之微, 吉之先見.' 當其不動也, 尚無所謂吉, 又何有於凶? 惟動而微也, 吉斯見焉. 動而紛紜雜亂也, 凶與悔·吝, 始生於其間矣."

소준(蘇濬)이 말했다. "「계사전」에서 '적연(寂然)히 움직이지 않는다(「계사상」 제10장)'라 하고, 또 '(기미는) 움직임의 은미함으로 길함이 먼저 나타난 것이다.(「계사하」 제5장)'라 하였다. 그것이 움직이지 않을 때는 아직 길함이라고 말할 것이 없으니, 또 무슨 흉함이 있겠는가? 오직 움직이고 은미해져야 길함이 이에 나타난다. 움직여 분분하게 번잡하면 흉함과 후회와 유감이 비로소 그 사이에서 생겨난다."

案

此是覆說'繫辭焉而命, 動在其中'之意. 凡天下之吉·凶·悔·吝, 皆生於人事之動, 故易中有吉·凶·悔·吝之辭, 而動在其中.

이는 '거기에 설명을 붙여 알려주니 움직임이 그 가운데 있다'는 말의 뜻을 다시 설명한 것이다. 무릇 천하의 길·흉·회·린은 모두 인사(人事)의 움직임에서 생겨나기 때문에 역(易)에는 길·흉·회·린이라는 설명이 있고, 움직임이 그 가운데 있다.

[계사하 1-4]

剛·柔者, 立本者也; 變·通者, 趣時者也.

강(剛)·유(柔)는 근본을 세우는 것이고, 변(變)·통(通)은 때에 맞게 따르는 것이다.

本義

一剛一柔, 各有定位, 自此而彼, 變以從時.

하나의 강(剛)과 하나의 유(柔)가 각각 정한 자리가 있고, 여기로부터 저기로 감에 변하여 때에 따른다.

集說

● 朱氏震曰 : "爻有剛·柔, 不有兩則一不立, 所以'立本'也. 剛·柔相變, 通其變以盡利者, '趣時'也. '趣時'者'時中'也."11)

주진(朱震)이 말했다. "효(爻)에는 강(剛)과 유(柔)가 있는데, 그 두 가지가 있지 않으면 그 중 하나가 세워지지 않기 때문에 '근본을 세우는 것'이 된다. 강(剛)과 유(柔)가 서로 변(變)하고 그 변함에 소통해서 이로움을 다 발휘하는 것이 '때에 맞게 따르는 일'이

----

11) 주진(朱震), 『한상역전(漢上易傳)』 권8.

24 주역절중 *10*

다. '때에 맞게 따른다는 것'은 (『중용』의) '때에 적절하다[時中]'는 말이다."

● 張氏浚曰 : "剛柔相推, 往來進退, 爲變無常, 而莫不因乎自然之時, 故曰'趣時.'"12)

장준(張浚)이 말했다. "강(剛)과 유(柔)가 서로 추이(推移)하여 서로 왕래하고 진퇴함이 변화무상하지만, 저절로 그러한 때를 따르지 않음이 없기 때문에 '때에 맞게 따른다'라고 했다."

● 『朱子語類』云 : "此兩句相對說. 剛・柔者, 陰・陽之質, 是移易不得之定體, 故謂之本; 若剛變爲柔, 柔變爲剛, 便是變通之用."13)

『주자어류』에서 말했다. "이 두 구절은 서로 짝지어서 말한 것이다. 강(剛)과 유(柔)는 음(陰)과 양(陽)의 바탕으로 바뀔 수 없는 정해진 실체[體]이기 때문에 근본이라고 말했다. 만약 강이 변해서 유가 되고 유가 변해서 강이 되면 곧 변(變)・통(通)의 작용이다."

● 又云 : "剛・柔者, 畫・夜之象, 所謂'立本'; 變・化者進退之象, 所謂'趣時.'14) 剛・柔兩個是本, 變・通便只是其往來者.15)"

....

12) 장준(張浚), 『자암역전(紫巖易傳)』 권8.
13) 주희, 『주자어류』 권76, 4조목.
14) 剛・柔者, 畫夜之象, 所謂'立本'; 變・化者進・退之象, 所謂'趣時.' : 주희, 『주자어류』 권74, 14조목.

(주자가) 또 말했다. "강(剛)과 유(柔)는 주야(晝夜)의 모습이니 이른바 '근본을 세우는 것이고', 변(變)과 화(化)는 진퇴(進退)의 모습이니 이른바 '때에 맞게 따르는 것이다.' 강과 유 둘은 근본적인 것이고, 변과 통은 다만 왕래하는 것일 뿐이다."

● 胡氏炳文曰 : "卦有卦之時, 爻有爻之時. '立本'者天地之常經, '趣時'者古今之通義."16)

호병문(胡炳文)17)이 말했다. "괘에는 괘의 때가 있고, 효에는 효의 때가 있다. '근본을 세우는 것'은 천지의 불변하는 법칙이고, '때에 맞게 따르는 것'은 고금에 통하는 의리이다."

● 梁氏寅曰 : "'剛·柔者立本', 乃不易之體, 卽所謂'闔戶'·'闢戶'也; '變·通者趣時', 乃變易之用, 卽所謂'往來不窮'也."18)

---

15) 剛·柔兩個是本, 變通便只是其往來者 : 주감(朱鑑) 편, 『주문공역설(朱文公易說)』 권13.

16) 호병문(胡炳文), 『주역본의통석(周易本義通釋)』 권6.

17) 호병문(胡炳文, 1250~1333) : 자는 중호(仲虎)이고, 호는 운봉(雲峰)이다. 원(元)대 휘주(徽州) 무원(婺源) 사람으로, 주희(朱熹)의 종손(宗孫)에게 『주역』과 『서경』을 배워 주자학에 잠심했으며, 특히 『주역』에 뛰어났다. 신주(信州) 도일서원(道一書院) 산장(山長)을 지내고, 난계주학정(蘭溪州學正)이 되었는데 취임하지 않았다. 저서에 『주역본의통석(周易本義通釋)』, 『서집해(書集解)』, 『춘추집해(春秋集解)』, 『예서찬술(禮書纂述)』, 『사서통(四書通)』, 『대학지장도(大學指掌圖)』, 『오경회의(五經會義)』, 『이아운어(爾雅韻語)』 등이 있다.

18) 양인(梁寅), 『주역참의(周易參義)』 권8.

양인(梁寅)이 말했다. "'강·유는 근본을 세우는 것'으로 바뀌지 않는 본체이니, 이른바 '문을 닫는 것(坤을 가리킴)'과 '문을 여는 것(乾을 가리킴)'이다. '변·통은 때에 맞게 따르는 것'으로 변역의 작용이니, 이른바 '왕래함이 끝이 없는 것'이다."

● 蔡氏淸曰: "剛·柔立本, 所謂變易而對待者; 變·通趣時, 所謂變易而流行者.19)"20)

채청(蔡淸)이 말했다. "강(剛)·유(柔)가 근본을 세운다는 것은 이른바 변역(變易)하여 대대(對待: 짝하여 상대를 대우함)하는 것이고, 변·통이 때에 맞게 따른다는 것은 이른바 변역하여 유행(流行: 천리를 따르는 운행)하는 것이다."

案

此是覆說'剛柔相推而生變化'之意. 凡天地間之理, 兩者對待, 斯不偏而可以立本; 兩者迭用, 斯不窮而可以趣時. 故易中剛柔相推, 而變在其中.

이는 ([계사상 2-2])의 '강(剛)과 유(柔)가 서로 추이(推移)하여 변·화를 낳는다'라는 뜻을 다시 설명하였다. 무릇 천지간의 이치는 두

---

19) 所謂變易而對待者 … 所謂變易而流行者: 채청(蔡淸), 『역경몽인(易經蒙引)』 권11상(上)에는 "所謂交易而對待者乎? … 所謂交易而流行者乎?(이른바 교역(交易)하여 대대(對待: 짝하여 상대를 대우함)하는 것인가? … 이른바 교역하여 유행(流行: 천리를 따르는 운행)하는 것인가?)"라고 되어 있다.

20) 채청(蔡淸), 『역경몽인(易經蒙引)』 권11상(上).

가지가 대대(對待 : 짝하여 상대를 대우함)해야 이에 치우치지 않아 근본을 세울 수 있고, 두 가지가 번갈아 작용해야 이에 끊임없이 때에 맞게 따를 수 있다. 그러므로 역(易) 속에는 강(剛)과 유(柔)가 서로 추이(推移)하고 변(變)이 그 가운데 있다.

吉·凶者, 貞勝者也.

길(吉)·흉(凶)은 항상 서로를 이기는 것이다.

本義

'貞', 正也, 常也. 物以其所正爲常者也. 天下之事, 非吉則凶,
非凶則吉, 常相勝而不已也.

'정(貞)'은 바름[正]이고 항상됨[常]이다. 만물은 그 바르게 된 상태
를 항상됨으로 삼는다. 천하의 일은 길(吉)이 아니면 흉(凶)이고 흉
(凶)이 아니면 길(吉)이니, 항상 서로 이기기를 그치지 않는다.

> 天地之道, 貞觀者也; 日月之道, 貞明者也; 天下
> 之動, 貞夫一者也.
>
> 천지의 도(道)는 항상 보여주는 것이고, 일월(日月)의 도(道)는 항상 밝은 것이며, 천하의 움직임은 항상 전일(專一)한 것이다.

本義

'觀', 示也. 天下之動, 其變無窮, 然順理則吉, 逆理則凶, 則其所正而常者, 亦一理而已矣.

'관(觀)'은 보여줌이다. 천하의 움직임은 그 변(變)이 끝이 없지만, 이치를 순조롭게 따르면 길(吉)하고 이치를 거스르면 흉(凶)하니, 그것이 바르게 되고 항상된 것은 또한 하나의 이치일 뿐이다.

集說

● 『朱子語類』云 : "吉凶常相勝, 不是吉勝凶, 便是凶勝吉. 二者常相勝, 占曰'貞勝.' 天地之道則常示, 日月之道則常明. '天下之動, 貞夫一者也', 天下之動雖不齊, 常有一個是底, 故曰'貞夫一.'"[21]

----

21) 주희, 『주자어류』 권76, 9조목.

『주자어류』에서 말했다. "길흉은 항상 서로를 이기니, 길함이 흉함을 이기지 않으면 곧 흉함이 길함을 이긴다. 그 둘은 항상 서로를 이기기 때문에 점사에서 '항상 서로를 이긴다'고 말했다. 천지의 도는 항상 보여주는 것이고 일월의 도는 항상 밝은 것이다. '천하의 움직임은 항상 전일(專一)한 것이다'라는 것은 천지의 움직임이 비록 가지런하지 않지만 항상 하나의 옳음이 있기 때문에 '항상 전일(專一)하다'라고 하였다."

● 高氏萃曰 : "天常示人以易, 地常示人以簡. 雖陰不能以不愆, 陽不能以不伏, 而貞觀之理常自若也. 日明乎晝, 月明乎夜, 雖中不能以不昃, 盈不能以不食, 而貞明之理常自若也. 天下之動, 進退存亡, 不可以一例測, 然而順理則裕, 從欲惟危, 同一揆也; 惠迪之吉, 從逆之凶, 無二致也. 是則造化人事之正常, 卽吉凶之貞勝, 豈可以二而求之哉?"

고췌(高萃)가 말했다. "하늘은 항상 쉬움으로 사람들에게 보여주고, 땅은 항상 간단함으로 사람들에게 보여준다. 비록 음(陰)일지라도 따뜻해지지 않을 수 없고 양(陽)일지라도 서늘해지지 않을 수 없지만,[22] 항상 보여주는 이치는 늘 평소와 같이 그러하다. 해는 낮을 밝히고 달은 밤을 밝히는데, 비록 중천에 떠 있는 해도 기울지 않을 수 없고 보름달도 이지러지지 않을 수 없지만, 항상 밝히는 이치는 늘 평소와 같이 그러하다. 천하의 움직임은 나아가거나 물러

----

22) 비록 음(陰)일지라도 따뜻해지지 않을 수 없고 양(陽)일지라도 시원해지지 않을 수 없지만 :『춘추좌전』소공(昭公) 4년에 "겨울철에는 지나치게 따뜻해지는 일이 없고, 여름철에는 지나치게 서늘해지는 일이 없다.[冬無愆陽, 夏無伏陰.]"라고 하였다.

나며 있거나 없어지기도 하여 한 가지로 헤아릴 수 없지만, 이치를 따르면 편안하고 욕망을 좇으면 위태로운 것은 동일한 법도이며, 선을 따르면 길하고 악을 따르면 흉하다는 것은 달라진 적이 없다. 이렇다면 조화(造化)와 인사(人事)의 정상적인 것은 길흉이 항상 서로를 이기는 것이니, 어찌 두 가지로 삼아서 그것을 구할 수 있겠는가?"

案

自‘吉凶, 貞勝’至此爲一節, 又承‘吉凶悔吝, 生乎動’之意, 而明其理之一也. ‘貞勝’之義, 張子以爲以正爲勝, 朱子以爲二者常相勝, 今玩文義, 當爲以常爲勝. 蓋天下容有善而遇凶, 惡而獲吉者, 然非其常也. 惠迪吉, 從逆凶, 乃理之常. 故當以常者爲勝, 如天地則以常者觀示, 日月則以常者照臨. 偶有變異, 不足言也, 天下之動, 豈不常歸於一理乎?

‘길(吉)·흉(凶)은 항상 서로를 이기는 것이다’에서 여기까지가 한 구절이 되니, 또 ([계사하 1-3]의) ‘길·흉·회·린은 움직임에서 생기는 것이다’라는 구절의 뜻을 이어 그 이치가 한 가지임을 밝혔다. ‘항상 서로를 이긴다[貞勝]’라는 구절의 의미에 대하여, 장자(張子 : 張載)는 바름[正]을 이기는 것으로 삼는다고 여겼고,[23] 주자(朱子 : 朱熹)는 그 둘이 항상 서로를 이긴다고 여겼는데, 이제 그 문장의 의미를 완미해보면 마땅히 항상 서로를 이긴다고 해야 할 것이다. 천하에 어쩌다가 선(善)을 행하고도 흉함을 만나거나 악(惡)을 행

---

23) 장자(張子 : 張載)는 바름[正]을 이기는 것으로 삼는다고 여겼고 : 장재(張載), 『횡거역설(橫渠易說)』 권3에서 “길흉은 바름으로 이길 수 있으니, 성인의 우환이 아니다.[吉凶可以正勝, 非聖人之患也.]”라고 하였다.

하고도 길함을 얻는 경우가 있지만, 항상 그러한 것은 아니다. 선을 따르면 길하고 악을 따르면 흉하다는 것이 바로 항상 그러한 이치이다. 그러므로 마땅히 항상 그러한 것을 이기는 것으로 삼아야 하니, 예컨대 천지는 항상 그러한 것으로 보여주고 일월은 항상 그러한 것으로 비춰주는 것과 같다. 우연히 바뀌어 달라지는 것은 말할 필요가 없으니, 천하의 움직임이 어찌 항상 하나의 이치에 귀결되지 않겠는가?

[계사하 1-7]

夫乾確然示人易矣, 夫坤隤然示人簡矣.

건(乾)은 확연하니 사람들에게 쉬움을 보여주고, 곤(坤)은 퇴연하
니 사람들에게 간단함을 보여준다.

本義

'確然', 健貌, '隤然' 順貌, 所謂貞觀者也.

'확연(確然)'은 강건한 모양이고 '퇴연(隤然)'은 유순한 모양이니, 이
른바 항상 보여주는 것이다.

集說

● 韓氏伯曰 : "'確', 剛貌也; '隤', 柔貌也. 乾·坤皆恒一其德, 故
簡·易也."24)

한백(韓伯)이 말했다. "'확(確)'은 굳센 모양이고 '퇴(隤)'는 부드러
운 모양이다. 건·곤은 모두 항상 그 덕을 하나로 하기 때문에 간단
하고 쉽다."

....

24) 한백(韓伯), 『주역주소(周易註疏)』 권12.

34 주역절중 *10*

此節又承'剛·柔立本, 變·通趣時'之意, 而明其理之一也. 乾·
坤者, 剛·柔之宗也, 乾·坤定位, 而變·化不窮矣. 然其所以立
本者, 一歸於易簡之理. 所謂'天有顯道, 厥類維彰', 萬古不易
者也.

이 구절은 또 '강(剛)·유(柔)는 근본을 세우는 것이고, 변(變)·통
(通)은 때에 맞게 따르는 것이다'라는 구절의 뜻을 이어 그 이치가
하나임을 밝혔다. 건·곤은 강·유의 근본이니 건·곤이 자리를 정
하면 변·화가 끝이 없다. 그러나 그것이 근본을 세우는 까닭은 쉬
움과 간단함의 이치에 하나로 귀결된다. 이른바 '하늘은 드러난 도
가 있어 그 부류가 밝다'[25]라는 것은 영원히 바뀌지 않는다.

---

25) 하늘은 드러난 도가 있어 그 부류가 밝다 : 『서(書)』「주서(周書)·태서하
(泰誓下)」.

爻也者, 效此者也; 象也者, 像此者也.

효(爻)는 이를 본받은 것이고, 상(象)은 이를 형상한 것이다.

本義

'此', 謂上文乾·坤所示之理, 爻之奇·耦, 卦之消·息, 所以效而像之.

'이'는 윗글에 건(乾)·곤(坤)이 보여준 바의 이치를 말하니, 효(爻)의 홀과 짝, 괘의 줄어듦과 불어남이 이를 본받아 형상한 것이다.

案

'爻也者, 效此', 是結'吉·凶·悔·吝, 生乎動'而'貞夫一'之意. '象也者, 像此', 是結剛柔變通而歸於易簡之意.

'효(爻)가 이를 본받았다'는 것은 '길·흉·회·린은 움직임에서 생긴다'와 '항상 전일(專一)하다'는 뜻을 끝맺은 것이다. '상(象)은 이를 형상한다'는 것은 강(剛)·유(柔)가 변(變)·통(通)하여 쉬움과 간단함에 귀결된다는 뜻을 끝맺은 것이다.

爻·象動乎內, 吉·凶見乎外, 功業見乎變, 聖人
之情見乎辭.

효(爻)와 상(象)은 안에서 움직이고, 길(吉)과 흉(凶)은 밖에 나타
나며, 공업(功業)은 변(變)에 나타나고, 성인의 정(情)은 설명[辭]에
나타난다.

本義

‘內’, 謂蓍卦之中; ‘外’, 謂蓍卦之外. ‘變’, 卽動乎內之變. ‘辭’,
卽見乎外之辭.

‘안[內]’는 시초와 괘의 가운데를 말하고, ‘밖[外]’는 시초와 괘의 밖을
말한다. ‘변(變)’은 안에서 움직이는 변함이고, ‘설명[辭]’은 밖으로
나타나는 설명이다.

集說

● 韓氏伯曰 : “功業由變以興, 故‘見乎變’也. 辭也者, 各指其所
之, 故曰‘情’也.”[26]

한백(韓伯)이 말했다. “공업(功業)은 변(變)으로 말미암아 흥기하기

---

26) 한백(韓伯), 『주역주소(周易註疏)』 권12.

때문에 '변(變)'에 나타난다.' 설명[辭]은 각각 그 가는 곳을 가리키기 때문에 '정(情)'이라고 말했다."

● 張子曰 : "因爻 · 象之旣動, 明吉 · 凶於未形, 故曰'爻 · 象動乎內, 吉 · 凶見乎外.' 隨爻 · 象之變以通其利, 故功業見也. 聖人之情, 存乎敎人而已."27)

장자(張子 : 張載)가 말했다. "효(爻)와 상(象)이 이미 움직인 것을 따라 길 · 흉이 아직 드러나지 않은 것을 밝히기 때문에, '효(爻)와 상(象)은 안에서 움직이고 길(吉)과 흉(凶)은 밖에 나타난다'고 하였다. 효와 상의 변(變)을 따라 그 이로움을 통달하기 때문에 공업(功業)이 나타난다. 성인의 정(情)은 사람들을 가르치는 데 있을 따름이다."

● 吳氏澄曰 : "聖人與民同患之情, 皆於易而著見. 聖人之道而獨歸重於辭, 蓋此篇爲「繫辭之傳」故也."28)

오징(吳澄)이 말했다. "성인이 백성과 함께 근심하는 정(情)은 모두 역(易)에서 두드러지게 드러난다. 성인의 도가 유독 설명[辭]에 비중을 둔 것은 이 편(篇)이 「계사전」이기 때문이다."

案

爻 · 象者, 動而無形, 故曰'內.' 吉 · 凶者, 顯而有跡, 故曰'外', 非

---

27) 장재(張載), 『횡거역설(橫渠易說)』 권3, 「계사하」.
28) 오징(吳澄), 『역찬언(易纂言)』 권8.

專以蓍筮言也.

효(爻)와 상(象)은 움직이지만 형체가 없기 때문에 '안[內]'이라고 했다. 길(吉)과 흉(凶)은 드러나 자취가 있기 때문에 '밖[外]'이라고 했는데, 오로지 시초로 점치는 일을 말한 것은 아니다.

[계사하 1-10]

> 天地之大德曰生, 聖人之大寶曰位. 何以守位曰仁,
> 何以聚人曰財. 理財正辭禁民爲非曰義.

천지의 큰 덕을 생(生)이라 하고 성인의 큰 보배를 지위(位)라고 한다. 무엇으로 지위를 지키는가 하면 사람들이고, 무엇으로 사람들을 모으는가 하면 재물이다. 재물을 다스리고 언사(言辭)를 바르게 하며 백성이 잘못하는 것을 금지하는 일을 의(義)라고 한다.

本義

'曰人'之'人', 今本作'仁', 呂氏從古, 蓋所謂'非衆罔與守邦?'

'왈인(曰人)'의 '인(人)'이 지금 판본에는 '인(仁)'으로 되어 있는데, 여씨(呂氏 : 呂祖謙)29)는 옛것을 따랐으니, 이른바 '백성이 없다면

---

29) 여조겸(呂祖謙, 1137~1181) : 자는 백공(伯恭)이고, 호는 동래선생(東萊先生)이다. 남송(南宋)대 무주(婺州 : 현 절강성 금화〈金華〉시) 사람이다. 주희(朱熹), 장식(張栻)과 더불어 동남삼현(東南三賢)으로 일컬어진다. 저명한 이학(理學)의 대가로 무학(婺學)을 창립했는데, 당시에 가장 영향력 있었던 학파(學派)였다. 융흥(隆興) 1년(1163)에 진사에 급제하여 벼슬은 장사랑(將仕郎), 적공랑(迪功郎), 감담주남악묘(監潭州南嶽廟), 우적공랑(右迪功郎), 태학박사(太學博士), 국사원편수관(國史院編修官), 실록원검토관(實錄院檢討官), 비서성비서랑(秘書省秘書郎) 등을 역임했다. 저서에는 『좌전설(左傳說)』, 『동래좌씨박의(東萊左氏博議)』, 『역대제도상설(歷代制度詳說)』, 『송문감(宋文鑑)』 등이 있고, 주

누구와 나라를 지킬 것인가?'30)라고 했기 때문이다.

此第一章, 言卦·爻吉凶, 造化功業.

이는 제1장(章)이니, 괘(卦)·효(爻)의 길흉과 조화(造化)의 공업(功業)을 말했다.

집說

● 陸氏績曰 : "人非財不聚, 故聖人觀象制器, 備物盡利, 以業萬民而聚之也. 蓋取聚人之本矣."31)

육적(陸績)이 말했다. "사람은 재물이 아니면 모이지 않기 때문에, 성인이 상(象)을 살펴 기물을 만들고 사물들을 갖추어 이익을 다 발휘하여 온 백성이 생업을 갖게 하여 그들을 모았다. 이는 사람들을 모으는 근본을 취한 것이다."

● 崔氏憬曰 : "言聖人行易之道, 當須法天地之大德, 寶萬乘之大位. 謂以道濟天下爲寶, 是其大寶也. 夫財貨人所貪愛, 不以義理之, 則必有敗也. 言辭人之樞要, 不以義正之, 則必有辱也. 百姓有非, 不以義禁之, 則必不改也. 此三者皆資於義, 以此行之, 得其宜也. 故知仁義, 聖人寶位之所要也."32)

희(朱熹)와 더불어 『근사록(近思錄)』을 편집했다.
30) 백성이 없다면 누구와 나라를 지킬 것인가 : 『서(書)』·「대우모(大禹謨)」.
31) 요사린(姚士粦) 편, 『육씨역해(陸氏易解)』.

최경(崔憬)이 말했다. "성인이 역(易)의 도(道)를 시행함에 반드시 천지의 큰 덕을 본받고 수레 만 대를 낼 수 있는 천자 나라의 큰 지위를 보배로 삼아야 함을 말한다. 도(道)가 천하를 구제함을 보배로 삼는 일은 그것이 큰 보배라는 것을 말한다. 무릇 재화는 사람들이 탐내고 아끼는 것이니 의(義)로 그것을 다스리지 않으면 반드시 실패가 있다. 언사(言辭)는 사람들에게 관건이 되니 의(義)로 그것을 바로잡지 않으면 반드시 치욕이 있다. 백성들이 잘못을 저지를 때 의(義)로 그것을 금지하지 않으면 반드시 고칠 수 없다. 이 세 가지는 모두 의(義)에 의거하니, 의로 시행하면 마땅함을 얻는다. 그러므로 인의(仁義)를 아는 것은 성인의 보배로운 지위에 필요한 바이다."

● 張子曰 : "將陳理財養物於下, 故先敘天地生物."[33]

장자(張子 : 張載)가 말했다. "재물을 다스리고 만물을 기르는 일을 아래에 진열하려고 했기 때문에, 먼저 천지가 만물을 낳는 것에 대해 서술했다."

● 朱氏震曰 : "'天地之大德曰生'者仁也. 聖人成位乎兩間者仁而已, 不仁不足以參天地. 義所以爲仁, 非二本也, 故曰'立人之道曰仁與義.'"[34]

주진(朱震)이 말했다. "'천지의 큰 덕을 생(生)이라고 한다'는 것은

---

32) 이정조(李鼎祚),『주역집해(周易集解)』권15에 최경의 말로 실려 있다.
33) 장재(張載),『횡거역설(橫渠易說)』권3,「계사하」.
34) 주진(朱震),『한상역전(漢上易傳)』권8.

인(仁)이다. 성인이 천지간에 지위를 이루는 것은 인(仁)일 뿐이니, 인이 아니면 천지와 셋이 되기에 충분하지 못하다. 의(義)는 인(仁)을 실천하는 근거이니 두 가지 근본이 아니다. 그러므로 '사람의 도(道)를 세우는 것은 인(仁)과 의(義)이다'[35]라고 했다."

● 王氏宗傳曰 : "聖人所以配天地而王天下者, 亦有仁義而已矣. 仁, 德之用也; 義, 所以輔仁也. '理財', 如所謂作網罟以佃漁, 作耒耜以耕耨, 致民聚貨以交易之類是也. '正辭', 如所謂易結繩以書契, 百官以治, 萬民以察是也. '禁民爲非', 如所謂重門擊柝以待暴客, 剡矢弦弧以威天下是也."[36]

왕종전(王宗傳)이 말했다. "성인이 천지와 짝하여 천하에 왕이 될 수 있는 근거는 또한 인의(仁義)가 있을 뿐이다. 인(仁)은 덕의 작용이고 의(義)는 인을 보좌하는 것이다. '재물을 다스린다'는 것은 예컨대 이른바 그물을 만들어 사냥을 하고 물고기를 잡으며, 쟁기와 보습을 만들어서 밭 갈고 김매며, 백성을 오게 하고 재화(財貨)를 모아 교역(交易)하는 따위가 이것이다. '언사(言辭)를 바르게 한다'는 것은 예컨대 이른바 끈을 매어 표현하던[결승문자]방식을 바꾸어 글과 문서로 하고, 여러 관리에게 다스리게 하고 온갖 백성을 살폈다는 것이 이것이다. '백성이 잘못하는 것을 금지한다'는 것은 예컨대 이른바 문을 겹으로 하고 딱따기를 쳐서 포악한 나그네를 대비하였으며, 나무를 깎아 화살을 만들고 활시위를 매어 활을 만들어 천하를 두렵게 한 것이 이것이다."

....

35) 사람의 도(道)를 세우는 것은 인(仁)과 의(義)이다 : 『역』「설괘전」 제2장.
36) 왕종전(王宗傳), 『동계역전(童溪易傳)』 권29.

● 『朱子語類』云 : "'正辭'便只是分別是非. 又曰, '教化便在正辭
裏面.'"37)

『주자어류』에서 말했다. "'언사(言辭)를 바르게 한다'는 것은 다만
시비를 분별하는 것일 뿐이다. 또 '교화는 언사(言辭)를 바르게 한
것 속에 있다'라고 말했다."

● 項氏安世曰 : "聖人之仁, 卽天地之生. '大寶曰位', 卽'崇高莫
大乎富貴'也. 自此以下, 以包犧氏 · 神農氏 · 黃帝 · 堯 · 舜氏實
之, 皆聖人之富貴者也. '財'者, 百物之總名, 皆民之所利也. '理
財', 謂水 · 火 · 金 · 木 · 土穀惟修, 所以利之也. '正辭', 謂殊貴賤
使有度, 明取予使有義, 辨名實使有信, 利之所在, 不可不導之
使知義也. '禁民爲非', 謂憲禁令, 致刑罰, 以齊其不可導者也.
蓋養之教之而後齊之, 聖人之政, 盡於此三者矣. 其德意之所發,
主於仁民. 義者, 仁之見於條理者也."38)

항안세(項安世)가 말했다. "성인의 인(仁)은 바로 천지의 생(生)이
다. '큰 보배를 지위[位]라고 한다'는 곧 ([계사상 11-7]의) '숭고(崇
高)함은 부귀(富貴)보다 큰 것이 없다'는 말이다. 여기에서 그 아래
는 포희씨 · 신농씨 · 황제(黃帝) · 요임금 · 순임금 등을 통해 그것을
증명했으니, 모두 성인 가운데 부귀한 사람이다. '재물'은 온갖 사
물의 총칭으로 모두 백성이 이롭게 여기는 것이다. '재물을 다스린
다'는 수(水) · 화(火) · 금(金) · 목(木) · 토(土)와 곡식이 잘 다스려
져39) 그것으로 이롭게 한다는 것을 말한다. '말을 바르게 한다'는

---

37) 주희, 『주자어류』 권76, 18조목.
38) 항안세(項安世), 『주역완사(周易玩辭)』 권14.

귀함과 천함을 구별하여 법도가 있도록 하고, 받는 것과 주는 것을 분명히 하여 의로움[義]이 있도록 하며, 명분과 실질을 변별하여 믿음[信]이 있도록 하고, 이로움이 있는 곳은 인도하지 않을 수 없지만 의로움을 알도록 하는 것을 말한다. '백성들이 잘못하는 것을 금지한다'는 금지하는 법령을 공포(公布)하고 형벌을 시행하여, 인도할 수 없는 자를 다스리는 것을 말한다. 길러주고 가르친 뒤에 다스리는 것이 성인의 정사(政事)이니, 이 세 가지에서 다 발휘된다. 그 은덕을 베풀려는 마음이 발휘되는 것은 백성을 인(仁)하게 만드는 데 중점이 있다. 의로움[義]은 인(仁)이 조리(條理)에 나타난 것이다."

● 眞氏德秀曰 : "案『易』之並言仁義者, 此章及「說卦」‘立天之道’章而已. 在天地則曰生, 在聖人則曰仁, 仁之義蓋可識矣."[40]

진덕수(眞德秀)가 말했다. "생각건대 『역(易)』에서 인(仁)과 의(義)를 함께 말한 것은 이 장(章)과 「설괘전」의 '입천지도(立天之道 : 하늘의 도를 세우는 것)' 장(章)[41] 뿐이다. 천지에 있어서는 생(生)이라 하고, 성인에게 있어서는 인(仁)이라 하니, 인의 의미를 알만하다."

---

39) 수(水) · 화(火) · 금(金) · 목(木) · 토(土)와 곡식이 잘 다스려져서 : 『서(書)』「대우모(大禹謨)」.

40) 진덕수(眞德秀), 『서산독서기(西山讀書記)』 권9.

41) 「설괘전」의 '입천지도(立天之道 : 하늘의 도를 세우는 것)' 장(章) : 『역』「설괘전」 제2장에서 "하늘의 도(道)를 세워 음(陰)과 양(陽)이라 했고, 땅의 도를 세워 유(柔)와 강(剛)이라 했으며, 사람의 도를 세워 인(仁)과 의(義)라고 했다(立天之道曰陰與陽, 立地之道曰柔與剛, 立人之道曰仁與義.)"라고 하였다.

● 李氏心傳曰 : "蔡邕云, '以仁守位, 以財聚人', 則漢以前已用此'仁'字矣."

이심전(李心傳)[42]이 말했다. "채옹(蔡邕)[43]이 '인(仁)으로써 지위를 지키고, 재물로 사람들을 모은다'[44]라고 말했으니, 한(漢)대 이전에 이미 이 '인(仁)'이라는 글자를 사용했다."

---

42) 이심전(李心傳, 1166~1243) : 자는 미지(微之) 또는 백미(伯微)고, 호는 수암(秀巖)이며, 이순신(李舜臣)의 아들이다. 남송 융주 정연(隆州井研 : 현 사천성 낙산(樂山)) 사람이다. 영종(寧宗) 경원(慶元) 초에 과거시험에 낙방한 뒤 연구와 저술에 힘썼다. 만년에 최여지(崔與之) · 위료옹(魏了翁) 등의 천거로 사관교감(史館校勘)이 되어 『중흥사조제기(中興四朝帝紀)』와 『십삼조회요(十三朝會要)』를 편찬하고, 공부시랑(工部侍郎)에 발탁되었다. 사직한 뒤 조주(潮州)에서 살았다. 저서에 『병자학역편(丙子學易編)』, 『춘추고(春秋考)』, 『예변(禮辨)』, 『송시훈(誦詩訓)』, 『독사고(讀史考)』, 『건염이래계년요록(建炎以來系年要錄)』, 『건염이래조야잡기(建炎以來朝野雜記)』, 『구문정오(舊聞正誤)』, 『도명록(道命錄)』 등이 있다.

43) 채옹(蔡邕, 133~192) : 자는 백개(伯喈)이고, 진류 어현(陳留圉縣 : 현 하남성 기현(杞縣)) 사람이다. 동한(東漢)시기 하평장(河平長), 낭중(郎中), 의랑(議郎) 등의 벼슬을 역임하고 무고로 유배되었다가, 중평(中平) 6년(189) 동탁(董卓)이 집권하자 발탁되어 좨주(祭酒)가 되고, 상서(尚書)를 거쳐 좌중랑장(左中郎將)까지 승진해 고양향후(高陽鄉侯)에 봉해졌다. 동탁이 주살당한 뒤 사도(司徒) 왕윤(王允)에게 체포되었는데, 자청하여 경형(黥刑)과 월형(刖刑)을 받아 『한사(漢史)』 집필을 마칠 것을 요청했지만, 받아들여지지 않고 옥사했다. 경사(經史), 천문, 음율에 정통했는데, 특히 서예에 조예가 깊어서 비백체(飛白體)를 창시했고, 음율에 대해서도 연구가 깊어 거문고의 재료와 제작 및 조율 등에 독창적인 견해가 있었다. 저서에 『채중랑집(蔡中郎集)』이 있다.

44) 인(仁)으로써 지위를 지키고, 재물로써 사람들을 모은다 : 『후한서(後漢書)』 권90하(下), 「채옹열전(蔡邕列傳)」.

● 孔氏穎達曰 : "此第一章, 覆釋「上繫」第二章象爻·剛柔·吉
凶悔吝之事, 更具而詳之."[45]

공영달(孔穎達)이 말했다. "이 (「계사하」) 제1장은 「계사상」 제2장
의 상(象)과 효(爻), 강(剛)과 유(柔), 길·흉·회·린의 일을 다시 해
석하고, 더 갖추어 자세하게 설명했다."

案

此章與「上傳」第二章相應. 故「上傳」第三章以後, 皆申說第二
章之意;「下傳」則自第二章之後, 皆申說此章之意也. '八卦成列,
因而重之', 卽所謂'設卦觀象'也. 因爻象中剛柔相推之變, 而繫之
吉·凶·悔·吝之辭, 卽所謂'繫辭焉而明吉·凶'也. 此四句, 由象
以及於辭者, 作『易』之序也. 下文又由辭之吉·凶·悔·吝而推本
於剛·柔之象, 蓋「傳」本爲繫辭而作, 而「下傳」尤詳焉, 故其立言
如此.

이 장(章)은 「계사상」 제2장과 서로 호응한다. 그러므로 「계사상」
제3장 이후는 모두 제2장의 뜻을 펼쳐서 설명했고, 「계사하」에서
제2장부터 그 뒤는 모두 이 장(章)의 뜻을 펼쳐서 설명했다. (이 장
에서) '8괘가 열(列)을 이루고, 그것을 따라 거듭했다'는 것은 이른
바 ([계사상 2-1]의) '괘를 만들어 상(象)을 살펴본다'는 것이다. (이
장에서) 효(爻)의 상(象)에서 강(剛)과 유(柔)가 서로 추이(推移)하
는 변(變)에 따라 길·흉·회·린이라는 설명을 붙였다는 것은 이른
바 ([계사상 2-1]의) '설명을 붙여 길(吉)·흉(凶)을 밝혔다'는 것이

---

45) 공영달 소(孔穎達 疏), 『주역주소(周易註疏)』 권12.

다. 이 네 개의 구절은 상(象)에서 말미암아 설명[辭]에까지 미친 것이니, 『역(易)』을 만든 순서이다. 아래 글에서 또 길·흉·회·린이라는 설명을 붙인 것으로 말미암아 강(剛)과 유(柔)의 상(象)으로 근본을 미루어 본 것은, 「계사전」이 본래 설명을 붙이기 위해 지은 것이고 「계사하」는 더욱 상세하기 때문에, 그 말이 이와 같다.

吉·凶·悔·吝, 由動而生者, 蓋以剛·柔迭運, 變而從時故也. 吉·凶之遇, 參差不齊, 然以常理爲勝, 而天下之動可一者, 以剛·柔變化, 不離乾·坤, 乾易坤簡, 而天下之理得故也. '爻象動乎內'四句, 又總而結言之. '天地大德'一節, 『本義』原屬此章, 然諸儒多言宜爲下章之首. 蓋下章所取十三卦, 無非'理財'·'正辭'·'禁非'之事, 其說可從也.

길·흉·회·린이 움직임으로 말미암아 생겨난다는 것은, 강(剛)과 유(柔)가 번갈아 운행하고 변하여 때에 따르기 때문이다. 길·흉을 만나는 것이 들쑥날쑥 가지런하지 않지만 불변하는 이치를 이기는 일로 여겨 천하의 움직임을 하나로 할 수 있는 것은, 강(剛)과 유(柔)의 변·화가 건·곤을 떠나지 않으며 건은 쉽고 곤은 간단하여 천하의 이치를 얻기 때문이다. '효(爻)와 상(象)은 안에서 움직인다'라는 네 개의 구절46)은 또 총괄하여 끝맺은 말이다. '천지의 큰 덕'이라는 한 단락47)에 대하여 『주역본의』는 원래 이 장(章)에 소속시

---

46) '효(爻)와 상(象)은 안에서 움직인다'라는 네 개의 구절 : [계사하 1-9]의 "효(爻)와 상(象)은 안에서 움직이고, 길(吉)과 흉(凶)은 밖으로 나타나며, 공업(功業)은 변(變)에 나타나고, 성인의 정(情)은 설명에 나타난다"를 가리킨다.

47) '천지의 큰 덕'이라는 한 단락 : [계사하 1-10]의 "천지의 큰 덕을 생(生)이

켰지만, 여러 학자들은 대부분 마땅히 아래 장(章)의 첫머리가 되어야 한다고 말한다. 대개 아래 장(章)에서 취한 13개의 괘가 '재물을 다스린다'·'말을 바로잡는다'·'잘못을 금지한다'라는 일이 아닌 것이 없기 때문에 그 주장도 좇을 만하다.

라 하고 성인의 큰 보배를 지위[位]라고 한다. 무엇으로 지위를 지키는가 하면 사람들이고, 무엇으로 사람들을 모으는가 하면 재물이다. 재물을 다스리고 언사(言辭)를 바르게 하며 백성이 잘못하는 것을 금지하는 일을 의(義)라고 한다"를 가리킨다.

계사하 2

[계사하 2-1]

> 古者包犧氏之王天下也, 仰則觀象於天, 俯則觀法
> 於地, 觀鳥獸之文與地之宜, 近取諸身, 遠取諸物,
> 於是始作八卦, 以通神明之德, 以類萬物之情.

옛날 포희씨(包犧氏)가 천하에 왕이 되어 다스릴 때 우러러 하늘의
상(象)을 관찰하고 굽어 땅의 법(法)을 관찰하며, 새와 짐승의 문양
[文]과 토지의 마땅함을 관찰하고, 가까이는 자신에게서 취하고 멀리
는 물건에게서 취하여, 이에 비로소 8괘를 만들어 신명(神明)의 덕을
통달하고 만물의 실정을 분류하였다.

本義

王昭素曰, "'與地'之間, 諸本多有'天'字." 俯仰遠近所取不一,
然不過以驗陰陽消息兩端而已. '神明之德', 如健·順·動·止
之性; '萬物之情', 如雷·風·山·澤之象.

왕소소(王昭素)[1]는 "'토지의 마땅함을 언급할 때, 여지(與地)' 사이에 여러 판본에는 '천(天)'자가 있는 것이 많다"라고 하였다. 굽어보고 우러러보며, 멀고 가까운 곳에서 취한 것이 한결같지 않지만, 음(陰)·양(陽)의 줄어듦과 불어남 두 측면을 징험하는 것에 지나지 않을 뿐이다. '신명(神明)의 덕'은 예컨대 굳셈[健]·순응함[順]·움직임[動]·멈춤[止]과 같은 성(性)이고, '만물의 실정'은 예컨대 우레[雷]·바람[風]·산(山)·못[澤]과 같은 상(象)이다.

集說

● 朱氏震曰 : "自此以下, 明'備物致用, 立成器以爲天下利'者, 無非有取於易, 皆仁也. 曰'王天下'者, 明'守位'也."[2]

주진(朱震)이 말했다. "여기에서 그 아래는 '사물을 구비하여 그 쓰임을 다하고 기물(器物)을 이루어 천하의 이로움을 삼는 것'[3]이 역(易)에서 취하지 않음이 없으니, 그것이 모두 인(仁)이라는 것을 밝

---

1) 왕소소(王昭素, 894~982) : 송(宋)대 개봉 산조(開封酸棗 : 현 하남성 연진현〈延津縣〉) 사람으로 어려서부터 학문에 독실하여 경전에 두루 통달하고 노장학까지 섭렵하였다. 특히 『시(詩)』와 『역(易)』에 정통했다. 문인들을 모아 가르치면서 생계를 꾸렸는데, 이목(李穆)과 그의 아우 이숙(李肅) 및 이휘(李憚) 등이 오랫동안 그를 사사하였다. 송 태조 개보(開寶) 3년(970) 이목(李穆)의 천거를 받아 태조(太祖)를 알현하고 『주역』을 강의했다. 송태조는 그를 곁에 두기 위해 국자박사(國子博士)에 임명했다고 한다. 저서에 『역론(易論)』 33편이 있다.
2) 주진(朱震), 『한상역전(漢上易傳)』 권8.
3) 사물을 구비하여 그 쓰임을 다하고 기물(器物)을 이루어 천하의 이로움을 삼는 것 : 『역』「계사상」 제11장.

했다. '천하에 왕이 되어 다스린다'고 말한 것은 ([계사하 1-10]의) '지위를 지킨다'는 뜻을 밝혔다."

● 王氏申子曰 : "伏羲氏繼天立極, 畫八卦以前民用, 後之聖人, 相繼而作, 制爲相生相養之具, 皆所以廣天地生生之德, 自網罟至書契是也."[4]

왕신자(王申子)가 말했다. "복희씨가 하늘을 이어받아 사람의 표준을 세우고 8괘를 그어 백성이 사용하기 전에 앞서서 열어준 것과 그 뒤의 성인이 서로 이어 일어나 서로 생성하고 서로 길러주는 도구를 제작한 것은, 모두 천지의 낳고 낳는 덕을 넓힌 것으로 그물에서 글과 문서에 이르기까지가[5] 이것이다."

● 蔡氏淸曰 : "'以通神明之德, 以類萬物之情'二句, 一是精,[6] 一是粗, 一是性情, 一是形體. 其下十三卦所尙之象, 一皆出此."[7]

채청(蔡淸)이 말했다. "'그것으로 신명(神明)의 덕을 통달하고 만물의 실정을 분류하였다'라는 두 구절은 하나는 정밀하고 하나는 거칠며, 하나는 성정(性情)이고 하나는 형체이다. 그 아래에 13개 괘가 주관하는 상(象)은 한결같이 모두 여기에서 나온다."

---

4) 왕신자(王申子), 『대역집설(大易緝說)』 권10.
5) 그물에서부터 글과 문서에 이르기까지가 : 아래 [계사하 2-2]부터 [계사하 2-13]까지의 사례를 가리킨다.
6) 一是精 : 채청(蔡淸), 『역경몽인(易經蒙引)』 권11상(上)에는 "最盡一是精…[하나는 정밀하고 … 라는 것을 가장 잘 표현했다.]"이라고 되어 있다.
7) 채청(蔡淸), 『역경몽인(易經蒙引)』 권11상(上).

作結繩而爲網罟, 以佃以漁, 蓋取諸離.

노끈으로 매듭을 지어 그물을 만들어서 사냥하고 고기 잡았으니,
리(離☲)괘에서 취했을 것이다.

本義

兩目相承而物麗焉.

두 그물눈을 서로 이어 사물이 거기에 붙어있게 했다.

集說

● 孔氏穎達曰 : "案 : 諸儒象卦制器, 皆取卦之爻象之體, 韓氏
之意, 直取卦名因以制器. 案 : 「上繫」云, '以制器者尙其象', 則
取象不取名也. 韓氏乃取名不取象, 於義未善."[8]

공영달(孔穎達)이 말했다. "생각건대 여러 학자들이 괘를 본떠 기
물을 만들었다고 한 것은 모두 괘의 효상(爻象)의 몸체를 취한 것
인데, 한씨(韓氏 : 韓伯)의 뜻[9]은 다만 괘의 이름을 취하여 그것에

----

8) 공영달 소(孔穎達 疏), 『주역주소(周易註疏)』 권12.
9) 한씨(韓氏 : 韓伯)의 뜻 : 한백(韓伯)은 『주역주소(周易註疏)』 권12에서
   이 구절에 대해 "리(離)는 붙어있다는 것이다. 그물을 사용하게 된 것은

따라 기물을 만들었다는 말이다. 생각건대 「계사상」에서 '그것으로 기물(器物)을 만드는 사람은 그 상(象)을 숭상한다'고 하였으니, 상(象)을 취했지 이름을 취하지 않았다. 한백이 이름을 취하고 상(象)을 취하지 않은 것은 의미상 훌륭하지 않은 것 같다."

● 胡氏瑗曰 : "'蓋'者, 疑之辭也, 言聖人創立其事, 不必觀此卦而成之. 蓋聖人作事立器, 自然符合於此之卦象也, 非準擬此卦而後成之, 故曰'蓋取.'"10)

호원(胡瑗)이 말했다. "'개(蓋 : ~을 했을 것이다)'는 의심스러워하는 말이니, 성인이 그 일을 창립한 것은 반드시 이 괘를 살펴보고 그것을 이루지는 않았음을 말한다. 대개 성인이 일을 하여 기물을 만든 것은 저절로 이 괘의 상(象)에 부합한 것이지, 이 괘를 모방한 뒤에 그것을 이룬 것이 아니기 때문에 '취했을 것이다'라고 하였다."

案

孔氏所議韓氏是也. 且六十四卦名, 是文王所命, 包犧之時, 但有八卦名象而已. 黃·農·堯·舜, 不應便取卦名, 經文'蓋取'之云, 雖曰假托, 不必拘泥. 然亦不應大段疏脫也. 古者網羅所致曰離. 『詩』曰 : "魚網之設, 鴻則離之." 又曰 : "有兎爰爰, 雉離於

....

반드시 사물이 붙어있는 것을 살펴본 것이니, 물고기는 물에 붙어있고, 짐승은 산에 붙어있다.[離, 麗也. 罔罟之用, 必審物之所麗也, 魚麗于水, 獸麗于山也]"라고 주석하였다.

10) 호원(胡瑗), 『주역구의(周易口義)』「계사하(繫辭下)」.

羅." 二體皆離, 上下網羅之象.

공씨(孔氏 : 孔穎達)가 한씨(韓氏 : 韓伯)의 주장에 대해 논의한 것은 옳다. 64괘의 명칭은 문왕이 명명한 것이니, 포희 시대에는 다만 8괘의 명칭과 상(象)이 있었을 뿐이다. 황제(黃帝)·신농씨, 요임금·순임금 시대에도 응당 괘의 명칭을 취하지 않았을 것이니, 경문에서 '취했을 것이다[蓋取]'라고 말한 것은 비록 가탁하여 말한 것이지만 구애될 필요가 없다. 그러나 또한 아주 소홀히 해서도 안 된다. 옛사람은 그물을 쳐서 잡히는 것을 리(離)라고 하였다. 『시경』「국풍(國風)·패(邶)·신대(新臺)」에서 "물고기 그물을 설치했는데 기러기가 걸렸다"라 했고, 또 『시경』「국풍(國風)·왕(王)·토원(兎爰)」에서 "토끼는 여유만만한데 꿩은 그물에 걸렸다"라고 하였다. 두 체(體)가 모두 리(離☲)이니, 아래위로 그물을 친 상(象)이다.

> 包犧氏沒, 神農氏作, 斫木爲耜, 揉木爲耒, 耒耨
> 之利, 以教天下, 蓋取諸益.
>
> 포희씨(包犧氏)가 죽자 신농씨(神農氏)가 일어나, 나무를 깎아 쟁
> 깃날을 만들고 나무를 휘어 쟁기자루를 만들어 쟁기와 호미의
> 이로움으로 천하를 가르쳤으니, 익(益䷩)괘에서 취했을 것이다.

本義

二體皆木, 上入下動, 天下之益, 莫大於此.

두 체(體)가 모두 나무이며 위는 들어가고 아래는 움직이니, 천하의
유익함이 이보다 더 큰 것이 없다.

集說

● 蔡氏淵曰 : "耜, 耒首也, 斷木之銳而爲之. 耒, 耜柄也, 揉木
使曲而爲之."

채연(蔡淵)이 말했다. "쟁깃날은 쟁기의 머리 부분으로 나무를 잘
라 예리하게 해서 만든다. 쟁기자루는 쟁깃날의 손잡이로 나무를
휘어 구부려 만든다."

● 吳氏澄曰 : "益上巽二陽, 象耒之自地上而入 ; 下震一陽, 象
耜之在地下而動也.[11]

오징(吳澄)이 말했다. "익(益☳)괘의 상괘인 손(巽☴)괘에서 두 양
효는 쟁기자루가 땅위에서 들어가는 것을 상징하고, 하괘인 진(震
☳)괘에서 하나의 양효는 쟁깃날이 땅 아래에서 움직이는 것을 상
징한다."

---

11) 오징(吳澄), 『역찬언(易纂言)』 권8.

> 日中爲市, 致天下之民, 聚天下之貨, 交易而退,
> 各得其所, 蓋取諸噬嗑.

> 한낮에 시장을 열어 천하의 백성들을 오게 하고 천하의 재화(財貨)
> 를 모아 교역(交易)하고 물러가 각각 제 살 곳을 얻게 하였으니,
> 서합(噬嗑☲☳)괘에서 취했을 것이다.

本義

日中爲市, 上明而下動, 又借'噬'爲'市', '嗑'爲'合'也.

한낮에 시장을 여는 일은 위가 밝고 아래가 움직이는 것이고, 또
'서(噬)'를 가차하여 '시(市)'로 하고, '합(嗑)'을 '합(合)'으로 하였다.

集說

● 耿氏南仲曰:"有菽粟者, 或不足乎禽魚; 有禽魚者, 或不足
乎菽粟. 罄者無所取, 積者無所散, 則利不布, 養不均矣, 於是
'日中爲市'焉. 日中者, 萬物相見之時也, 當萬物相見之時, 而'致
天下之民, 聚天下之貨', 使遷其有無, 則得其所矣."

경남중(耿南仲)이 말했다. "곡식을 가진 자는 늘 고기가 부족하고
고기를 가진 자는 늘 곡식이 부족하다. 아무 것도 없는 자가 취할

것이 없고 쌓아둔 자가 풀어놓을 것이 없다면 이익이 펼쳐지지 않고 양육이 고르지 않을 것이니, 이에 '한낮에 시장을 열게 되었다.' 한낮은 만물이 서로 볼 수 있는 때이니, 만물이 서로 볼 수 있을 때 '백성들을 오게 하고 천하의 재화(財貨)를 모아' 그 가지고 있는 것과 없는 것을 교환하면 적절하게 안배될 것이다."

● 鄭氏東卿曰 : "十三卦始離次益次噬嗑, 所取者食貨而已. 食貨者, 生民之本也."

정동경(鄭東卿)12)이 말했다. "13개의 괘는 리(離)괘에서 시작하여 다음이 익(益)괘이고 그 다음이 서합(噬嗑)괘인데, 취한 것은 음식과 재화일 뿐이다. 음식과 재화는 백성이 살아가는 생계의 근본이다."

案

離爲日中, 震爲動出. 當日中而動出, 市集之象.

리(離☲)괘는 한낮이고, 진(震☳)괘는 움직여 나오는 것이다. 한낮에 움직여 나오는 것은 시장에 모이는 상(象)이다.

----

12) 정동경(鄭東卿) : 자는 소매(少梅) 혹은 소해(少海)이고 자호(自號)는 합사어부(合沙漁父)이다. 송(宋)대 복주 후관(福州侯官 : 현 복건성 복주〈福州〉) 사람이다. 소흥(紹興) 27년(1157)에 특주(特奏)로 벼슬은 영가부(永嘉簿)를 역임하였다. 『주역』 연구에 뛰어나 저서에 『주역의난도해(周易疑難圖解)』, 『대역약해(大易約解)』, 『역설(易說)』 등이 있다.

神農氏沒, 黃帝·堯·舜氏作, 通其變, 使民不倦,
神而化之, 使民宜之. 易窮則變, 變則通, 通則久.
是以'自天祐之, 吉無不利.' 黃帝·堯·舜垂衣裳而
天下治, 蓋取諸乾·坤.

신농씨(神農氏)가 죽자, 황제(黃帝)와 요임금·순임금이 일어나 그
변(變)을 통달하여 백성이 게으르지 않도록 하고, 신묘하게 교화시
켜 백성이 각각 그 마땅함을 얻도록 했다. 역(易)은 궁(窮)하면 변
(變)하고 변(變)하면 통(通)하며 통(通)하면 오래간다. 이 때문에 '하
늘에서 도와주니 길하여 이롭지 않음이 없다'는 것이다. 황제(黃帝)
와 요임금·순임금이 의상(衣裳)을 드리우고 있는데도 천하가 잘 다
스려졌으니, 건(乾☰)괘와 곤(坤☷)괘에서 취했을 것이다.

本義

乾·坤變·化而無爲.

건(乾)·곤(坤)은 변(變)·화(化)하지만 작위함이 없다.

集說

● 郭氏雍曰 : "'垂衣裳而天下治', 無爲而治也. 無爲而治者無他
焉, 法乾坤易簡而已."[13]

곽옹(郭雍)이 말했다. "'의상(衣裳)을 드리우고 있는데도 천하가 잘 다스려졌다'는 것은 작위함이 없는데도 다스려짐을 뜻한다. 작위함이 없는데도 다스려짐은 다른 것이 아니라, 건(乾)의 쉬움과 곤(坤)의 간단함을 본받는 일일 뿐이다."

● 王氏申子曰："神農以上, 民用未滋, 所急者食貨而已, 此聚人之本也. 及黃帝·堯·舜之世, 民用日滋, 若復守其樸略, 則非變而通之之道. 故黃帝·堯·舜氏作, 通其變, 使民由之而不倦, 神其化, 使民宜之而不知. 凡此者, 非聖人喜新而惡舊也, '窮則變, 變則通, 通則久', 易之道然也."[14]

왕신자(王申子)가 말했다. "신농씨 이전은 백성들에게 필요한 것이 아직 많지 않아 시급한 것은 음식과 재화일 뿐이었으니, 이것이 사람을 모으는 근본이었다. 황제(黃帝)와 요임금·순임금 시대에 이르러 백성들에게 필요한 것이 나날이 불어났는데, 만약 다시 그 질박함과 소략함을 고수한다면 변(變)하여 통달하는 도(道)가 아닐 것이다. 그러므로 황제(黃帝)와 요임금·순임금이 일어나 그 변(變)을 통달하여 백성이 그것으로 말미암아 게으르지 않도록 하고, 신묘하게 교화시켜 백성이 각각 그 마땅함을 얻지만 알지 못하도록 했다. 이는 성인이 새로운 것을 좋아하고 옛 것을 싫어하는 일이 아니니, '궁(窮)하면 변(變)하고 변(變)하면 통(通)하며 통(通)하면 오래가는' 역(易)의 도(道)가 그러한 것이다."

---

13) 곽옹(郭雍), 『곽씨전가역설(郭氏傳家易說)』 권7.
14) 왕신자(王申子), 『대역집설(大易緝說)』 권10.

● 吳氏澄曰 : "風氣漸開, 不可如樸略之世, 此窮而當變也, 變
之則通而不窮矣. 其能使民喜樂不倦者, 以其通之之道, 神妙不
測, 變而不見其跡, 便於民而民皆宜利之故爾."15)

오징(吳澄)이 말했다. "풍습이 점점 개화되면 질박하고 소략한 시
대와 같을 수 없으니, 이것이 궁(窮)하면 마땅히 변(變)하고 변(變)
하게 되면 통(通)하여 끝이 없는 것이다. 백성들이 즐겁게 게으르
지 않도록 할 수 있는 것은, 그 통(通)하게 만드는 도가 신묘하여
헤아릴 수 없어 변(變)해도 그 자취를 볼 수 없지만, 백성들에게
편리함을 주어 백성들이 모두 그것을 마땅히 이롭게 여기기 때문
이다."

● 俞氏琰曰 : "時當變則變, 不變則窮. 於是乎有變而通之之道
焉, 變而通之所以趣時也. 民之所未厭, 聖人不强去; 民之所未
安, 聖人不强行. 夫唯其數窮而時將變, 聖人因而通之, 則民不
倦.16) 由之而莫知其所以然者, 神也; 以漸相忘於不言之中者,
化也."17)

유염(俞琰)이 말했다. "마땅히 변해야 할 때는 변해야지, 변하지 않
으면 궁(窮)하다. 이에 변하여 통(通)하게 만드는 도가 있으니, 변
하여 통하게 만드는 것이 때를 따르게 하는 까닭이다. 백성들이 아

---

15) 오징(吳澄), 『역찬언(易纂言)』 권8.
16) 則民不倦 : 유염(俞琰), 『주역집설(周易集說)』 권32에는 이 구절 뒤에
"不然則民皆以爲紛, 更安得不倦?(그렇지 않으면 백성들이 모두 혼란스
럽다고 생각하니, 어찌 다시 게으르지 않게 할 수 있겠는가?)"이라는 말
이 더 있다.
17) 유염(俞琰), 『주역집설(周易集說)』 권32.

직 싫어하지 않는 것은 성인이 억지로 제거하지 않으며, 백성들이 아직 편안해 하지 않는 것은 성인이 억지로 시행하지 않는다. 오직 그 운수가 다하여 때가 장차 변하려고 할 때 성인이 그것을 따라 통하게 하면 백성들이 게으르지 않는다. 그것으로 말미암지만 그것이 그러한 까닭을 알지 못하는 것은 신묘함[神]이고, 말하지 않는 가운데 점점 서로 잊게 되는 것은 교화[化]이다."

● 蔡氏淸曰 : "時之當變也而通其變, 然其所以變·通之者, 非聖人强用其智慮作爲於其間也. 因其自然之變, 而以自然之理處之, 是謂'神而化之'也. 神而化, 卽其變·通之妙於無爲也."[18]

채청(蔡淸)이 말했다. "마땅히 변해야 할 때 그 변(變)을 통달하지만, 그것을 변(變)하고 통(通)하게 만드는 것은 성인이 그 사이에 억지로 사려와 작위를 쓴 것이 아니다. 저절로 그러한 변(變)에 따라 저절로 그러한 이치로 대처하는 것이니, 이를 일러 '신묘하게 교화시킨다'라고 한다. 신묘하게 교화시키는 것은 바로 그 변(變)·통(通)을 작위함이 없는 데서 오묘하게 하는 일이다."

● 蘇氏濬曰 : "言通·變神化, 而獨詳於黃帝·堯·舜, 言黃帝·堯·舜, 而獨取諸乾·坤, 乾·坤諸卦之宗也. 黃帝·堯·舜, 千古人文之始, 中天之運, 至此而開, 洪荒之俗, 至此而變. 此所以爲善發羲皇之精蘊也."

소준(蘇濬)이 말했다. "변(變)·통(通)과 신묘한 교화를 말하면서 유독 황제(黃帝)와 요임금·순임금을 상세하게 설명하고, 황제(黃

18) 채청(蔡淸), 『역경몽인(易經蒙引)』 권11상(上).

帝)와 요임금·순임금을 말하면서 유독 건·곤에서 취하였으니, 건·곤은 여러 괘의 근간이다. 황제(黃帝)와 요임금·순임금은 먼 옛날 인문(人文)의 시작이니, 태평성세의 운수가 여기에 이르러 열렸고, 원시시대의 몽매한 풍속이 여기에 이르러 변했다. 이것이 복희씨의 심오한 정수(精髓)를 잘 발휘한 근거이다."

案

守舊則倦, 更新則不宜, 凡事之情也. 變其舊使民不倦者, 化也; 趨於新使民咸宜者, 神而化之也.

옛 것을 지키면 게을러지고 새롭게 바꾸면 못마땅한 것이 모든 일의 실정이다. 옛 것을 변화시켜 백성들이 게으르지 않도록 하는 일은 교화이고, 새로운 것을 좇아 백성들이 마땅하게 여기도록 하는 것은 신묘하게 교화시키는 일이다.

[계사하 2-6]

刳木爲舟, 剡木爲楫, 舟楫之利, 以濟不通. 致遠
以利天下, 蓋取諸渙.

나무속을 도려내어 배를 만들고 나무를 깎아 노를 만들어, 배와 노의
이로움으로 통하지 못하던 곳을 건너게 하였다. 멀리까지 이를 수
있게 하여 천하를 이롭게 하였으니, 환(渙䷺)괘에서 취했을 것이다.

本義

木在水上也. '致遠以利天下', 疑衍.

나무가 물 위에 있는 것이다. '치원이리천하(致遠以利天下)'는 쓸데
없이 들어간 구절 같다.

集說

● 『九家易』曰 : "木在水上, 流行若風, 舟楫之象也."[19]

(회남왕 유안〈淮南王 劉安〉이 편찬한)『구가역(九家易)』에서 말했
다. "나무가 물 위에 있어 흘러 다니는 것이 바람과 같으니, 배와

....
19) 이정조(李鼎祚), 『주역집해(周易集解)』 권15에 『구가역(九家易)』의 글
로써 기재되어 있다.

노의 상(象)이다."

● 何氏楷曰 : "近而可以濟不通, 遠而可以致遠, 均之爲天下利
矣. 取諸渙者, 其象巽木在坎水之上. 故象曰'利涉大川',「彖傳」
曰'乘木有功.'"[20]

하해(何楷)가 말했다. "가깝게는 통하지 못하던 곳을 건너게 할 수
있고, 멀리로는 멀리까지 이를 수 있게 할 수 있으므로, 고르게 하
여 천하의 이익이 된다. 환(渙☴☵)괘에서 취했다는 것은 그 상(象)이
손(巽☴)인 나무가 감(坎☵)인 물위에 있기 때문이다. 그러므로
(환괘의) 단(彖)에서 '큰 내를 건너는 것이 이롭다'고 하였고,「단전
(彖傳)」에서는 '나무를 타서 공로가 있다'라고 하였다."

---

20) 하해(何楷),『고주역정고(古周易訂詁)』권12.

[계사하 2-7]

> 服牛乘馬, 引重致遠, 以利天下, 蓋取諸隨.
> 소를 부리고 말을 타서 무거운 것을 끌어오고 멀리까지 이르게
> 하여 천하를 이롭게 하였으니, 수(隨䷐)괘에서 취했을 것이다.

本義

下動上說.

아래는 움직이고 위는 기뻐한다.

集說

● 董氏眞卿曰 : "平地任載之大車, 載物之多者, 則服牛以引重;
田車 · 兵車 · 乘車之小車, 載人而輕者, 則乘馬以致遠."[21]

동진경(董眞卿)[22]이 말했다. "평지에서 짐을 싣고 다니는 큰 수레

....

21) 동진경(董眞卿), 『주역회통(周易會通)』 권13.
22) 동진경(董眞卿) : 자는 계진(季眞)이고, 주자학을 계승한 동정(董鼎)의
아들이다. 송말원초 때 파양(鄱陽 : 현 강서성 파양현) 사람이다. 어려서
는 부친에게 가학으로 주자학을 배우고, 대덕(大德) 8년(1304)에는 무이
산(武夷山)에서 호일계(胡一桂)에게 역학을 배웠다. 그의 역학은 주자
의 『주역본의』를 중시하는 호일계의 『역찬소(易纂疏)』를 근본으로 하지

는 많은 물건을 싣는 것이니 소를 부려 무거운 것을 끌어오고, 사냥 수레, 군대 수레, 이동용 수레 등 작은 수레는 가볍게 사람을 싣는 것이니 말을 타서 멀리까지 이른다."

案

外說內動, 象牛馬之奔於前而車動於後也.

외괘(兌☱)는 기뻐하고 내괘(震☳)는 움직이니, 소와 말이 앞에서 달리고 수레가 뒤에서 움직이는 것을 상징한다.

만, 『주역』의 편제는 경(經)과 전(傳)을 분리한 『주역본의』에 의거하지 않고 경(經)과 전(傳)을 합쳐놓은 현행본의 체제를 따랐으며, 문호에 관계없이 여러 학자들의 학설을 널리 수집하여 상수학(象數學)과 의리학(義理學)을 모두 수용했다. 저서에 『주역회통(周易會通)』이 있다.

> 重門擊柝, 以待暴客, 蓋取諸豫.

문을 겹으로 하고 딱따기를 쳐서 강도를 대비하였으니, 예(豫䷏)
괘에서 취했을 것이다.

本義

豫備之意.

미리 방비한다는 뜻이다.

集說

● 楊氏文煥曰 : "川途旣通, 則暴客至矣, 又不可無禦之之術.
重門以禦之, 擊柝以警之, 則暴客無自而至."

양문환(楊文煥)이 말했다. "하천과 도로가 뚫리면 강도가 이를 것
이니, 또 그들을 막는 방법이 없을 수 없다. 문을 겹으로 하여 그들
을 막고 딱따기를 쳐서 그들을 경계하면, 강도가 이를 수 있는 방
도가 없을 것이다."

● 俞氏琰曰 : "坤爲闔戶, '重門'之象也. 震, 動而有聲之木, '擊
柝'之象也."[23]

유염(俞琰)이 말했다. "곤(坤☷)은 문을 닫는 것이니 '문을 겹으로 하는' 상(象)이다. 진(震☳)은 움직여 소리가 나는 나무가 있으니, '딱따기를 치는' 상(象)이다."

23) 유염(俞琰),『주역집설(周易集說)』권32.

斷木爲杵, 掘地爲臼, 臼杵之利, 萬民以濟, 蓋取
諸小過.

나무를 잘라 절굿공이를 만들고 땅을 파 절구를 만들어 절구와
절굿공이의 이로움으로 온 백성을 구제하였으니, 소과(小過☳)괘
에서 취했을 것이다.

本義

下止上動.

아래는 멈추고 위는 움직인다.

集說

● 邱氏富國曰 : "以象言之, 上震爲木, 下艮爲土. 震木上動, 艮
土下止, 杵臼治米之象."

구부국(邱富國)이 말했다. "상(象)으로 말하면 상괘인 진(震☳)은
나무이고 하괘인 간(艮☶)은 토(土)이다. 진(震)인 나무가 위에서
움직이고 간(艮)인 토(土)가 아래에서 멈추니, 절굿공이와 절구로
곡식을 빻는 상(象)이다."

> 弦木爲弧, 剡木爲矢, 弧矢之利, 以威天下, 蓋取
> 諸睽.
>
> 나무에 활시위를 매어 활을 만들고 나무를 깎아 화살을 만들어,
> 활과 화살의 이로움으로 천하를 두렵게 하였으니, 규(睽☲)괘에서
> 취했을 것이다.

本義

睽乖然後威以服之.

어그러진 뒤에 위엄으로 복종시키는 것이다.

集說

● 朱氏震曰：“知耒耜而不知杵臼之利, 則利天下者有未盡, 故
教之以杵臼之利. 知門柝而不知弧矢之利, 則威天下者有未盡,
故教之以弧矢之利.”[24]

주진(朱震)이 말했다. “쟁기자루와 쟁기날의 이로움을 알지만 절굿
공이와 절구의 이로움을 알지 못하면 천하를 이롭게 하는 것에 다

---

24) 주진(朱震), 『한상역전(漢上易傳)』 권8.

발휘하지 못함이 있기 때문에 절굿공이와 절구의 이로움을 가르쳐
주었다. 문을 겹으로 하는 것과 딱따기를 치는 일을 알지만 활과
화살의 이로움을 알지 못하면, 천하를 두렵게 하는 데 다 발휘하지
못함이 있기 때문에 활과 화살의 이로움을 가르쳐 주었다."

● 徐氏幾曰 : "其害之大者, 以'重門'·'擊柝'不足以待之, 故必有
弧矢以威之."

서기(徐幾)[25]가 말했다. "그 해로움이 큰 것에 대해서는 '문을 겹으
로 하고' '딱따기를 치는 것'으로도 그것에 대처하기에 충분하지 못
하기 때문에, 반드시 활과 화살로 그것을 두렵게 하였다."

案

離, 威也; 兌, 說也. 威而以說行之, 所謂'說以犯難, 民忘其死.'

리(離☲)는 위엄이 있는 것이고 태(兌☱)는 기뻐하는 것이다. 위엄
이 있으면서 기뻐하는 것으로 시행하는 것은 이른바 '기뻐함으로
어려움에 덤벼들면 백성들이 죽음을 잊는다'[26]는 말이다.

....

25) 서기(徐幾) : 자는 자여(子輿)이고, 호는 진재(進齋)이다. 송대 숭안(崇
安 : 현 복건성 무이산시〈武夷山市〉) 사람이다. 송 리종(理宗) 경정(景
定) 5년(1264)에 적공랑(迪功郞)에 천거되고, 건녕부교수(建寧府敎授)
겸 건안서원산장(建安書院山長) 겸 숭정전설서(崇政殿說書)를 제수 받
았다. 박학다재(博學多才)하였고 특히 역학에 정통하여 『역집(易輯)』,
『역의(易義)』 등을 저술하였다.
26) 기뻐함으로 어려움에 덤벼들면 백성들이 죽음을 잊는다 : 『역』 태(兌)괘
「단전(彖傳)」.

[계사하 2-11]

> 上古穴居而野處, 後世聖人易之以宮室, 上棟下
> 宇, 以待風雨, 蓋取諸大壯.

상고시대에는 동굴에서 살고 들에서 거처했는데, 후세에 성인이
궁실(宮室)로 바꾸어 위에는 대들보를 얹고 아래에는 서까래를
얹어 비바람에 대비하였으니, 대장(大壯䷡)괘에서 취했을 것이다.

本義

壯固之意.

튼튼하고 견고히 한다는 뜻이다.

集說

● 司馬氏光曰："風雨, 動物也. 風雨動於上, 棟宇健於下, 大壯
之象也."27)

사마광(司馬光)28)이 말했다. "비바람은 움직이는 것이다. 비바람이

----

27) 사마광(司馬光), 『온공역설(溫公易說)』 권6.
28) 사마광(司馬光, 1019~1086) : 자는 군실(君實)이고, 호는 우부(迂夫)와
만년의 우수(迂叟)이며, 시호는 문정(文正)이다. 세칭 사마태사(司馬太
師), 온국공(溫國公), 속수선생(涑水先生)이라 한다. 송대 하현 속수향

위에서 움직이고 들보와 서까래가 아래에서 굳건한 것은 대장(大壯 ䷡)괘의 상(象)이다."

● 蔡氏淵曰：“棟, 屋脊檁也. 宇, 椽也. 棟直而上, 故曰'上棟', 宇兩垂而下, 故曰'下宇.'”

채연(蔡淵)이 말했다. "대들보[棟]는 용마루의 들보도리이다. 서까 래[宇]는 서까래[椽]이다. 대들보는 곧게 위에 있기 때문에 '위에는 대들보를 얹는다'고 했고, 서까래는 양쪽으로 늘어뜨려 아래에 있 기 때문에 '아래에는 서까래를 얹는다'라고 했다."

● 俞氏琰曰：“聖人之於物, 有爲之者, 有易之者. 古未有是而 民利之也, 今則爲之, 所以貽於後也. 古有是而民厭之也, 今則 易之, 所以革於前也.”[29]

유염(俞琰)이 말했다. "성인이 사물에 대해 만드는 것이 있고, 바꾸 는 것이 있다. 옛날에 이것이 없었는데 백성들이 그것을 이롭게 여 기면 이제 그것을 만들어 후대에까지 전해지도록 한다. 옛날에 이 것이 있었는데 백성들이 그것을 싫어하면 이제 그것을 바꾸어 이전 의 것을 고치도록 한다."

(夏縣 涑水鄕 : 현 산서성 하현〈夏縣〉) 사람으로 한림시독(翰林侍讀), 권 어사중승(權御使中丞), 문하시랑(門下侍郎) 등을 역임하였다. 왕안석의 신법에 반대하여 퇴출되었다가 재상으로 복직하여 신법을 폐지하였다. 저서는 『문집』과 『자치통감(資治通鑑)』, 『계고록(稽古錄)』, 『역설(易 說)』, 『잠허(潛虛)』 등이 있다.
29) 유염(俞琰), 『주역집설(周易集說)』 권32.

[계사하 2-12]

古之葬者, 厚衣之以薪, 葬之中野, 不封不樹, 喪
期無數, 後世聖人易之以棺椁, 蓋取諸大過.

옛날 장례를 치르는 자들은 섶을 두껍게 입혀 들 가운데 장례하여
봉분(封墳)하지 않고 나무를 심지 않으며 상기(喪期)가 일정한 수
(數)가 없었는데, 후세에 성인이 그것을 관곽(棺椁)으로 바꾸었으니,
대과(大過☱)괘에서 취했을 것이다.

本義

送死大事, 而過於厚.

죽은 이를 장사지내는 일은 큰일이니 지나칠 정도로 두텁게 한다.

案

棺椁者, 取木在澤中也. 又死者以土爲安, 故入而後說之.

관곽(棺椁)은 못에 있는 나무를 취한 것이다. 또 죽은 이는 땅을 편
안하게 여기기 때문에 들어간 뒤에 그것을 기뻐한다.

[계사하 2-13]

> 上古結繩而治, 後世聖人易之以書契, 百官以
> 治, 萬民以察, 蓋取諸夬.

상고시대에는 노끈으로 매듭을 짓고 쓰던 결승문자로 다스렸는데,
후세에 성인이 글과 문서로 바꾸어 백관(百官)이 그것으로 다스리고
온 백성이 그것으로 살폈으니, 쾌(夬☱)쾌에서 취했을 것이다.

本義

明決之意.

밝게 결단한다는 뜻이다.

此第二章, 言聖人制器尚象之事.

이는 제2장이니, 성인이 기물(器物)을 만들 때 상(象)을 숭상한 일
을 말하였다.

集說

● 耿氏南仲曰 : "已前不云'上古', 已下三事, 或言'古', 與上不同
者, 蓋未造此器之前, 更無餘物之用, 故不言'上古'也. 以下三事,
皆是未造此物之前, 別有所用, 今將後用而代前用, 故本之云'上

古'及'古'者."

경남중(耿南仲)이 말했다. "[계사하 2-10]이전에는 '상고시대에는'이라고 말하지 않았는데, 이 아래의 세 가지 일들30)에 대해서는 간혹 '옛날에는'이라고 말하여 위와 같지 않은 것은, 아직 이 기물을 만들기 이전에는 여러 물건들을 사용함이 없었기 때문에 '상고시대에는'이라고 말하지 않았다. 이하의 세 가지 일들은 모두 아직 이 물건을 만들기 이전에는 따로 사용한 것이 없었는데, 이제 나중에 사용할 것으로 이전에 사용하던 것을 대체했기 때문에 그것에 근본하여 '상고시대에는'이라고 하거나 '옛날에는'이라고 말했다."

案

兌爲言語, 可以通彼此之情, 書之象也. 乾爲健固, 可以堅彼此之信, 契之象也.

태(兌☱)는 언어로 피차간의 실정을 통할 수 있으니 글의 상(象)이다. 건(乾☰)은 굳건하고 견고한 것으로 피차간의 믿음을 견고하게 할 수 있으니 문서의 상(象)이다.

總論

● 吳氏澄曰 : "十三卦之制作, 自畫卦而始, 至書契而終, 蓋萬世文字之祖, 肇於畫卦, 而備於書契也."31)

....
30) 이 아래의 세 가지 일들 : [계사하 2-11]부터 [계사하 2-13]까지의 일들을 가리킨다.
31) 오징(吳澄), 『역찬언(易纂言)』 권8.

오징(吳澄)이 말했다. "13개 괘를 만든 것은 괘를 그은 일로부터 시작하여 글과 문서에 이르러 끝났으니, 오랜 세대를 걸쳐 이어온 문자의 시조는 괘를 그은 것에서 비롯하여 글과 문서에서 갖추어졌다."

案

此章申第一章'變通'·'趣時'而原於易簡之意. 蓋在天地則爲剛·柔, 在人則爲仁·義, 仁義者立本者也. 因風氣之宜而通其變, 則其所以'趣時'者也. 法始於伏羲, 成於堯·舜, 故自八卦旣畫, 而可以周萬事之理, 凡網罟·耒耜至於書契, 莫非易理之所有也. 觀其窮而變, 變而通, 則'趣時'之用不窮. 然其神而化之, 無爲而民安焉, 則易簡之理惟一, 故其取諸諸卦者, 取諸其'趣時'也, 而其取諸乾坤者, 取諸其易簡也.

이 장(章)은 제1장의 '변(變)·통(通)'과 '때에 맞게 따르는 것'을 펼쳐 쉬움과 간단함의 뜻에 근원하였다. 대개 천지에서는 강(剛)·유(柔)이고 사람에게서는 인(仁)·의(義)이니, 인·의는 근본을 세우는 일이다. 풍습의 마땅함을 따라서 그 변(變)을 통하면 그것이 '때에 맞게 따르는 것'이다. 그 방법이 복희씨에서 시작하여 요임금·순임금에서 이루어졌기 때문에, 8괘가 이미 그어지고 나서 온갖 일의 이치를 두루 할 수 있었으니, 그물과 쟁기·쟁기날에서 글과 문서에 이르기까지 역(易)의 이치가 지니고 있는 것이 아님이 없었다. 그 궁함[窮]을 살펴보아 변(變)하고 변하여 통(通)하면, '때에 맞게 따르는 것'의 작용이 끝나지 않을 것이다. 그러나 신묘하게 교화시켜 작위를 하지 않는데도 백성들이 그것을 편안하게 여긴다면, 쉬움과 간단함의 이치는 오직 하나이기 때문에 여러 괘에서 취한 것은 그 '때에 맞게 따르는 것'에서 취했고 그 건곤에서 취한 것은 그 쉬움과 간단함에서 취했을 것이다.

계사하 3

[계사하 3-1]

是故易者象也, 象也者像也.

그러므로 역(易)은 상(象)이니 상(象)은 본뜨는 일이다.

본義

易卦之形, 理之似也.

역의 괘에서 형체는 이치가 비슷하다.

集說

● 干氏寶曰："言'是故', 又總結上義也."[1]

....

1) 이정조(李鼎祚), 『주역집해(周易集解)』 권15에 간보(干寶)의 말로 기재
   되어 있다.

간보(干寶)가 말했다. "'그러므로'라고 말한 것은 또 위의 글을 총결하는 의미이다."

● 崔氏憬曰 : "上明取象以制器之義, 故以此重釋於象. 言易者象於萬物, 象者形像之象也."[2]

최경(崔憬)이 말했다. "위에서 상(象)을 취하여 기물을 만드는 의미를 밝혔기 때문에, 이것으로 상(象)에 대해 거듭 풀이하였다. 역(易)은 만물을 상징하는 것을 말하니, 상징[象]은 형상(形像)의 상(象)이다."

● 吳氏澄曰 : "此章之首第一節, 總敍以起下文. 自包犧至書契, 言制作之事. 而以是故總結之, 謂易卦皆器物之象, 象者像似之義, 聖人制器, 皆與卦象合也."[3]

오징(吳澄)이 말했다. "이 장(章)의 첫머리 제1절은 차례를 총괄하여 아래 글을 일으켰다. 포희(包犧)에서 글과 문서에 이르기까지는 제작하는 일을 말했다. 그러므로 그것을 총결하여 역의 괘는 모두 기물의 상(象)이고 상은 비슷하다는 의미이니, 성인이 기물을 만든 것은 모두 괘의 상(象)과 합치함을 말했다."

凡章首不用'是故'字, 曰'是故'者, 承上結上之辭也. 諸儒以此句

2) 이정조(李鼎祚), 『주역집해(周易集解)』 권15에 최경의 말로 실려 있다.
3) 오징(吳澄), 『역찬언(易纂言)』 권8.

爲上章結語者, 似是.

무릇 장(章)의 첫머리에는 '그러므로'라는 말을 쓰지 않는데, '그러므로'라고 말한 것은 위를 이어받아 위를 매듭짓는 말이다. 여러 학자들이 이 구절을 윗 장(章)의 결어(結語)로 여긴 것도 옳은 것 같다.

[계사하 3-2]

彖者, 材也.

단(彖)은 재질이다.

本義

彖, 言一卦之材.

단(彖)은 한 괘의 재질을 말한다.

集說

● 韓氏伯曰 : "彖, 言成卦之材, 以統卦義也."[4]

한백(韓伯)이 말했다. "단(彖)은 괘를 이루는 재질을 말하여 괘의 의미를 총괄한다."

案

'材'者, 構屋之木也. 聚衆材而成室, 彖亦聚卦之衆義以立辭, 故 『本義』謂"彖, 言一卦之材."

'재목'은 집을 짓는 나무이다. 여러 재목을 모아 집을 완성하듯이,

---

4) 한백(韓伯), 『주역주소(周易註疏)』 권12.

단(彖)도 또한 괘의 여러 의미를 모아 말을 세우기 때문에,『주역본
의』에서 "단(彖)은 한 괘의 재질을 말한다"라고 하였다.

爻也者, 效天下之動者也.

효(爻)는 천하의 움직임을 본받은 것이다.

本義

'效', 放也.

'본받는대[效]'는 모방한다는 뜻이다.

集說

● 胡氏瑗曰 : "爻有變·動, 位有得·失. 變而合於道者爲得, 動而乖於理者爲失. 人事之情僞, 物理之是非, 皆在六爻之中, 所以象天下之動也."5)

호원(胡瑗)이 말했다. "효(爻)에는 변(變)과 움직임이 있고, 자리에는 얻음과 잃음이 있다. 변하여 도에 합치하는 것은 얻게 되고, 움직여 이치에 어그러지는 것은 잃게 된다. 사람 일의 실정과 허위, 사물 이치의 옳고 그름은 모두 6개 효(爻) 가운데 있기 때문에 천하의 움직임을 상징한다."

....

5) 호원(胡瑗), 『주역구의(周易口義)』「계사하(繫辭下)」.

是故吉・凶生而悔・吝著也.

그러므로 길(吉)・흉(凶)이 생기고 회(悔)・린(吝)이 드러난다.

本義

'悔・吝'本微, 因此而著.

'회(悔)・린(吝)'은 본래 은미한데, 이에 따라 드러난다.

此第三章.

이는 제3장이다.

集說

● 保氏八曰 : "象者, 言一卦之材, 所以斷一卦之吉・凶・悔・吝.
爻者, 言一爻之動, 所以斷一爻之吉・凶・悔・吝."[6]

보팔(保八)이 말했다. "단(象)은 한 괘의 재질을 말하기 때문에 한
괘의 길・흉・회・린을 단정한다. 효(爻)는 한 효의 움직임을 말하기

---

6) 보팔(保八), 『역원오의(易源奧義)』 권8, 「계사하(繫辭下)」.

때문에 한 효의 길·흉·회·린을 단정한다."

● 何氏楷曰 : "吉·凶在事本顯, 故曰'生'; 悔·吝在心尙微, 故曰
'著.' 悔有改過之意, 至於吉則悔之著也; 吝有文過之意, 至於凶
則吝之著也. 原其始而言, 吉·凶生於悔·吝; 要其終而言, 則悔
·吝著而爲吉·凶也."[7]

하해(何楷)가 말했다. "길·흉은 일에서 본래 드러나기 때문에 '생
긴다'고 했고, 회·린은 마음에서 또한 은미하기 때문에 '드러난다'
고 했다. 회(悔)는 잘못을 고치는 뜻이 있으니, 길(吉)에 이르면 회
(悔)가 드러나고, 린(吝)은 잘못을 꾸미는 뜻이 있으니, 흉(凶)에 이
르면 린(吝)이 드러난다. 그 시초를 추구하여 말하면 길·흉은 회
·린에서 생기고, 그 끝을 탐구하여 말하면 회·린이 드러나 길·흉
이 된다."

....

7) 하해(何楷), 『고주역정고(古周易訂詁)』 권12.

계사하 4

[계사하 4-1]

| 陽卦多陰, 陰卦多陽.

양(陽)괘는 음(陰)효가 많고 음(陰)괘는 양(陽)효가 많다.

本義

震·坎·艮爲陽卦, 皆一陽二陰; 巽·離·兌爲陰卦, 皆一陰二陽.

진(震☳)·감(坎☵)·간(艮☶)은 양(陽)괘가 되니 모두 한 개의 양(陽)효에 두 개의 음(陰)효이고, 손(巽☴)·리(離☲)·태(兌☱)는 음(陰)괘가 되니 모두 한 개의 음(陰)효에 두 개의 양(陽)효이다.

其故何也? 陽卦奇, 陰卦耦.

그 까닭은 무엇인가? 양(陽)괘는 홀[奇]이고 음(陰)괘는 짝[耦]이기 때문이다.

本義

凡陽卦皆五畫, 凡陰卦皆四畫.

양(陽)괘는 모두 다섯 획이고, 음(陰)괘는 모두 네 획이다.[1]

集說

● 韓氏伯曰 : "夫少者多之所宗, 一者衆之所歸. 陽卦二陰, 故奇爲之君; 陰卦二陽, 故耦爲之主."[2]

한백(韓伯)이 말했다. "무릇 적은 것은 많은 것의 근간이 되니, 하

---

1) 양(陽)괘는 모두 다섯 획이고, 음(陰)괘는 모두 네 획이다 : 소성괘에서, 양(陽)괘는 두 개의 음효(짝 둘 즉 4획)와 한 개의 양효(홀 하나 즉 1획)로 이루어지기 때문에 합계 다섯 획이고, 음(陰)괘는 두 개의 양효(홀 둘, 즉 2획)와 한 개의 음효(짝 하나, 즉 2획)로 이루어지기 때문에 합계 네 획이라는 것을 가리킨다.
2) 한백(韓伯), 『주역주소(周易註疏)』 권12.

나는 많은 것이 귀결하는 곳이다. 양(陽)괘는 두 개가 음효이기 때문에 홀[奇]이 그것의 임금이 되고, 음(陰)괘는 두 개가 양효이기 때문에 짝[耦]이 그것의 주인이 된다."

● 陳氏埴曰 : "二耦一奇, 卽奇爲主, 是爲陽卦; 二奇一耦, 卽耦爲主, 是爲陰卦. 故曰'陽卦多陰, 陰卦多陽.'"3)

진식(陳埴)4)이 말했다. "두 개의 짝[耦]과 한 개의 홀[奇]은 곧 홀이 주인이 되니 이것이 양(陽)괘가 되며, 두 개의 홀과 한 개의 짝은 곧 짝이 주인이 되니 이것이 음(陰)괘가 된다. 그러므로 '양(陽)괘는 음(陰)효가 많고 음(陰)괘는 양(陽)효가 많다'고 하였다."

案

'陽卦奇, 陰卦耦', 言陽卦主奇, 陰卦主耦也. 須如韓氏·陳氏之說, 乃與下文相應.

'양(陽)괘는 홀[奇]이고 음(陰)괘는 짝[耦]이다'는, 양(陽)괘는 홀을 주인으로 하고 음(陰)괘는 짝을 주인으로 한다는 것을 말한다. 반드시 한씨(韓氏 : 韓伯)와 진씨(陳氏 : 陳埴)의 주장과 같아야 아래 글과 서로 호응한다.

----

3) 진식(陳埴),『목종집(木鍾集)』권4.
4) 진식(陳埴) : 자는 기지(器之)이고, 호는 목종(木鐘)이며, 세칭 잠실선생(潛室先生)이라 하였다. 송대 영가(永嘉 : 현 절강성 온주〈溫州〉) 사람으로 통직랑(通直郞)을 역임하였다. 어려서는 섭적(葉適)에게 배우고 나중에는 주희에게서 배웠다. 저서는『목종집(木鍾集)』,『우공변(禹貢辨)』,『홍범해(洪範解)』등이 있다.

> 其德行何也? 陽一君而二民, 君子之道也. 陰二
> 君而一民, 小人之道也.

그 덕행(德行)은 어떠한가? 양(陽)괘는 한 명의 군주에 두 명의
백성이니 군자의 도(道)이고, 음(陰)괘는 두 명의 군주에 한 명의
백성이니 소인의 도이다.

本義

‘君’, 謂陽; ‘民’, 謂陰.

‘군주[君]’는 양(陽)괘에서 도를 말하고, ‘백성[民]’은 음(陰)괘에서 도
를 말한다.

此第四章.

이는 제4장이다.

集說

● 朱氏震曰 : "陰·陽二卦, 其德行不同, 何也? 陽卦一君而遍體
二民, 二民共事一君, 一也, 故爲君子之道; 陰卦一民共事二君,
二君共爭一民, 二也, 故爲小人之道."5)

주진(朱震)이 말했다. "음과 양 두 괘가 그 덕행이 같지 않은 것은 무엇 때문인가? 양(陽)괘는 한 명의 군주가 두 명의 백성을 두루 체인하고 두 명의 백성이 한 명의 군주를 함께 섬겨 한결같기 때문에 군자의 도(道)가 된다. 음(陰)괘는 한 명의 백성이 두 명의 군주를 함께 섬기고 두 명의 군주가 한 명의 백성을 함께 쟁탈하여 둘이 되기 때문에 소인의 도가 된다."

● 吳氏曰愼曰 : "陽卦固主陽也, 而陰卦亦主陽, 可見陽有常尊也."

오왈신(吳曰愼)이 말했다. "양(陽)괘는 본디 양(陽)효를 주인으로 삼고 음(陰)괘 또한 양(陽)효를 주인으로 삼으니, 양(陽)효가 항상 존귀한 지위를 가지고 있음을 알 수 있다."

案

此章是釋'象者, 材也'之義, 而原其理於一也. 自八卦始成而分陰分陽, 一奇則爲陽卦者, 以其一君二民, 是君之權出於一, 君爲主也. 君爲主, 則君子之道行, 故曰'君子之道.' 一耦則爲陰卦者, 以其二君一民, 是君之權出於二, 反若民爲主也. 民爲主, 則小人之道行, 故曰'小人之道.'

이 장(章)은 [계사하 3-2]의 '단(象)은 재질이다'라는 구절의 의미를 풀이했는데, 하나에서 그 이치를 추구하였다. 8괘가 처음 이루어지면서부터 음으로 나누고 양으로 나누어지는데, 하나의 홀[奇]은 양

5) 주진(朱震), 『한상역전(漢上易傳)』 권8.

(陽)괘가 되어 한 명의 군주와 두 명의 백성으로서 군주의 권한이 한 곳에서 나오는 것이니, 군주가 주인이 된다. 군주가 주인이 되면 군자의 도(道)가 행해지기 때문에 '군자의 도(道)'라고 하였다. 하나의 짝[耦]은 음(陰)괘가 되어 두 명의 군주와 한 명의 백성으로서 군주의 권한이 두 곳에서 나오는 것이니, 거꾸로 백성이 주인이 되는 것 같다. 백성이 주인이 되면 소인의 도(道)가 행해지기 때문에 '소인의 도(道)'라고 하였다.

古今言易者, 曰陽爲君子, 陰爲小人, 蓋以爲善惡·淑慝之稱焉. 豈知陰·陽不可以相無, 如有君不可以無民? 烏有善惡·淑慝之分哉? 惟其君之道, 一而有統, 則民之衆, 翕然從令, 豈非君子之道乎? 若君之道, 二而多門, 則民之卑, 各行其私, 豈非小人之道乎?

예로부터 지금까지 역(易)을 말하는 자는 양(陽)이 군자이고 음(陰)이 소인이라고 하는데, 그것으로 선·악과 좋고 나쁨을 일컫기 때문이다. 그런데 어찌 음·양이 서로 없을 수 없는 것이 마치 군주가 있으면서 백성이 없을 수 없는 것과 같음을 알겠는가? 어찌 선·악과 좋고 나쁨의 구분이 있겠는가? 오직 그 군주의 도(道)가 하나로 통일되면 많은 백성들이 일관되게 명령을 좇을 것이니, 어찌 군자의 도가 아니겠는가? 만약 군주의 도가 둘이 되어 명령을 내리는 곳이 많다면 비천한 백성들이 각각 그 사사로움을 행할 것이니 어찌 소인의 도가 아니겠는가?

善惡·淑慝, 由此而生, 吉凶·治亂, 由此而起, 蓋自三畫之卦, 而已具此象矣. 以此例而推之六畫之卦, 則如復·師·謙·豫·比

· 剝一陽爲主, 皆君子之道也; 姤· 履· 夬一陰爲主, 皆小人之道
也. 惟同人之二, 大有之五, 不以爲小人者, 以其居中, 能同乎
陽, 有乎陽也; 小畜之四, 亦不以爲小人者, 以其得位, 能備乎陽
也, 究之以陽爲主也.

선·악과 좋고 나쁨이 이것으로 말미암아 생겨나고 길·흉과 치·란
이 이것으로 말미암아 일어나니, 3획괘에서 이미 이 상(象)이 갖추
어졌다. 이런 사례로 6획괘를 미루어보면 예컨대 복(復☲)·사(師
☳)·겸(謙☷)·예(豫☳)·비(比☵)·박(剝☶)괘는 하나의 양(陽)효가
주인이 되니 모두 군자의 도(道)이고, 구(姤☴)·리(履☱)·쾌(夬☱)
괘는 하나의 음(陰)효가 주인이 되니 모두 소인의 도이다. 오직 동
인(同人☲)괘의 육이효와 대유(大有)괘의 육오효가 소인이 되지
않는 것은 그것이 가운데[中: 알맞음]에 자리 잡아서 양효와 같아져
양효의 성질을 가질 수 있기 때문이다. 소축(小畜☴)괘의 육사효도
또한 소인이 되지 않는 것은 그것이 지위를 얻어서 양효의 성질을
갖추기 때문이니, 결국에는 양효를 주인으로 삼는 것이다.

又以其義例變而通之, 則不特一陰一陽者爲主而已. 凡陽之居
內而得時者, 皆爲主也, 臨· 泰之類是也; 凡陰之居內而得時者,
皆爲主也, 遯· 否之類是也. 凡陽卦居內而爲主者治, 陰卦居內
而爲主者亂, 泰· 否· 損· 益之類是也. 凡陽卦居內而先陰者正,
陰卦居內而先陽者邪, 隨· 蠱· 漸· 歸妹之類是也.

또 그 의리(義理)의 사례로 변하여 통하게 하면 다만 하나의 음효
나 하나의 양효가 주인이 되는 것만은 아니다. 무릇 양효가 내괘
(內卦)에 자리 잡아서 때를 얻은 것은 모두 주인이 되니 임(臨☷)괘
와 태(兌☱)괘 따위가 이것이고, 음효가 내괘에 자리 잡아서 때를
얻은 것은 모두 주인이 되니 둔(遯☰)괘와 비(否☰)괘 따위가 이것

이다. 무릇 양괘가 내괘에 자리 잡아서 주인이 되는 것은 잘 다스려지고, 음괘가 내괘에 자리 잡아서 주인이 되는 것은 혼란하니, 태(泰䷊)괘·비(否䷋)괘·손(損䷨)괘·익(益䷩)괘 따위가 이것이다. 무릇 양괘가 내괘에 자리 잡아서 음효에 앞서는 것은 바르고, 음괘가 내괘에 자리 잡아서 양효에 앞서는 것은 사특하니, 수(隨䷐)괘·고(蠱䷑)괘·점(漸䷴)괘·귀매(歸妹䷵)괘 따위가 이것이다.

或不取內·外, 而取上·下以爲貴·賤; 或不取先·後, 而取尊·卑以爲倡·隨; 或以陰爲臣道, 而能順陽爲善, 或以陰爲君道, 而能應陽爲美. 要之其尊陽之意, 則一而已矣. 夫子以八卦發凡, 使人於六十四卦之義, 推而通之也. 此卽一卦之材, 而象之所取, 故曰'象者, 材也.' 其歸則陽道不可以有二, 故曰理之一.

혹은 내괘·외괘를 취하지 않고 위·아래를 취하여 귀·천으로 여기기도 하며, 혹은 선·후를 취하지 않고 비·천을 취하여 먼저 주장하는 것과 뒤에 따르는 것으로 삼기도 하며, 혹은 음효를 신하의 도리로 여겨 양효를 잘 따르는 것을 선(善)으로 삼기도 하며, 혹은 음효를 군주의 도리로 여겨 양효에 잘 호응하는 것을 아름다운 것으로 삼기도 한다. 요컨대 그 양효를 높이는 뜻은 한결같다. 공자는 8괘의 대략적인 뜻을 설명하여 사람들에게 64괘의 의미에 대해 미루어 통달할 수 있도록 하였다. 이것이 바로 한 괘의 재질이고 단(彖)이 취한 것이기 때문에 '단(彖)은 재질이다'라고 하였다. 그 귀결은 양(陽)의 도가 둘이 있을 수 없기 때문에 이치가 한 가지라고 하였다.

[계사하 5-1]

> 『易』曰：“憧憧往來，朋從爾思.” 子曰：“天下何思何慮? 天下同歸而殊塗，一致而百慮，天下何思何慮?”

『역(易)』에서 말했다. “오락가락 자주 왕래하면 벗만이 네 생각을 따를 것이다.”[1] 공자가 말했다. “천하에 무엇을 생각하고 무엇을 염려하겠는가? 천하가 귀결하는 곳은 같은데 길은 다르고, 한 가지 이치에 이르는데 수많은 생각을 하니 천하에 무엇을 생각하고 무엇을 염려하겠는가?”

本義

引咸九四爻辭而釋之. 言理本無二, 而殊塗百慮, 莫非自然,

---

1) 오락가락 자주 왕래하면 벗만이 네 생각을 따를 것이다 : 『역』 함괘(咸卦) 구사(九四)효사.

何以思慮爲哉? 必思而從, 則所從者亦狹矣.

이는 함(咸䷞)괘 구사(九四)효의 말을 인용하여 풀이한 것이다. 이
치는 본래 두 가지가 없는데, 길이 다르고 수많은 생각을 하는 것이
저절로 그러함이 아닌 것이 없지만 어찌 사려를 할 것인가? 반드시
생각하고 따르면 따르는 것이 또한 좁을 것이라는 말이다.

集說

● 韓氏伯曰 : "天下之動, 必歸於一, 思以求朋, 未能一也. 一以
感物, 不思而至."[2]

한백(韓伯)이 말했다. "천하의 움직임은 반드시 하나로 귀결되는데,
생각해서 벗을 구하면 아직 하나가 될 수 없다. 하나로 사물을 느
끼게 하면 생각하지 않아도 이르게 된다."

● 孔氏穎達曰 : "此一之爲道爲可尙,　結成前文陽卦以一爲君,
是君子之道也."[3]

공영달(孔穎達)이 말했다. "이는 하나가 도(道)가 되는 것이 숭상할
만하다는 뜻이니, 앞글[계사하 4-3]에서 언급한 양괘(陽卦)가 하나
를 군주로 삼는 것이 군자의 도(道)임을 결론지었다."

----

2) 한백(韓伯), 『주역주소(周易註疏)』 권12.
3) 공영달 소(孔穎達 疏), 『주역주소(周易註疏)』 권12.

● 徐氏幾曰 : "塗雖殊而歸同, 則往來自不容無. 而加之憧憧則私矣. 慮雖百而致一, 則思亦人心所當有. 而局於朋從則狹矣."

서기(徐幾)가 말했다. "길이 비록 다르지만 귀결은 같으니, 왕래함이 본래 없을 수 없다. 그렇지만 오락가락 자주하면 사사롭게 된다. 염려가 비록 수만 가지이지만 하나에 귀결되니, 생각은 또한 사람의 마음에 당연히 가지게 되는 것이다. 그렇지만 벗이 따르는 것에 국한되면 좁다."

● 蔡氏淸曰 : "天下感應之理, 本同歸也, 但事物則千形萬狀, 而其塗各殊耳. 天下感應之理, 本一致也, 但所接之事物不一, 而所發之慮, 亦因之有百耳. 夫慮雖百而其致則一, 塗雖殊而其歸則同, 是其此感彼應之理, 一出於自然而然, 而不必少容心於其間者. 吾之應事接物, 一惟順其自然之理而已矣, 天下何思何慮?"4)

채청(蔡淸)이 말했다. "천하에 감응하는 이치는 본래 귀결이 같지만, 사물은 수만 가지 형상이 있어 그 길이 각각 다를 뿐이다. 천하에 감응하는 이치는 본래 일치하지만, 접촉하는 사물이 한결같지 않아 일어나는 생각도 또한 그것을 따라 수만 가지가 있을 뿐이다. 염려가 비록 수만 가지일지라도 그것이 이르는 곳은 하나이고, 길이 비록 다를지라도 그 귀결이 같다는 것은, 피차 감응하는 이치가 한결 같이 저절로 그러한 데서 나오니 조금이라도 그 사이에 마음을 쓸 필요가 없다는 것이다. 우리가 일에 대응하고 사물을 접촉하는 것은 한결 같이 저절로 그러한 이치에 순응하는 것일 뿐이니, 천하에 무엇을 생각하고 무엇을 염려하겠는가?"

---

4) 채청(蔡淸), 『역경몽인(易經蒙引)』 권11하(下).

[계사하 5-2]

> 日往則月來, 月往則日來, 日月相推而明生焉. 寒
> 往則暑來, 暑往則寒來, 寒暑相推而歲成焉. 往者
> 屈也, 來者信也, 屈信相感而利生焉.

해가 가면 달이 오고 달이 가면 해가 와서, 해와 달이 서로 추이(推
移)하여 밝음이 생겨난다. 추위가 가면 더위가 오고 더위가 가면
추위가 와서, 추위와 더위가 서로 추이(推移)하여 세월이 이루어진
다. 가는 것은 굽힘이고 오는 것은 펼침이니, 굽힘과 펼침이 서로
감동하여 이로움이 생겨난다.

本義

言'往來'·'屈信', 皆感應自然之常理, 加憧憧焉則入於私矣,
所以必思而後有從也.

'가는 것과 오는 것', '굽힘과 펼침'은 모두 감응하는 것이 저절로 그
러한 변함없는 이치이니, 오락가락 자주하면 사사로움에 빠지기 때
문에 반드시 생각한 뒤에야 따름이 있다는 것을 말했다.

集說

● 張子曰 : "屈信相感而利生, 感以誠也; 情僞相感而利害生,
雜之僞也."[5]

장자(張子 : 張載)가 말했다. "굽힘과 펼침이 서로 감응하여 이로움이 생겨나는 것은 성실하게 감응함이고, 실정과 허위가 서로 감응하여 이로움과 해로움이 생겨나는 것은 허위가 섞였다."

● 『朱子語類』云 : "'日往則月來' 一段, 乃承上文'憧憧往來'而言. 往來皆人之所不能無, 但憧憧則不可."[6]

『주자어류』에서 말했다. "'해가 가면 달이 오고'라는 한 단락은 바로 윗글 '오락가락 자주 왕래한다'라는 구절을 이어서 말하였다. 가는 것과 오는 것은 모두 사람에게 없을 수 없는 것이지만 오락가락 자주 왕래하면 안 된다."

案

夫子引此爻, 是發明貞一之理. 故亦從天地日月說來, 日月有往來, 而歸於生明, 所謂'貞明者'也. 寒暑有往來, 而歸於成歲, 所謂'貞觀者'也. 天下之動, 有屈有信, 而歸於生利, 順理則利也, 所謂'貞夫一者'也. 言天地則應在日月之前, 言寒暑則應在日月之後, 何則? 四時者, 日月之所爲也. 觀・豫・恒「象傳」及「繫傳」首章, 皆不以四時先日月也.

공자가 이 효(爻)[7]를 인용한 것은 전일(專一)함에 항상되는 이치를 밝게 드러내는 데 있다. 그러므로 또한 천지와 해와 달에서부터 말

....

5) 장재(張載), 『횡거역설(橫渠易說)』 권3, 「계사하」.
6) 주희, 『주자어류』 권76, 37조목.
7) 이 효(爻) : 함(咸䷞)괘 구사(九四)효를 가리킨다.

하여, 해와 달은 왕래가 있지만 밝음을 생겨나게 하는 데 귀결하니 이른바 '항상 밝은 것'이다. 추위와 더위는 왕래가 있지만 세월을 이루는 데 귀결하니 이른바 '항상 보여주는 것'이다. 천하의 움직임은 굽힘과 펼침이 있지만 이로움을 낳는 데 귀결하여 이치에 순조로우면 이로우니 이른바 '전일(專一)함에 항상된다는 것'이다. 천지를 말하면 호응함이 해와 달의 앞에 있고, 추위와 더위를 말하면 호응함이 해와 달의 뒤에 있는 것은 무엇 때문인가? 사계절은 해와 달이 그렇게 운행하도록 하는 것이기 때문이다. 관(觀☷☶)괘8)·예(豫☷☳)괘9)·항(恒☳☴)괘10)의 「단전(彖傳)」 및 「계사상」 제1장11)은 모두 사계절을 해와 달보다 앞세우지 않았다.

....

8) 관(觀☷☶)괘 : 관괘 「단전」에서 "하늘이 펼치는 도리를 살펴봄에 사계절이 어긋나지 않으니, 성인이 펼치는 도리로 가르침을 베풂에 천하가 복종한다.[觀天之神道而四時不忒, 聖人以神道設敎而天下服矣.]"라고 한 것을 가리킨다.

9) 예(豫☷☳)괘 : 예괘 「단전」에서 "천지가 순조롭게 움직이기 때문에 해와 달의 운행이 잘못되지 않고 사계절이 어긋나지 않는다. 성인이 순조롭게 움직이기 때문에 형벌이 맑아져 백성들이 복종한다.[天地以順動, 故日月不過而四時不忒. 聖人以順動, 則刑罰淸而民服.]"라고 한 것을 가리킨다.

10) 항(恒☳☴)괘 : 항괘 「단전」에서 "해와 달이 천리(天理)를 순조롭게 따라 오랫동안 비추고, 사계절이 변화하여 오랫동안 이루며, 성인이 도(道)를 오래하여 천하가 교화되어 이루어지니, 항상되는 것을 살펴보면 천지 만물의 실정을 알 수 있을 것이다.[日月得天而能久照, 四時變化而能久成, 聖人久於其道而天下化成, 觀其所恒而天地萬物之情, 可見矣.]"라고 한 것을 가리킨다.

11) 「계사상」 제1장 : 본문 [계사상 1-3]에서 "우레와 번개로 고무시키고 바람과 비로 적셔주며, 해와 달이 운행(運行)하고 한 번 춥고 한 번 덥다.[鼓之以雷霆, 潤之以風雨, 日月運行, 一寒一暑.]"라고 한 것을 가리킨다.

[계사하 5-3]

> 尺蠖之屈, 以求信也; 龍蛇之蟄, 以存身也; 精義
> 入神, 以致用也; 利用安身, 以崇德也.

자벌레가 몸을 굽히는 것은 펼치기를 구하기 위해서이고, 용과 뱀이
칩거하는 것은 몸을 보존하기 위해서이며, 의(義)를 정밀히 하여 신
묘(神妙)한 경지에 들어가는 것은 씀을 지극히 하기 위해서이고, 씀
을 이롭게 하여 몸을 편안히 하는 것은 덕을 높이기 위해서이다.

本義

因言屈信·往來之理, 而又推以言學亦有自然之機也. 精研
其義, 至於入神, 屈之至也. 然乃所以爲出而致用之本, 利其
施用, 無適不安, 信之極也. 然乃所以爲入而崇德之資, 內外
交相養, 互相發也.

이어서 굽힘과 펼침, 가는 것과 오는 것의 이치를 말했고, 또 그것
을 미루어 배움도 또한 저절로 그러한 기틀이 있음을 말하였다. 그
의(義)를 정밀하게 연구하여 신묘(神妙)한 경지에 들어가게 됨은
굽힘이 지극한 것이다. 그러나 이것이 바로 나와서 씀을 지극히 하
는 근본이 되고 베풀어 쓰는 것을 이롭게 하여 가는 곳마다 편안하
지 않음이 없게 됨은 펼침이 지극한 것이다. 그러나 이것은 바로 들
어가서 덕을 높이는 밑천이 되니, 안팎이 서로 번갈아 길러주고 서
로 드러내는 것이다.

集說

● 孔氏穎達曰 : “覆明上往來相感, 屈信相須. 尺蠖之蟲, 初行
必屈, 言信必須屈也; 龍蛇初蟄, 是靜也, 以此存身, 言動必因靜
也. 聖人用精粹微妙之義, 入於神化, 寂然不用, 乃能致其所用.
先靜後動, 是動因靜而來也. 利己之用, 安靜其身, 可以增崇其
德. 此亦先靜後動, 動亦由靜而來也.”12)

공영달(孔穎達)이 말했다. “위의 오는 것과 가는 것이 서로 느끼고
굽힘과 펼침이 서로 기다린다는 것을 다시 밝혔다. 자벌레가 나아
가기 시작할 때 반드시 굽힌다는 것은 펼침은 반드시 굽힘을 기다
려야 함을 말하고, 용과 뱀이 칩거하기 시작할 때 고요하여 그것으
로 몸을 보존하는 것은 움직임이 반드시 고요함을 따름을 말한다.
성인이 정밀하고 순수하며 미묘한 의(義)를 가지고 신묘(神妙)한
경지에 들어가 적연(寂然)히 사용하지 않는 것은 바로 그 쓰임을
지극히 할 수 있다. 고요함을 먼저하고 움직임을 나중에 하는 것은
움직임이 고요함을 따라서 온다는 말이다. 자기의 씀을 이롭게 하
여 그 몸을 안정(安靜)시키는 것은 그 덕을 증가시키고 높이는 일
이다. 이 또한 고요함을 먼저하고 움직임을 나중에 하는 것은 움직
임 또한 고요함으로부터 말미암아 온다는 말이다.”

● 『朱子語類』云 : “且如‘精義入神’, 如何不思? 那‘致用’的卻不
必思. ‘致用’的是事功, 是效驗.”13)

『주자어류』에서 말했다. “예컨대 ‘의(義)를 정밀히 하여 신묘(神妙)

---

12) 공영달 소(孔穎達 疏), 『주역주소(周易註疏)』 권12.
13) 주희, 『주자어류』 권76, 41조목.

한 경지에 들어가는 일'과 같은 것은 어떻게 생각하지 않겠는가? 그러나 '씀을 지극히 하는' 것은 도리어 생각할 필요가 없다. '씀을 지극히 하는' 것은 일의 공효이고 효험이다."

● 俞氏琰曰 : "精研義理, 無毫釐之差, 而深造於神妙, 所以致之於用也. 見於用而利, 施於身而安, 所以爲崇德之資也. '精義入神', 內也; '致用', 外也. 自內而達外, 猶'尺蠖之屈, 以求信也.' '利用安身', 外也; '崇德', 內也. 卽外以養內, 亦猶'龍蛇之蟄, 以存身也.'"14)

유염(俞琰)이 말했다. "의리(義理)를 정밀히 연구하여 아주 작은 차이도 없고 신묘함에 깊이 이르기 때문에 씀을 지극히 할 수 있다. 쓰임에 나타나 이롭고 몸에 베풀어져 편안하기 때문에 덕을 높이는 밑천이 된다. '의(義)를 정밀히 하여 신묘(神妙)한 경지에 들어가는 일'은 내적인 것이고 '씀을 지극히 하는 일'은 외적인 것이다. 내적인 것에서 외적인 것으로 도달하는 것은 마치 '자벌레가 몸을 굽히는 것이 펼치기를 구하기 위한 것'과 같다. '씀을 이롭게 하여 몸을 편안히 하는 일'은 내적인 것이고 '덕을 높이는 일'은 외적인 것이다. 외적인 것에 직면하여 내적인 것을 기르는 일은 또한 마치 '용과 뱀이 칩거하는 것이 몸을 보존하기 위한 것'과 같다."

● 蔡氏淸曰 : "利用如何以崇其德? 蓋外邊事事都能迎刃解將去, 則胸中所得益深, 所造亦遠矣. '精義'以致知言, 義者, 事理之宜也. '入神', 只謂到那不容言之妙處. '利用'以行言, 利用故'安身.'

14) 유염(俞琰), 『주역집설(周易集說)』 권33.

若其用有不利, 則亦不能在在皆安, 而泰然處之矣. 蓋躬行心得,
自是相關之理."15)

채청(蔡淸)이 말했다. "씀을 이롭게 하는 것이 어떻게 그 덕을 높이
는가? 외부의 일들이 모두 쉽게 해결되어 갈 수 있으면, 마음속에
서 얻은 것은 더욱 깊어지고, 이른 것도 또한 고원하다. '의(義)를
정밀히 하는 것'은 치지(致知)로 말한 것이니, 의(義)는 사물의 이
치가 마땅함이다. '신묘(神妙)한 경지에 들어가는 일'은 다만 말로
형용할 수 없는 저 오묘한 곳에 이른 것을 말할 뿐이다. '씀을 이롭
게 하는 일'은 실천으로 말한 것이니 씀을 이롭게 하기 때문에 '몸
을 편안히 하게 된다.' 만약 그 씀이 이롭지 않으면 또한 모든 곳에
다 편안하여 태연하게 처할 수 없다. 대개 몸소 실천하는 것과 마
음으로 얻은 것은 본래 서로 연관되는 법이다."

● 吳氏一源曰 : "人皆知信之利, 而不知屈之所以利也, 故以'尺
蠖'·'龍蛇'明之. 專言屈之利以示人, 正欲人養靜以一動, 無感以
待感也."

오일원(吳一源)이 말했다. "사람들은 모두 펼치는 것이 이로움을
알지만 굽히는 것이 이로운 까닭을 알지 못하기 때문에 '자벌레'와
'용과 뱀'으로 그것을 밝혔다. 오로지 굽히는 것의 이로움만을 말하
여 사람들에게 보여주는 것은, 바로 사람들에게 고요함을 길러 한
번 움직이게 하고 감응이 없는 것으로 감응을 기다리게 하려는 뜻
이다."

---

15) 채청(蔡淸), 『역경몽인(易經蒙引)』 권11하(下).

> 過此以往, 未之或知也. 窮神知化, 德之盛也.
>
> 이것을 넘어간 뒤에는 간혹 알 수 없다. 신(神)을 캐물어 조화(造化)를 아는 것은 덕의 융성함이다.

本義

下學之事, 盡力於精義利用, 而交養互發之機, 自不能已, 自是以上, 則亦無所用其力矣. 至於'窮神知化', 乃德盛仁熟而自致耳. 然不知者往而屈也, 自致者來而信也, 是亦感應自然之理而已. 張子曰 : "氣有陰陽, 推行有漸爲化, 合一不測爲神."

'아래단계의 것을 배우는[下學]' 일은 의(義)를 정밀히 하고 씀을 이롭게 하는 데 힘을 다하여 서로 길러주고 서로 일으키는 기틀이 저절로 그칠 수 없으니, 이로부터 그 뒤는 또한 그 힘쓸 곳이 없는 것이다. '신(神)을 캐물어 조화(造化)를 앎'에 이르는 것은 바로 덕이 융성하고 인(仁)이 익숙하여 스스로 이르게 되는 것일 뿐이다. 그러나 알지 못하는 것은 가서 굽히는 일이고 스스로 이르게 되는 것은 와서 펼치는 일이니, 이 또한 감응(感應)이 저절로 그러한 이치일 뿐이다. 장자(張子 : 張載)가 말했다. "기(氣)는 음(陰)·양(陽)이 있으니, 점차적으로 추이(推移)하여 유행하는 것이 화(化)이고 하나로 합쳐 헤아릴 수 없는 것이 신(神)이다."[16]

此上四節, 皆以釋咸九四爻義.

이 위의 네 구절은 모두 함(咸䷞)괘 구사(九四)효의 의미를 해석하
였다.

集說

● 孔氏穎達曰 : "'精義入神, 以致用; 利用安身, 以崇德', 此二者
皆人理之極, 過此二者以往, 則微妙不可知. 窮極微妙之神, 曉
知變化之道, 乃是聖人德之盛極也."[17]

공영달(孔穎達)이 말했다. "'의(義)를 정밀히 하여 신묘(神妙)한 경
지에 들어가는 것은 씀을 지극히 하기 위해서이고, 씀을 이롭게 하
여 몸을 편안히 하는 것은 덕을 높이기 위해서이다'라는 두 가지는
모두 사람의 이치에서 표준에 해당하니, 이 둘을 넘어선 그 다음은
미묘하여 알 수 없다. 미묘한 신(神)을 끝까지 캐묻고 변화의 도(道)
를 분명하게 아는 것이 바로 성인의 덕이 융성해지는 극치이다."

● 張子曰 : "'精義入神', 事豫吾內, 求利吾外也. '利用安身', 素
豫吾外,[18] 致養吾內也. '窮神知化', 乃養盛自致, 非思勉之能强.
故崇德而外, 君子未或致知也."[19]

....

16) 기(氣)는 음(陰)·양(陽)이 있으니 … 헤아릴 수 없는 것이 신(神)이다
   : 장재(張載), 『정몽(正蒙)』 제4, 「신화편(神化篇)」.
17) 공영달 소(孔穎達 疏), 『주역주소(周易註疏)』 권12.
18) 素豫吾外 : 장재(張載), 『횡거역설(橫渠易說)』 권3, 「계사하」에는 "素利
   吾外[내 밖에서 미리 이로워서]"라고 되어 있다.

장자(張子 : 張載)가 말했다. "'의(義)를 정밀히 하여 신묘(神妙)한 경지에 들어가는 것'은 내 안에서 일이 미리 정해지고 내 밖에서 이로움을 구하는 일이다. '씀을 이롭게 하여 몸을 편안히 하는 것'은 내 밖에서 미리 정해지고 내 안에서 기르게 되는 일이다. '신(神)을 궁구하여 조화(造化)를 아는 것'은 기르는 일이 융성하여 저절로 이르지, 생각하고 힘써 억지로 할 수 있는 것이 아니다. 그러므로 덕을 높이는 것 외의 일은 군자도 다 알지는 못한다."

● 又曰 : "氣有陰陽, 推行有漸爲化, 合一不測爲神. 其在人也, 知・義用利, 則神・化之事備矣. 德盛者, 窮神則知不足道, 知化則義不足云."[20]

(장재가) 또 말했다. "기(氣)에는 음양이 있는데, 점차적으로 추이(推移)하여 유행하는 것이 화(化)이고 하나로 합쳐져 헤아릴 수 없는 것이 신(神)이다. 그 사람에게서 앎과 의(義)를 이롭게 사용한다면 신(神)과 화(化)의 일이 갖추어질 것이다. 덕이 융성한 자가 신(神)을 캐물으면 앎은 말할 만한 것이 못 되고, 조화(造化)를 알면 의(義)는 말할 만한 것이 못 된다."

● 又曰 : "'窮神', 是窮盡其神也. '入神', 是僅能入於神也, 言'入' 如自外而入. 義固有淺深."[21]

(장재가) 또 말했다. "'신(神)을 캐묻는 것'은 그 신묘함을 다 캐묻

----

19) 장재(張載), 『횡거역설(橫渠易說)』 권3, 「계사하」.
20) 장재(張載), 『정몽(正蒙)』 제4, 「신화편(神化篇)」.
21) 장재(張載), 『횡거역설(橫渠易說)』 권3, 「계사하」.

는 것이다. '신묘(神妙)한 경지에 들어가는 일'은 다만 신묘한 경지
에 들어갈 수 있는 것일 뿐이니, '들어간다'라고 말한 것은 마치 밖
에서 들어가는 것과 같다. 의(義)에는 본디 얕음과 깊음이 있다."

● 『朱子語類』云 : "'窮神知化, 德之盛', 這'德'字, 只是上面'崇德'
之'德.' 德盛後, 便能'窮神知化', 便如'聰明睿知皆由此出'·'自誠
而明'相似."22)

『주자어류』에서 말했다. "'신(神)을 캐물어 조화(造化)를 아는 것은
덕의 융성함이다'에서의 '덕'은 다만 윗글 '덕을 높인다'에서의 '덕'이
다. 덕이 융성해진 뒤에 '신(神)을 캐물어 조화(造化)를 알 수 있으
니' 마치 '총명함과 예지(睿知)가 모두 이것으로부터 나왔다'23)·'성
(誠)으로 말미암아 밝아진다'24)라고 한 것과 서로 비슷하다."

● 又云 : "'窮神知化', 化是逐些子挨將去底. 一日復一日, 一月
復一月, 節節挨將去, 便成一年.25) 神是一個物事, 或在彼, 或在

---

22) 주희, 『주자어류』 권76, 45조목.
23) 총명함과 예지(睿知)가 모두 이것으로부터 나왔다 : 정호·정이, 『하남정
　　씨유서(河南程氏遺書)』 권6에서 "聰明睿智皆由是出.[총명함과 예지(睿
　　知)가 모두 이것으로부터 나왔다.]"이라고 하였다.
24) 성(誠)으로 말미암아 밝아진다 : 『중용』 제21장에서 "성(誠)으로 말미암
　　아 밝아짐을 성(性)이라 하고, 밝음으로 말미암아 성(誠)해짐을 교(敎)라
　　한다. 성(誠)하면 밝아지고, 밝아지면 성(誠)해진다.[自誠明, 謂之性; 自
　　明誠, 謂之敎. 誠則明矣, 明則誠矣.]"라고 하였다.
25) 便成一年 : 주희, 『주자어류』 권76, 46조목에는 이 구절 뒤에 "這是化.
　　[이것이 화(化)이다.]"라는 말이 더 있다.

此. 當其在陰時, 全體在陰; 在陽時, 全體在陽. 都只是這一物,
兩處都在, 不可測, 故謂神. 橫渠言, '一故神, 兩故化.' 又注云,
'兩在, 故不測.' 這說得甚分曉."[26]

(주자가) 또 말했다. "'신(神)을 캐물어 조화(造化)를 아는 것'에서
조화化는 조금씩 닥쳐 가는 것이다. 하루 또 하루, 한 달 또 한
달씩으로 한 단계 한 단계 닥쳐 가면 곧 1년이 된다. 신(神)은 어떤
물건이 혹은 저기에 있고 혹은 여기에 있는 것이다. 그것이 음(陰)
에 있을 때는 전체가 음에 있고, 양(陽)에 있을 때는 전체가 양에
있다. 모두가 이 어떤 물건인데, 두 곳에 모두 있어 헤아릴 수 없기
때문에 신(神)이라고 한다. 횡거(橫渠 : 張載)는 '하나이기 때문에
신(神)이고 두 가지이기 때문에 화(化)한다'라고 하였다. 또한 주석
에서는 '두 가지로 있기 때문에 헤아릴 수 없다'라고 하였다. 이는
아주 분명하게 말한 것이다."

● 又云 : "'天下何思何慮'一句, 便先打破那個'思'字, 卻說'同歸
殊塗, 一致百慮.' 又再說'天下何思何慮', 謂何用如此'憧憧往來
.'[27] 尺蠖·龍蛇之屈信,[28] 皆是自然底道理, 不往則不來, 不屈
則亦不信也. 今之爲學, 亦只是如此. '精義入神', 用力於內, 乃
所以'致用'乎外; '利用安身', 求利乎外, 乃所以'崇德'乎內. 只是

---

26) 주희, 『주자어류』 권76, 46조목.
27) 謂何用如此'憧憧往來' : 주희, 『주자어류』 권76, 33조목에는 이 구절 뒤
에 "而爲此朋從之思也.[이 때문에 벗이 좇아서 생각할 것이다.]"라는 말
이 더 있다.
28) '尺蠖'·'龍蛇'之屈信 : 주희, 『주자어류』 권76, 33조목에는 이 구절 앞에
"日月寒暑之往來[해와 달, 추위와 더위가 오고 가는 것이]"라는 말이 더
있다.

如此作將去. 雖至於'窮神知化'地位, 亦只是德盛仁熟之所致,
何思何慮之有?"29)

(주자가) 또 말했다. "'천하에 무엇을 생각하고 무엇을 염려하겠는
가?'라는 구절은 먼저 그 '생각한다[思]'라는 뜻을 깨뜨려 버리고, 또
한 '천하가 귀결하는 곳은 같지만 길은 다르고 한 가지 이치에 이르
지만 염려는 수만 가지이다'라는 것을 말하였다. 또 다시 '천하에
무엇을 생각하고 무엇을 염려하겠는가?'라고 말한 것은 어찌 이와
같이 '오락가락 자주 왕래할 필요가 있겠는가'라는 점을 말하였다.
자벌레나 용과 뱀이 굽히고 펼치는 것은 모두 저절로 그러한 도리
이니, 가지 않으면 오지 않고 굽히지 않으면 또한 펼칠 수 없다.
지금 배우는 것도 또한 이와 같이 하는 것일 뿐이다. '의(義)를 정
밀히 하여 신묘(神妙)한 경지에 들어가는 것'은 안에서 힘을 쓰는
것이 곧 그것으로써 밖에서 '씀을 지극히 하는' 일이며, '씀을 이롭
게 하여 몸을 편안히 하는 것'은 바깥에서 이로움을 구하는 것이 곧
그것으로 안에서 '덕을 높이는' 일이다. 다만 이와 같이 해나갈 뿐
이다. 비록 '신(神)을 궁구하여 조화(造化)를 아는 일'의 경지에 이
르는 것이라 하더라도 또한 덕의 융성함과 인(仁)의 익숙함이 그렇
게 한 것이니, 무엇을 생각하고 무엇을 염려할 필요가 있겠는가?"

● 蔡氏淸曰 : "'未之或知'者, 不容於有思, 不容於有爲也. '神'以
存主處言, '化'以運用處言, 其神·化者, 亦豈出於'精義·利用'之
外哉? 其始有待於思·爲, 則曰'精義·利用', 其終無待於思·爲,
則曰'窮神知化.' 所造有淺深, 理則無精粗也."30)

....

29) 주희, 『주자어류』 권76, 33조목.
30) 채청(蔡淸), 『역경몽인(易經蒙引)』 권11하(下).

채청(蔡淸)이 말했다. "'간혹 알 수 없다'는 생각이 있음을 용납하지 않고, 작위함이 있음을 용납하지 않는 것이다. '신(神)'은 보존하여 주인이 되는 것으로 말하였고, '조화[化]'는 운용함으로 말한 것이니, 그 신(神)과 조화[化]도 또한 어찌 '의(義)를 정밀히 하는 것과 씀을 이롭게 하는 것'을 벗어나겠는가? 그 시작은 생각과 작위에 의지하니 '의(義)를 정밀히 하는 것과 씀을 이롭게 하는 것'이라 했고, 그 끝은 생각과 작위에 의지함이 없으니 '신(神)을 캐물어 조화(造化)를 아는 일'이라고 했다. 이르는 정도에 얕음과 깊음의 차이가 있지만 이치는 정밀함과 조잡함이 없다."

● 張氏振淵曰 : "未有下學功夫不到, 而頓能上達者. 神·化功夫, 正在'精義·利用'作起, 此正實落下手處. 卽造到神·化地位, 不過'精義·利用', 漸進漸熟耳. 德盛不是就'窮神知化'上贊他德之盛, 唯德盛方能'窮神知化.'"

장진연(張振淵)이 말했다. "아래단계의 것을 배우는 공부가 이르지 않았는데 갑자기 위로 도달할 수 있는 자는 없었다. 신(神)과 조화[化]의 공부는 바로 '의(義)를 정밀히 하는 것과 씀을 이롭게 하는 것'에서 일으키니, 이것이 바로 실질적으로 착수하는 곳이다. 신(神)과 조화[化]의 경지에 도달하는 것은 '의(義)를 정밀히 하는 것과 씀을 이롭게 하는 것'이 점차적으로 진보하고 점차적으로 익숙해지는 것에 지나지 않을 뿐이다. 덕이 융성해지는 것은 '신(神)을 캐물어 조화(造化)를 아는 것'에서 다른 덕이 융성해지도록 돕는 것이 아니라, 오직 덕이 융성해져야만 비로소 '신(神)을 캐물어 조화(造化)를 알' 수 있다는 말이다."

案

'精義入神', 則所知者精深, 窮理之事也; '利用安身', 則所行者純
熟, 盡性之事也. '窮神'則不止於'入神', 其心與神明相契者也;
'知化'則不止於'利用', 其事與造化爲徒者也, 至命之事也. 窮理
盡性, 學者所當用力, 至命則無所用其力矣, 故曰'窮理盡性以至
於命.'

'의(義)를 정밀히 하여 신묘(神妙)한 경지에 들어가면' 안 것이 정밀
하고 깊어지니 이는 이치를 캐묻는 일이며, '씀을 이롭게 하여 몸을
편안히 하면' 실천한 것이 순수하고 익숙해지니 이는 성(性)을 다
발휘하는 일이다. '신(神)을 캐물으면' '신묘(神妙)한 경지에 들어가
게 될' 뿐만 아니라 그 마음이 신명(神明)과 서로 합치되고, '조화
(造化)를 알면' '씀을 이롭게 할' 뿐만 아니라 그 일이 조화(造化)와
같은 무리가 되는 것이니, 천명(天命)을 아는 일이다. 이치를 캐묻
고 성(性)을 다 발휘하는 일은 배우는 사람이 마땅히 힘써 노력할
것이지만, 천명에 이르는 것은 그 힘을 쓸 데가 없기 때문에 '이치
를 캐묻고 성(性)을 다 발휘하여 천명에 이른다'[31]라고 하였다.

又案 : 此章是釋'爻者效天下之動'之義, 而原其理於一也. 自此
以下十一爻, 皆是發明此意, 而此爻之義, 尤爲親切. 蓋感應者
動也, 不可逐物憧憧, 而唯貴於貞固其心者一也. 所以然者, 此
心此理, 一致同歸, 本不容以有二也. 故首以此爻, 而以'致一'·
'恒心'兩爻終焉.

---

31) 이치를 궁구하고 성(性)을 다 발휘하여 천명에 이른다 : 『역』「설괘전(說
卦傳)」제1장.

또 생각건대, 이 장(章)은 [계사하 3-3]의 '효(爻)는 천하의 움직임을 본받은 것이다'라는 구절의 의미를 풀이했는데, 하나에서 그 이치를 추구하였다. 이로부터 그 아래 11개 효(爻)는 모두 이 뜻을 밝게 드러내었는데, 이 효(함괘 구사효)의 의미가 특히 친밀하고 절실하다. 감응하는 것은 움직임이니 사물을 좇아 오락가락 자주 해서는 안 되고, 오직 그 마음을 곧고 굳게 하여 하나가 되는 것을 귀하게 여긴다. 그러한 까닭은, 이 마음과 이 이치는 일치하여 함께 귀결하니, 본래 둘이 되어 있는 것을 용납하지 않기 때문이다. 그러므로 '하나에 귀결됨'이라고 한 손(損☶)괘 육삼(六三)효와 '마음을 변함없게 함'이라고 한 익(益☴)괘 상구(上九)효, 두 효로 끝맺었다.

[계사하 5-5]

『易』曰 : "困於石, 據於蒺藜. 入於其宮, 不見其妻, 凶." 子曰 : "非所困而困焉, 名必辱, 非所據而據焉, 身必危. 旣辱且危, 死期將至, 妻其可得見邪?"

『역(易)』에서 말했다. "돌에 곤궁하며 질려(蒺藜 : 찔러서 앉아 있을 수 없는 물건)에 앉아 있다. 집에 들어가도 아내를 만나보지 못하니 흉(凶)하다." 공자가 말했다. "곤궁할 데가 아닌데 곤궁하니 이름이 반드시 욕되고, 앉을 곳이 아닌데 앉아 있으니 몸이 반드시 위태롭다. 이미 욕되고 또 위태로워 죽을 시기가 장차 이를 것이니, 아내를 볼 수 있겠는가?"

本義

釋困六三爻義.

곤(困☷☱)괘 육삼(六三)효의 의미를 해석하였다.

集說

● 『朱於語類』云 : "有著力不得處.32) 若只管著力去作, 少間去

....

32) 有著力不得處 : 주희, 『주자어류』 권76, 47조목에는 이 구절 앞에 "且以 事言[또 일로써 말한다면]"이라는 말이 더 있다.

作不成, 他人便道自家無能, 便是辱了名."[33]

『주자어류』에서 말했다. "힘을 쓸 수 없는 곳이 있다. 만약 오로지 힘을 써서 그 일을 하는데 잠시라도 그 일을 해내지 못하면 다른 사람들이 그를 무능하다고 말할 것이니, 바로 이름을 욕보이는 일이다."

---

33) 주희, 『주자어류』 권76, 47조목.

[계사하 5-6]

> 『易』曰 : "公用射隼於高墉之上, 獲之, 無不利." 子
> 曰 : "'隼'者禽也, 弓矢者器也, 射之者人也. 君子藏
> 器於身, 待時而動, 何不利之有? 動而不括, 是以出
> 而有獲, 語成器而動者也."

『역(易)』에서 말했다. "공(公)이 높은 담 위에서 새를 쏘아 잡았으니,
이롭지 않음이 없다." 공자가 말했다. "준(隼)'은 새이고 활과 화살은
기물이며 쏘는 자는 사람이다. 군자가 몸에 기물을 간직하고 때를
기다려 움직이니 어찌 이롭지 않음이 있겠는가? 움직여도 막히지
않기 때문에 밖으로 나가 얻음이 있으니, 기물을 이루어 움직이는
자를 말한다."

本義

'括', 結礙也. 此釋『解』上六爻義.

'괄(括)'은 막힘이다. 이는 해(解☵☳)괘 상육(上六)효의 의미를 해석
한 것이다.

集說

● 韓氏伯曰 : "括, 結也. 君子待時而動, 則無結閡之患也."[34]

한백(韓伯)이 말했다. "'괄(括)'은 동여매는 것이다. 군자가 때를 기

다려 움직이니, 막히는 우환이 없다."

34) 한백(韓伯),『주역주소(周易註疏)』권12.

子曰 : "小人不恥不仁, 不畏不義, 不見利不勸, 不威不懲. 小懲而大誡, 此小人之福也." 『易』曰, '屨校滅趾, 無咎', 此之謂也.

공자가 말했다. "소인은 불인(不仁)을 부끄러워하지 않고 불의(不義)를 두려워하지 않으며, 이로움을 보지 않으면 권면되지 않고 위엄으로 두렵게 하지 않으면 징계되지 않는다. 작게 징계를 받고 크게 경계하는 것, 이것은 소인의 복이다. 『역(易)』에서 '발에 차꼬를 채워 발꿈치를 상하게 하니, 허물이 없다'라고 한 것은 이를 말하였다.

本義

此釋噬嗑初九爻義.

이는 서합(噬嗑䷔)괘 초구(初九)효의 의미를 해석한 것이다.

集說

● 馮氏椅曰 : "不以不仁爲恥, 故見利而後勸於爲仁; 不以不義爲畏, 故畏威而後懲於不義."[35]

----

35) 풍의(馮椅), 『후재역학(厚齋易學)』 권45, 「역외전(易外傳)」제13.

풍의(馮椅)36)가 말했다. "불인(不仁)을 부끄러워하지 않기 때문에 이로움을 본 뒤 인(仁)을 실천하는 데 권면되며, 불의(不義)를 두려워하지 않기 때문에 위엄을 두려워한 뒤 불의(不義)에 대하여 징계된다."

---

36) 풍의(馮椅) : 자는 기지(奇之) 또는 의지(儀之)이고, 호는 후재(厚齋)이다. 송(宋)대 남강 도창(南康都昌 : 현 강서성 도창현) 사람이다. 광종(光宗) 소희(紹熙) 4년(1193)에 진사에 급제하여, 강서운사간판공사(江西運司幹辦公事), 상고현령(上高縣令) 등을 역임했다. 주희(朱熹)가 지남강군(知南康軍)으로 있을 때 제자가 되었는데, 주희는 그의 성실함에 감동하여 벗의 예로 대우했다고 한다. 역학(易學)에 정밀했다. 저서에 『후재역학(厚齋易學)』, 『주역집설명해(周易輯說明解)』, 『경설(經說)』, 『서명집설(西銘輯說)』, 『효경장구(孝經章句)』, 『상례소학(喪禮小學)』, 『공자제자전(孔子弟子傳)』, 『속사기(續史記)』, 『시문지록(詩文志錄)』 등이 있다.

善不積, 不足以成名; 惡不積, 不足以滅身. 小人以
小善爲無益而弗爲也, 以小惡爲無傷而弗去也,
故惡積而不可掩, 罪大而不可解. 『易』曰, ‘何校滅
耳, 凶.’

선(善)이 쌓이지 않으면 이름을 이루기에 충분하지 않고, 악(惡)이
쌓이지 않으면 몸을 죽이기에 충분하지 않다. 소인은 작은 선을 이로
움이 없다고 여겨 행하지 않고 작은 악을 해로움이 없다고 여겨 버리
지 않기 때문에, 악이 쌓여 가릴 수 없고 죄(罪)가 커서 없앨 수
없다. 『역(易)』에서 ‘목에 차꼬를 써서 귀가 없어졌으니, 흉(凶)하다’
라고 하였다.

本義

此釋噬嗑上九爻義.

이는 서합(噬嗑☲☳)괘 상구(上九)효의 의미를 해석한 것이다.

集說

● 董氏仲舒曰 : “積善在身, 猶長日加益而人不知也; 積惡在身,
猶火之銷膏而人不見也.”[37]

동중서(董仲舒)38)가 말했다. "몸에 선을 쌓는 것은 마치 긴 해가 더 길어져도 사람들이 알지 못하는 것과 같고, 몸에 악을 쌓는 것은 마치 등잔불이 기름을 소모시켜도 사람들이 보지 못하는 것과 같다."

● 吳氏曰愼曰 : "惡, 以己之所行者言; 罪, 以法之所麗者言."

오왈신(吳曰愼)이 말했다. "악은 자기가 행위한 것으로 말하고, 죄는 법에 걸리는 것으로 말하였다."

---

37) 『전한서(前漢書)』 권56, 「동중서전(董仲舒傳)」.

38) 동중서(董仲舒, B.C. 179~B.C. 104) : 서한(西漢) 때의 유학자로서 금문경학(今文經學)에 밝았으며, 하북성 광천현(廣川縣) 사람이다. 일찍이 공손홍(公孫弘)과 『춘추공양전(公羊傳)』을 익혔으며 경제(景帝) 때는 박사가 되었다. 장막(帳幕)을 치고 제자를 가르쳤기 때문에 그의 얼굴을 모르는 제자도 있었다고 한다. 3년 동안이나 정원에 나가지 않았을 정도로 그는 학문에 정진하였다. 무제(武帝)가 즉위하여 크게 인재를 구하자, 현량대책(賢良對策)을 올려 천인감응(天人感應)과 대일통(大一統)의 학설을 펼치고 '모든 학파를 몰아내고 오직 유가만을 존중해야 된다.[罷黜百家獨尊儒術]'고 주장하였다. 그의 주장은 무제의 인정을 받아 통치를 공고히 하는 데에 기여하였고, 이후로 유가는 독존의 지위를 차지하게 되었다. B.C. 134년에 강도역왕(江都易王) 유비(劉非)의 국상(國相)을 지냈고, B.C. 125년에는 교서왕(膠西王) 유단(劉端)의 국상(國相)을 지냈다. 그러나 동중서는 『춘추공양전(公羊傳)』에 의거하여 유가철학을 음양오행설과 결합시켜 공맹유학을 변질시켰다는 평가를 받고 있다. 저서에 『동자문집(董子文集)』, 『춘추번로(春秋繁露)』 등이 있다.

> 子曰 : "危者, 安其位者也; 亡者, 保其存者也; 亂
> 者, 有其治者也. 是故君子安而不忘危, 存而不忘
> 亡, 治而不忘亂. 是以身安而國家可保也. 『易』曰,
> '其亡其亡, 繫於苞桑.'"

공자가 말했다. "위태롭게 여기는 것은 그 지위를 편안하게 하는 것이고, 망할까 염려하는 것은 그 생존을 보존하는 것이며, 혼란스러울까 염려하는 것은 그 다스림이 있게 하는 것이다. 이 때문에 군자는 편안해도 위태로움을 잊지 않고, 보존되어도 망함을 잊지 않으며, 다스려져도 혼란스러움을 잊지 않는다. 이로써 몸이 편안하고 국가가 보존될 수 있다. 『역(易)』에서 '망할까 망할까 하고 염려해야 총생(叢生 : 뭉쳐나기)하는 뽕나무에 매어놓는 것처럼 튼튼하다'라고 하였다."

本義

此釋否九五爻義.

이는 비(否☷)괘 구오(九五)효의 의미를 해석한 것이다.

集說

● 孔氏穎達曰 : "所以今有傾危者, 由前安樂於其位, 自以爲安,

故致今日危也. 所以今日滅亡者, 由前保有其存, 恒以爲存, 故
今致滅亡也. 所以今有禍亂者, 由前自恃有其治理, 恒以爲治,
故今致禍亂也. 是故君子今雖獲安, 心恒不忘傾危之事; 國雖存,
心恒不忘滅亡之事; 政雖治, 心恒不忘禍亂之事. 心恒畏懼其將
滅亡, 其將滅亡, 乃‘繫於苞桑’之固也.”[39]

공영달(孔穎達)이 말했다. “지금 기울어져 위험한 까닭은 이전에
그 자리에 안락했던 것으로 말미암아 스스로 편안하다고 여겼기 때
문에 오늘의 위험을 초래하였다. 오늘 멸망한 까닭은 이전에 그 생
존을 보존했던 것으로 말미암아 항상 생존할 것이라고 여겼기 때문
에 지금 멸망을 초래하였다. 지금 재앙과 변란이 있는 까닭은 이전
에 잘 다스려졌던 것을 믿음으로 말미암아 항상 다스려질 것이라고
여겼기 때문에 지금 재앙과 변란을 초래하였다. 이 때문에 군자는
지금 비록 편안함을 얻었을지라도 마음은 항상 기울어져 위험한 일
을 잊지 않고, 나라가 비록 생존하더라도 마음은 항상 멸망하는 일
을 잊지 않으며, 정사(政事)가 비록 다스려질지라도 마음은 항상
재앙과 변란의 일을 잊지 않는다. 마음이 항상 장차 멸망할까 장차
멸망할까 두려워하기 때문에 이에 ‘총생(叢生)하는 뽕나무에 매어
놓는 것처럼’ 견고하다”

● 谷氏家杰曰 : “養尊處優曰‘安’, 宗社鞏固曰‘存’, 綱擧目張曰
‘治.’”

곡가걸(谷家杰)이 말했다. “존귀한 지위에서 부유한 생활을 누리는
것을 ‘편안하다’고 하고, 종묘와 사직이 공고한 것을 ‘생존한다’고

39) 공영달 소(孔穎達 疏), 『주역주소(周易註疏)』 권12.

하며, 그물의 벼리를 집어 올리면 그물의 작은 구멍이 저절로 열리
는 것을 '다스려진다'고 한다."

> 子曰 : "德薄而位尊, 知小而謀大, 力小而任重, 鮮
> 不及矣. 『易』曰 : '鼎折足, 覆公餗, 其形渥, 凶.' 言
> 不勝其任也."

공자가 말했다. "덕이 적은데도 지위가 높고, 지혜가 작은데도 꾀함
이 크며, 힘이 작은데도 짐이 무거우면 화(禍)가 미치지 않는 자가
드물다. 『역(易)』에서 '솥의 발이 부러져 공상(公上)에게 바칠 음식을
엎었으니, 형벌이 무거워 흉(凶)하다'라고 하였으니, 그 임무를 감당
하지 못함을 말하였다."

本義

此釋鼎九四爻義.

이는 정(鼎䷱)괘 구사(九四)효의 의미를 해석한 것이다.

集說

● 張氏浚曰 : "自昔居台鼎之任, 德·力·知三者一有闕, 則弗能
勝其事, 而況俱不足者乎? 有德而無知, 則不足以應變; 有知而
無力, 則不足以鎭浮. 若夫德之不立, 雖有知·力, 亦無以感格天
·人, 而措天下於治矣."[40]

장준(張浚)이 말했다. "예로부터 삼공(三公)의 직임에 자리하여 덕(德)·힘[力]·지혜[知]의 세 가지 가운데 하나라도 부족함이 있으면 그 일을 감당할 수 없었는데, 하물며 그 모두 부족한 자는 어떻겠는가? 덕은 있지만 지혜가 없으면 변화에 대응하기 부족하고, 지혜는 있지만 힘이 없으면 경박한 자를 억제하기에 부족하다. 그런데 덕이 확립되지 않으면 비록 지혜와 힘이 있더라도 또한 하늘과 사람을 감격시켜 천하에 다스림을 베풀 수 없을 것이다."

● 錢氏時曰 : "古之人君, 必量力度德而後授之官; 古之人臣, 亦必度力度德而後居其任. 雖百工胥史, 且猶不苟, 況三公乎? 爲君不明於所擇, 爲臣不審於自擇, 以至亡身危主, 誤國亂天下, 皆由不勝任之故, 可不戒哉?"

전시(錢時)[41]가 말했다. "옛날의 군주는 반드시 역량과 덕을 헤아린 뒤에 관직을 주었으며, 옛날의 신하도 또한 반드시 역량과 덕을

40) 장준(張浚), 『자암역전(紫巖易傳)』 권8.
41) 전시(錢時, 1175~1244) : 자는 자시(子是)이고, 호는 융당(融堂)이다. 송(宋)대 엄주 순안(嚴州淳安 : 현 안휘성 흡현〈歙縣〉) 사람이다. 과거에의 뜻을 끊고 이학(理學)에 전념했다. 양간(楊簡)의 수제자이고, 육구연(陸九淵)의 재전제자(再傳弟子)이다. 강동제형(江東提刑) 원보(袁甫)가 상산서원(象山書院)을 세우고 주강(主講)으로 초빙했다. 이종(理宗) 가희(嘉熙) 2년(1238) 비각교감(秘閣校勘)에 천거되고, 사관검열(史館檢閱)이 되었다가 강동수속(江東帥屬)이 되어 귀향했다. 순안서원(淳安書院)의 전신인 융당서원(融堂書院)을 건립하여 후학양성에 힘썼다. 저서에 『주역석전(周易釋傳)』, 『상서연의(尙書演義)』, 『학시관견(學詩管見)』, 『사서관견(四書管見)』, 『춘추대지(春秋大旨)』, 『양한필기(兩漢筆記)』 등이 있다.

헤아린 뒤에 그 직임을 맡았다. 온갖 기술직이나 서리(胥吏) 같은 하급관리도 또한 소홀히 하지 않았는데, 하물며 삼공(三公) 같은 고위 관료는 어떻겠는가? 군주가 되어 선택하는 데 밝지 못하고 신하가 되어 스스로 선택하는 것을 살피지 못하여, 자신을 죽이고 군주를 위태롭게 하거나 나라를 망치고 천하를 혼란하게 하는 것은 모두 직임을 감당하지 못하는 까닭에 말미암으니, 어찌 경계하지 않을 수 있겠는가?"

> 子曰 : "知幾其神乎? 君子上交不諂, 下交不瀆, 其
> 知幾乎? 幾者, 動之微, 吉之先見者也. 君子見幾而
> 作, 不俟終日. 『易』曰, '介於石, 不終日, 貞吉.' 介
> 如石焉, 寧用終日? 斷可識矣! 君子知微知彰, 知柔
> 知剛, 萬夫之望."

공자가 말했다. "기미를 알면 신묘(神妙)할까? 군자는 위로 교제함에
아첨하지 않고 아래로 교제함에 모독하지 않으니, 기미를 알았을까?
기미는 움직임이 은미한 것으로서 길함이 먼저 나타난 것이다. 군자
는 기미를 보고 떠나가니 하루가 다 끝나기를 기다리지 않는다.『역』
에서 '돌처럼 절개가 굳어 하루가 다 끝나기를 기다리지 않으니, 정
(貞)하고 길(吉)하다'라고 하였다. 절개가 마치 돌과 같으니, 어찌
하루가 다 끝나기를 기다리겠는가? 결단력이 있는 것을 알 수 있다.
군자는 은미함을 알고 드러남을 알며, 유(柔)를 알고 강(剛)을 아니,
수많은 사람이 우러러 본다."

本義

此釋豫六二爻義. 『漢書』'吉之'之間有'凶'字.

이는 예(豫☷☳)괘 육이(六二)효의 의미를 해석한 것이다. 『한서(漢
書)』에는 길함이 먼저 나타난 것이다[吉之先見者也]의 '길지(吉之)'
사이에 '흉(凶)'자가 있다.

集說

● 孔氏穎達曰:"'動', 謂心動·事動. 初動之時, 其理未著, 唯纖微而已, 已著之後, 則心·事顯露. 若未動之先, 又寂然頓無. '幾'是離無入有, 在有無之際, 故云'動之微'也. 直云吉不云凶者, 凡豫前知幾, 皆向吉而背凶, 違凶而就吉, 無復有凶, 故特云吉也. 諸本或有'凶'字者, 其定本則無."42)

공영달(孔穎達)이 말했다. "'움직임'은 마음이 움직이는 것과 일이 움직이는 것을 말한다. 처음 움직일 때 그 이치가 아직 드러나지 않고 오직 미세할 뿐이지만, 이미 드러난 뒤에는 마음과 일이 두드러지게 나타난다. 아직 움직이기 이전에는 또 적연(寂然)하여 즉시 없어진다. '기미'는 없음을 떠나 있음에 들어가는 것으로 있음과 없음의 사이에 있기 때문에 '움직임이 은미한 것'이라고 말했다. 다만 길하다고 말하고 흉하다고 말하지 않은 것은 앞으로 올 것을 미리하고 기미를 아는 데서 모두 길함을 향하고 흉함을 등지며, 흉함을 떠나 길함으로 나아가 다시 흉함이 없기 때문에 다만 길하다고 말한 것이다. 여러 판본에 혹 ('길함이 먼저 나타난 것이다[吉之先見者也]'에서 '길(吉)'자 뒤에) '흉(凶)'자가 있지만 정본(定本)에는 없다."

● 崔氏憬曰:"此爻得位於中, 於豫之時, 能順以動而防於豫, 如石之耿介, 守志不移. 雖暫豫樂, 以其見微而不終日, 則能貞吉. 斷可知矣."43)

최경(崔憬)이 말했다. "이 효(爻) 즉 예(豫☷☳)괘 육이(六二)효는 가

---

42) 공영달 소(孔穎達 疏), 『주역주소(周易註疏)』 권12.
43) 이정조(李鼎祚), 『주역집해(周易集解)』 권15에 최경의 말로 실려 있다.

운데[中 : 알맞음] 자리 잡아서 기뻐할 때 순조롭게 움직일 수 있고
기뻐하는 것을 막을 수 있으니, 마치 돌처럼 견고하여 지조를 지켜
옮기지 않는다. 비록 잠시 기뻐하더라도 그 기미를 보아 하루가 다
끝나기를 기다리지 않으니, 정(貞)하고 길(吉)할 수 있다. 결단력이
있음을 알 수 있다."

● 張子曰 : "'知幾'者, 爲能以屈爲信."[44]

장자(張子 : 張載)가 말했다. "'기미를 아는' 자는 굽힘을 펼침으로
만들 수 있다."

● 『朱子語類』云 : "上交貴於恭遜, 恭則便近於諂; 下交貴於和
易, 和則便近於瀆. 蓋恭與諂相近, 和與瀆相近, 只爭些子便至
於流也."[45]

『주자어류』에서 말했다. "위로 교제할 때는 공손함을 귀하게 여기
지만 공손함은 아첨에 가깝고, 아래로 교제할 때는 온화함을 귀하
게 여기지만 온화함은 얕봄에 가깝다. 공손과 아첨이 서로 가깝고
온화함과 얕봄이 서로 가까우니, 다만 조금만 일그러지면 바로 (나
쁜 쪽으로) 흘러가게 된다."

● 又云 : "'幾者, 動之微', 是欲動未動之間, 便有善·惡, 便須就
這處理會. 若到發出處, 便怎生奈何得. 所以聖賢說謹獨, 便都

---

44) 장재(張載), 『횡거역설(橫渠易說)』 권3, 「계사하」.
45) 주희, 『주자어류』 권76, 50조목.

是要就幾微處理會."46)

(주자가) 또 말했다. "'기미는 움직임이 은미한 것이다'는 움직이려고 함과 아직 움직이지 않음의 사이에 선·악이 있는 것이니, 반드시 이곳에서 이해해야 한다. 움직임이 나타나게 되면 틀림없이 어떻게 할 수 없을 것이다. 그러므로 성현이 홀로 있을 때를 삼간다고 말한 것은 바로 전적으로 기미가 있는 곳에서 이해해야 한다는 뜻이다."

● 項氏安世曰 : "諂者本以求福, 而禍常基於諂; 瀆者本以交驩, 而怨常起於瀆. 『易』言'知幾', 而孔子以不諂不瀆明之, 此眞所謂 '知幾者'矣. 欲進此道, 唯存察之密, 疆界素明者能之. 此所以必歸之於'介如石'者與!"47)

항안세(項安世)가 말했다. "아첨은 본래 그것으로 복을 구하는 것이지만 재앙이 항상 아첨에 기반을 두고 있으며, 얕봄은 본래 그것으로 환심을 사려는 것이지만 원망이 항상 얕봄에서 일어난다. 『역』에서 '기미를 안다'고 말했는데, 공자는 아첨하지 않음과 얕보지 않음으로 그것을 밝혔으니, 이것이야말로 참으로 '기미를 아는 사람'이라고 말할 수 있다. 이 도리에 나아가려고 하면 오직 존양(存養)·성찰(省察)을 엄밀히 하여 경계가 매우 밝은 자만이 그렇게 할 수 있다. 이것이 반드시 '돌처럼 절개가 굳다'는 데로 귀결되어야 하는 까닭이리라!"

---

46) 주희, 『주자어류』 권76, 53조목.
47) 항안세(項安世), 『주역완사(周易玩辭)』 권14.

● 何氏楷曰; "'知微知彰', 微而能彰, 介於石也. '知柔知剛'. 柔
而能剛, '不終日'也."[48]

하해(何楷)가 말했다. "'은미함을 알고 드러남을 안다'는 은미하지
만 드러낼 수 있고, 돌보다 지조가 있다는 뜻이다. '유(柔)를 알고
강(剛)을 안다'는 유(柔)하지만 강(剛)할 수 있는 것이니, '하루가
다 끝나기를 기다리지 않는다'는 말이다."

---

48) 하해(何楷), 『고주역정고(古周易訂詁)』 권12.

> 子曰 : "顔氏之子, 其殆庶幾乎! 有不善, 未嘗不知;
> 知之, 未嘗復行也. 『易』曰, '不遠復, 無祗悔, 元吉.'"

공자가 말했다. "안씨(顔氏)의 아들[49]은 거의 도(道)에 가까우리라!
선하지 않은 것이 있으면 일찍이 알지 못한 것이 없었고, 알면 일찍
이 다시 행한 적이 없었다.[50] 『역(易)』에서 '멀리 가지 않고 돌아와
뉘우침에 이르지 않으니, 크게 선하고 길(吉)하다'라고 하였다."

本義

'殆', 危也. '庶幾', 近意, 言近道也. 此釋『復』初九爻義.

'태(殆)'는 거의[危]라는 말이다. '서기(庶幾)'는 가깝다는 뜻이니, 도
(道)에 가까움을 말한다. 이는 복(復䷗)괘 초구(初九)효의 의미를
해석한 것이다.

集說

● 虞氏翻曰 : "'復以自知', '自知'者明, 謂顔子'不遷怒, 不貳過.'

....

49) 안씨(顔氏)의 아들 : 공자의 제자인 안회(顔回)를 가리킨다.

50) 선하지 않은 것이 있으면 …… 다시 행한 적이 없었다 : 『논어』「옹야(雍
也)」에서 "안회(顔回)라는 자가 있어 학문을 좋아하여 노여움을 남에게
옮기지 않고 잘못을 두 번 다시 저지르지 않았다.[有顔回者, 好學, 不遷
怒, 不貳過.]"라고 하였다.

'克己復禮, 天下歸仁'也."[51]

우번(虞翻)이 말했다. "'복(復䷗)괘로 스스로 안다'[52]고 하는데, '스스로 안다'는 말은 밝은 것이니, 안자(顏子 : 顏回)가 '노여움을 남에게 옮기지 않고 잘못을 두 번 다시 저지르지 않았다'[53]는 것을 말한다. '자기의 사욕(私慾)을 극복하여 예(禮)에 돌아가면 천하가 인(仁)을 인정한다'[54]는 뜻이다.'"

● 侯氏行果曰 : "失在未形, 故有不善; 知則速改, 故無大過."[55]

후행과(侯行果)가 말했다. "잘못이 아직 드러나지 않은 상태에 있기 때문에 선(善)하지 않음이 있고, 알면 빨리 고치기 때문에 큰 허물이 없다."

●『朱子語類』云 : "或以'幾'爲因上文'幾'字而言. 但『左傳』與『孟子』'庶幾'兩字, 都只作'近'字說."[56]

---

51) 이정조(李鼎祚),『주역집해(周易集解)』권15에 우번(虞翻)의 말로 기재되어 있다.

52) 복(復䷗)괘로 스스로 안다 :『역』「괘사하」제7장.

53) 노여움을 남에게 옮기지 않고 잘못을 두 번 다시 저지르지 않으며 :『논어』「옹야(雍也)」.

54) 자기의 사욕(私慾)을 극복하여 예(禮)에 돌아가면 천하가 인(仁)을 인정한다 :『논어』「안연(顏淵)」.

55) 이정조(李鼎祚),『주역집해(周易集解)』권16에 후과(侯果)의 말로 기재되어 있다.

56) 주희,『주자어류』권76, 57조목.

『주자어류』에서 말했다. "어떤 사람은 '기(幾 : 거의)'자를 위 문장의 '기(幾 : 기미)'자를 따라서 말한 것이라고 한다. 그러나 『춘추좌전』과 『맹자』의 '서기(庶幾)' 두 글자는 모두 '근(近 : 거의, 가까움)'자로만 말할 뿐이다."

● 又云 : "顔子'有不善, 未嘗不知; 知之, 未嘗復行.' 今人只知 '知之未嘗復行'爲難, 殊不知'有不善, 未嘗不知'是難處."[57]

(주자가) 또 말했다. "안자는 '선하지 않은 것이 있으면 일찍이 알지 못한 적이 없었고, 알면 일찍이 다시 행한 적이 없었다.' 요즘 사람들은 '알면 일찍이 다시 행한 적이 없었다'는 것이 어렵다는 것만을 알 뿐, '선하지 않은 것이 있으면 알지 못한 적이 없었다'는 것이 어려운 점이라는 사실을 전혀 모른다."

● 項氏安世曰 : "於微而知其彰, 於柔而知其剛, 蓋由用心之精, 燭理之明, 是以至此. 欲進此者, 當自顔子始, 毫釐絲忽之過, 一萌於方寸之間, 可謂'微'矣, 而吾固已瞭然而見之; 可謂'柔'矣, 而吾已斬然而絶之. 此章內十一爻, 雖各爲一段, 而意皆相貫, 此爻尤與上爻文意相關."[58]

항안세(項安世)가 말했다. "은미한 데서 그 드러남을 알고 유(柔)에서 그 강(剛)을 아는 것은, 마음 씀이 정밀하고 이치를 밝힘이 밝음으로 말미암기 때문이니, 이로써 여기에 이르게 된다. 여기에 나아가려고 하는 자는 마땅히 안자(顔子 : 顔回)로부터 시작하여, 아주

---

57) 주희, 『주자어류』 권76, 58조목.
58) 항안세(項安世), 『주역완사(周易玩辭)』 권14.

작은 잘못이라도 한 번 마음속에 싹트면 '은미하다'고 할 수 있으니 자신이 본디 아주 분명하게 그것을 보아야 하며, '유(柔)'라고 할 수 있으니 자신이 아주 베어내듯이 그것을 잘라야 한다. 이 장(章)에 있는 11개 효(爻)는 비록 각각 하나의 단락이 되지만 뜻은 모두 서로 관통하며, 이 효(爻) 즉 복(復☷)괘 초구(初九)효는 특히 위 효(爻)의 글의 뜻과 서로 연관된다."

● 陸氏振奇曰 : "'誠則明'者, '知幾'之神, 由介石來也; '明則誠'者, 不遠之復, 由眞知得也. 在豫貴守之固, 故曰'貞吉'; 在復貴覺之早, 故曰'元吉.'"

육진기(陸振奇)가 말했다. "'성실하면 밝아진다'는 '기미를 아는' 신묘함이니 절개가 돌과 같다는 것으로 말미암고, '밝아지면 성실해진다'[59]는 멀리 가지 않고 돌아오는 것이니 참된 앎으로 말미암아 얻는다. 예(豫)괘에서는 견고하게 지키는 것을 귀하게 여기기 때문에 '정(貞)하고 길(吉)하다'라 하였고, 복(復)괘에서는 일찍 깨닫는 것을 귀하게 여기기 때문에 '크게 선하고 길(吉)하다'라고 하였다."

---

59) '성실하면 밝아진다'·'밝아지면 성실해진다' : 『중용』 제21장.

[계사하 5-13]

> 天地絪縕, 萬物化醇. 男女構精, 萬物化生.『易』曰,
> '三人行則損一人, 一人行則得其友.' 言致一也.

천지의 두 기(氣)가 긴밀하게 어우러져 만물이 화(化)하여 응취한다. 남성과 여성이 정기를 교접하여 만물이 화(化)하여 생겨난다.『역(易)』에서 '세 사람이 가면 한 사람을 덜어 내고, 한 사람이 가면 그 벗을 얻는다'고 하였으니, 하나에 귀결됨을 말한 것이다."

本義

'絪縕', 交密之狀. '醇', 謂厚而凝也, 言氣化者也. '化生', 形化者也. 此釋損六三爻義.

'긴밀하게 어우러진다[絪縕]'는 것은 교제를 친밀하게 하는 상태이다. '응취한다[醇]'는 것은 두텁게 응결한다는 뜻이니 기화(氣化)를 말한다. '화(化)하여 생겨난다[化生]'는 것은 형화(形化)하는 것이다. 이는 손(損☶)괘 육삼(六三)효의 의미를 해석한 것이다.

集說

● 侯氏行果曰 : "此明物情相感, 當上法絪縕‧化醇‧致一之道."[60]

....

60) 이정조(李鼎祚),『주역집해(周易集解)』권16에 후과(侯果)의 말로 기재

후행과(侯行果)가 말했다. "이는 만물의 실정이 서로 감동하니, 마땅히 위로 '천지의 두 기(氣)가 긴밀하게 어우러져 만물이 화(化)하고 응취하여 하나에 귀결되는 도(道)를 본받아야 한다는 것을 밝혔다."

되어 있다.

[계사하 5-14]

> 子曰 : "君子安其身而後動, 易其心而後語, 定其交
> 而後求, 君子脩此三者故全也. 危以動, 則民不與
> 也; 懼以語, 則民不應也; 無交而求, 則民不與也;
> 莫之與, 則傷之者至矣. 『易』曰, '莫益之, 或擊之.
> 立心勿恒, 凶.'"

공자가 말했다. "군자는 그 몸을 편안히 한 뒤에 움직이고, 그 마음을
평안히 한 뒤에 말하며, 그 교제를 정한 뒤에 구하니, 군자는 이
세 가지를 수양하기 때문에 온전하다. 위태로움으로 움직이면 백성
들이 함께 하지 않고, 두려움으로 말하면 백성들이 호응하지 않으며,
교제가 없으면서 구하면 백성들이 주지 않으니, 주는 사람이 없으면
해롭게 하는 자가 이르게 될 것이다. 『역(易)』에서 '유익하게 해주는
사람이 없고 간혹 그를 공격할 것이다. 마음을 세움에 (이익에) 항상
하지 말아야 하니, 흉(凶)하다'라고 하였다."

本義

此釋益上九爻義.

이는 익(益䷩)괘 상구(上九)효의 의미를 해석한 것이다.

此第五章.

이는 제5장이다.

140 주역절중 *10*

集說

● 項氏安世曰 : "'危以動, 則民不與', 黨與之與; '無交而求, 則 民不與', 取與之與也."61)

항안세(項安世)가 말했다. "'위태로움으로 움직이면 백성들이 함께 하지 않는다'에서의 '함께 한다[與]'는 '같은 당을 함께 한다[黨與]'라 고 할 때의 '여(與)'이고, '교제가 없으면서 구하면 백성들이 주지 않는다'에서의 '준다[與]'는 '받는 것과 주는 것[取與]'이라고 할 때의 '여(與)'이다."

● 又曰 : "以'易'對'懼', 其義可見. 直者其語易, 曲者其語懼. 乾 之所以'易'者, 以其直也."62)

(항안세가) 또 말했다. "'평안함[易]'으로 '두려움[懼]'을 짝 지운 것은 그 의미를 알 수 있다. 곧은 사람은 그 말이 평안하고 왜곡된 사람 은 그 말이 두려워한다. 건(乾)괘가 '쉬움[易]'이 되는 까닭은 그것 이 곧기 때문이다."

● 郭氏鵬海曰 : "事不順理, 從欲惟危, 爲'危以動.' 心知非理, 自覺惶恐, 爲'懼以語.' 恩非素結, 信非素孚, 爲'無交而求.'"

곽붕해(郭鵬海)가 말했다. "일이 이치에 순조롭지 않으면 욕망을 좇아 오직 위태롭기 때문에 '위태로움으로 움직인다.' 마음속으로 아는 것이 이치가 아니면 두려움을 자각하기 때문에 '두려움으로

---

61) 항안세(項安世), 『주역완사(周易玩辭)』 권14.
62) 항안세(項安世), 『주역완사(周易玩辭)』 권14.

말한다.' 은혜가 평소에 맺은 것이 아니면 믿음이 평소에 믿던 것이
아니기 때문에 '교제가 없으면서 구한다.'"

● 葉氏良佩曰:"下十爻, 皆承咸九四而言."

섭량패(葉良佩)가 말했다. "아래의 10개 효(爻)는 모두 함(咸☶☳)괘
구사(九四)효를 이어서 말했다."

● 吳氏一源曰:"咸後十爻, 皆發明理之貞一而不憧憧耳, 往來
屈信無二致也. 天地所以成造化, 聖人所以臻造化, 推之事事物
物, 莫不皆然. 故知動靜之一致, 則能藏器而時動; 知小大之一
致, 則能謹小以無咎; 知安危之一致, 則能危以保其安; 知顯微
之一致, 則能見幾而作, 不遠而復; 知損益之一致, 則能損而得
友. 彼非所困而困, 非所任而任, 忽小而惡積, 求益而或擊, 皆昧
於屈信之義以取凶耳."

오일원(吳一源)이 말했다. "함(咸☶☳)괘 뒤의 10개 효(爻)는 모두 이
치가 전일(專一)함에 항상되어 오락가락 자주 하지 않고, 가는 것
과 오는 것, 굽힘과 펼침이 일치하지 않음이 없음을 드러내 밝혔다.
천지가 조화(造化)를 이루는 까닭과 성인이 조화에 이르는 까닭은
일마다 물건마다 미루어 보면 모두 그러하지 않음이 없다. 그러므
로 움직임과 고요함이 일치한다는 것을 알면 기물을 간직하여 때에
맞게 움직일 수 있고, 작은 것과 큰 것이 일치한다는 것을 알면 작
은 것에서 삼가서 허물이 없을 수 있으며, 편안함과 위태로움이 일
치한다는 것을 알면 위태로움으로서 그 편안함을 보존할 수 있고,

현저한 것과 은미한 것이 일치한다는 것을 알면 기미를 보아 출발하되 멀리 가지 않고 돌아오며, 손해됨과 이로움이 일치한다는 것을 알면 손해가 있지만 벗을 얻을 수 있다. 저쪽이 곤궁할 데가 아닌데 곤궁하고, 직임을 맡을 때가 아닌데 맡으며, 작은 것을 소홀히 하다가 악이 쌓이고, 이익을 구하다가 간혹 공격을 받는 것은 모두 굽힘과 펼침의 의미에 어두워 흉함을 취한 것일 뿐이다."

案

此上三章, 申吉凶效動而歸於貞一之理. 第三章, 統論彖·爻也; 第四章, 舉象所以取材之例; 第五章, 舉爻所以效動之例也. 蓋卦有小大, 辭有險易. 故凡卦之以陽爲主, 而陽道勝者, 皆大卦也; 以陰爲主, 而陰道勝者, 皆小卦也. 其原起於八卦之分陰分陽, 故爲舉象取材之例也.

이 위의 세 장(章)은 길흉이 움직임을 본받지만 전일(專一)함에 항상되는 이치에 귀결함을 거듭하였다. 제3장은 단(彖)과 효(爻)를 통론(通論)하였고, 제4장은 단(彖)을 들어 그것으로 재질을 취하는 사례로 삼았으며, 제5장은 효(爻)를 들어 그것으로 움직임을 본받는 사례로 삼았다. 대개 괘에는 소(小)와 대(大)가 있고, 말에는 험하고 평이함이 있다.[63] 그러므로 괘에서 양효(陽爻)가 주인이 되어 양의 도(道)가 뛰어난 것은 모두 큰 괘이고, 음효(陰爻)가 주인이 되어 음의 도(道)가 뛰어난 것은 모두 작은 괘이다. 그 근원은 8괘가 음으로 나누고 양으로 나누는 데서 비롯하기 때문에, 단(彖)을 들어 그것으로 재질을 취하는 사례로 삼았다.

---

63) 괘에는 소(小)와 대(大)가 있고, 말에는 험하고 평이함이 있다 : 『역』「계사상」 제3장.

三百八十四爻, 正靜則吉, 邪動則凶. 故『困』三『解』上相反也, 『噬嗑』之初上相反也, 『否』五『鼎』四相反也, 『豫』二『復』初相似也, 『損』三『益』上相反也. 其義皆統於『咸』之四, 故爲擧爻效動之例也. 夫陰陽並行, 而以陽爲君, 則所以歸其權於君者一矣; 動靜相循, 而以靜爲主, 則所以專其事於主者一矣. 何則? 理一故也. 故曰"天下之動, 貞夫一."

384효(爻)는 고요함이 바르면 길하고 움직임이 간사하면 흉하다. 그러므로 곤(困䷡)괘 육삼(六三)효와 해(解䷧)괘 상육(上六)효가 서로 반대되고, 서합(噬嗑䷔)괘 초구(初九)효와 서합(噬嗑䷔)괘 상구(上九)효가 서로 반대되며, 비(否䷋)괘 구오(九五)효와 정(鼎䷱)괘 구사(九四)효가 서로 반대되고, 예(豫䷏)괘 육이(六二)효와 복(復䷗)괘 초구(初九)효가 서로 비슷하며, 손(損䷨)괘 육삼(六三)효와 익(益䷩)괘 상구(上九)효가 서로 반대된다. 그 의미는 모두 함(咸䷞)괘 구사(九四)효에 통괄되기 때문에 효(爻)를 들어 그것으로 움직임을 본받는 사례로 삼았다. 음양은 나란히 유행하지만 양이 군주가 되면 그 권한이 군주에게 귀결되는 것이 한결 같고, 움직임과 고요함이 서로 쫓지만 고요함이 주인이 되면 그 일이 주인에게 오로지 하게 되는 것이 한결 같다. 왜 그러한가? 이치가 하나이기 때문이다. 그러므로 '천하의 움직임은 전일(專一)함에 항상된 것이다'[64]라고 하였다.

---

64) 천하의 움직임은 전일(專一)함에 항상된 것이다 : 『역』「계사하」 제1장.

[계사하 6-1]

> 子曰 : "乾坤其易之門邪? 乾, 陽物也; 坤, 陰物
> 也. 陰陽合德而剛柔有體, 以體天地之撰, 以通
> 神明之德."

공자가 말했다. "건(乾)·곤(坤)은 역(易)의 문(門)인가? 건은 양기
(陽氣)가 왕성한 것이고 곤은 음기(陰氣)가 왕성한 것이다. 음·
양이 덕을 합하여 강(剛)·유(柔)가 체(體)를 가지게 되니, 그것으
로 천지의 일을 체현하고 신명(神明)의 덕을 통달한다."

本義

諸卦剛柔之體, 皆以乾坤合德而成, 故曰"乾坤, 易之門". '撰',
猶事也.

여러 괘에서 강(剛)·유(柔)의 체(體)는 모두 건(乾)·곤(坤)이 덕을
합하여 이루어졌기 때문에 "건·곤은 역(易)의 문"이라고 하였다.
'찬(撰 : 일)'은 일[事] 같다.

● 荀氏爽曰 : "陰陽相易, 出於乾坤, 故曰'門.'"1)

순상(荀爽)이 말했다. "음양이 서로 바뀌는 것은 건곤에서 나오기 때문에 '문(門)'이라고 하였다."

● 葉氏良佩曰 : "此章論文王繫辭之義, 故首節先本伏羲卦畫而言之."

섭량패(葉良佩)가 말했다. "이 장(章)은 문왕이 설명[辭]을 붙인 의미를 논했기 때문에 첫 구절에서 먼저 복희씨의 괘획에 근본하여 말했다."

● 何氏楷曰 : "有形可擬, 故曰'體'; 有理可推, 故曰'通.' '體天地之撰'承'剛柔有體'言, 兩'體'字相應; '通神明之德', 承'陰陽合德'言, 兩'德'字相應."2)

하해(何楷)가 말했다. "형체가 있어 헤아릴 수 있기 때문에 '체현한다[體]'라고 했으며, 이치가 있어 미루어 볼 수 있기 때문에 '통달한다[通]'라고 하였다. '천지의 일을 체현한다'는 '강(剛)·유(柔)가 체(體)를 가지게 된다'는 것을 이어 말했으니, 두 '체(體)'자는 서로 호응한다. '신명(神明)의 덕을 통달한다'는 '음·양이 덕을 합한다'는 것을 이어서 말했으니, 두 '덕(德)'자는 서로 호응한다."

----

1) 이정조(李鼎祚), 『주역집해(周易集解)』 권16에 순상(荀爽)의 말로 기재되어 있다.
2) 하해(何楷), 『고주역정고(古周易訂詁)』 권12.

> 其稱名也, 雜而不越. 於稽其類, 其衰世之意邪?
> 그 명칭을 일컬은 것은 난잡하지만 사리(事理)를 벗어나지 않는다.
> 그 부류를 고찰해 볼 때 쇠퇴한 세상의 뜻일까?

本義

萬物雖多, 無不出於陰陽之變, 故卦 · 爻之義, 雖雜出而不差繆. 然非上古淳質之時思慮所及也, 故以爲衰世之意, 蓋指文王與紂之時也.

만물이 비록 많지만 음양의 변(變)에서 나오지 않은 것이 없기 때문에, 괘 · 효의 뜻이 비록 섞여 나오지만 어그러지지 않는다. 그러나 상고시대의 돈후하고 질박한 때 사려로 미칠 수 있는 것이 아니기 때문에 쇠퇴한 세상의 뜻이라 하였으니, 대개 문왕과 주(紂)왕 시기를 가리킬 것이다.

集說

● 『九家易』曰 : "'名', 謂卦名. 陰陽雖錯, 而卦象各有次序, 不相踰越."[3]

----

3) 이정조(李鼎祚), 『주역집해(周易集解)』권16에 『구가역(九家易)』의 글

(회남왕 유안〈淮南王 劉安〉이 편찬한) 『구가역(九家易)』에서 말했다. "'명칭'은 괘의 이름을 말한다. 음양이 비록 뒤섞여 있지만 괘상은 각각 순서가 있어 서로 뛰어넘지 않는다."

● 侯氏行果曰 : "易象考其事類, 但以吉凶·得失爲主, 則非淳古之時也, 故云'衰世之意'耳. 言'邪', 示疑不欲切指也."[4]

후행과(侯行果)가 말했다. "역(易)의 상(象)은 그 일의 부류를 살펴보는 것이지만, 길흉과 득실을 위주로 하면 순박하고 옛날같은 시대가 아니기 때문에 '쇠퇴한 세상의 뜻'이라고 말했을 뿐이다. '야(邪 : ~일 것이다 : ~일까)'라고 말한 것은 의심스러워 딱 잘라 가리키지 않으려고 한 것을 보여준다."

● 『朱子語類』, 問 : "其稱名也, 雜而不越', 是指繫辭而言, 是指卦名而言?" 曰 : "他下面兩三番說名, 後又擧九卦說, 看來只是謂卦名."[5]

『주자어류』에서 물었다. "'그 명칭을 일컬은 것은 난잡하지만 사리(事理)를 벗어나지 않는다'는 설명[辭] 붙인 것을 가리켜 말하는 것입니까? 괘의 명칭을 가리켜 말하는 것입니까?"
(주자가) 대답했다. "그 아래에 두세 번 명칭을 말하고 뒤에 또 9개의 괘를 들어 말했으니, 보아하니 괘의 명칭을 말하는 것일 뿐인

로써 기재되어 있다.
4) 이정조(李鼎祚), 『주역집해(周易集解)』 권16에 후과(侯果)의 말로 기재되어 있다.
5) 주희, 『주자어류』 권76, 68조목.

것 같다."

● 又云 : "'其衰世之意邪?' 伏羲畫卦時, 這般事都已有了, 只是
未曾經歷. 到文王時, 世變不好, 古來未曾有底事都有了, 他一
一經歷這崎嶇萬變過來, 所以說出那卦辭."[6]

(주자가) 또 말했다. "'쇠퇴한 세상의 뜻일까?'라고 한 것은, 복희씨
가 괘를 그을 때 이러한 일들이 이미 모두 있었을 것인데, 그런 일
을 겪은 적이 없었을 뿐이라는 뜻이다. 문왕의 시대에 이르러 세상
이 좋지 않게 변해 예로부터 있은 적이 없었던 일들이 모두 발생하
였고, 그는 이 험난한 수많은 변(變)을 일일이 겪어 나갔기 때문에
그 괘사를 말할 수 있었다."

---

6) 주희, 『주자어류』 권76, 70조목.

[계사하 6-3]

> 夫『易』, 彰往而察來, 而微顯闡幽. 開而當名辨
> 物, 正言斷辭, 則備矣.

『역(易)』은 지나간 것을 드러내고 올 것을 살피며, 나타난 것을
은미하게 하고 그윽한 것을 밝혔다. 열어서 명칭에 마땅하게 하고
사물을 분별하며, 말을 바르게 하고 설명[辭]을 결단하니, 갖추어
졌다.

本義

'而微顯', 恐當作'微顯而.' '開而'之'而', 亦疑有誤.

나타난 것을 은미하게 하고 에서 '이미현(而微顯)'은 마땅히 '미현이
(微顯而)'가 되어야 할 것 같다. '개이(開而)'의 '이(而)'자도 잘못이
있는 것 같다.

集說

● 郭氏雍曰 : "'當名', 卦也; '辨物', 象也. '正言', 象辭也; '斷辭',
繫之以吉凶者也."[7]

----

7) 곽옹(郭雍), 『곽씨전가역설(郭氏傳家易說)』 권8.

곽옹(郭雍)이 말했다. "'명칭에 마땅하게 한다'는 것은 괘(卦)이고, '사물을 분별한다'는 것은 상(象)이다. '말을 바르게 한다'는 것은 단사(彖辭)이고, '설명[辭]을 결단한다'는 그것에 길흉을 붙인다는 것이다."

● 『朱子語類』云 : "'微顯闡幽', 幽者不可見, 便就這顯處說出來; 顯者便就上面尋其不可見底, 教人知得." 又曰 : "如'顯道, 神德行'相似."[8]

『주자어류』에서 말했다. "'나타난 것을 은미하게 하고 그윽한 것을 밝혔다'는 말에서, 그윽한 것은 볼 수 없으니, 바로 이 나타난 것에서 말해가고, 나타난 것은 바로 그 속에서 볼 수 없는 것을 찾아내어 사람들에게 알도록 해주는 일이다."
(주자가) 또 말했다. "마치 [계사상 9-9]의 '도(道)를 드러내고 덕행을 펼치게 한다'는 말과 서로 비슷하다."

● 又云 : "'微顯闡幽', 是將道來事上看, 言那個雖是粗的, 然皆出於道義之蘊. '微顯'所以'闡幽', '闡幽'所以'微顯', 只是一個物事."[9]

(주자가) 또 말했다. "'나타난 것을 은미하게 하고 그윽한 것을 밝혔다'는 도(道)를 일에서 보는 것이니, 그것이 비록 조잡한 것이라 하더라도 모두 도의(道義)의 심오함에서 나옴을 말한다. '나타난 것을 은미하게 하는 일'은 그것으로 '그윽한 것을 밝히는 일'이고, '그

---

8) 주희, 『주자어류』 권76, 73조목.
9) 주희, 『주자어류』 권76, 74조목.

육한 것을 밝히는 일'은 그것으로써 '나타난 것을 은미하게 하는 일'
이니, 단지 하나의 일일 뿐이다."

● 吳氏澄曰 : "'彰往', 卽'藏往'也, 謂'明於天之道', 而彰明已往
之理. '察來', 卽'知來'也, 謂'察於民之故', 而察知未來之事. '微
顯', 卽'神德行'也, 謂以人事之顯, 而本之於天道, 所以微其顯.
'闡幽', 卽'顯道'也, 謂以天道之幽, 而用之於人事, 所以闡其
幽."[10]

오징(吳澄)이 말했다. "'지나간 것을 드러낸다'는 말은 '지나간 것을
간직하는 것'[11]이니, '하늘의 도(道)에 밝아'[12] 이미 지나간 것의 이
치를 분명하게 드러내는 것을 말한다. '올 것을 살핀다'는 것은 '올
것을 아는 것'[13]이니, '백성들의 사정을 살펴'[14] 미래의 일을 살펴
아는 것을 말한다. '나타난 것을 은미하게 한다'는 것은 '덕행을 펼

....

10) 오징(吳澄), 『역찬언(易纂言)』 권8.
11) 지나간 것 간직하는 것 : [계사상 11-2]에서 "지혜로써 지나간 것을 간직
   한다.[知以藏往.]"라고 하였다.
12) 하늘의 도(道)에 밝아 : [계사상 11-3]에서 "그러므로 하늘의 도(道)에 밝
   고 백성들의 사정을 살펴, 이에 신물(神物 : 시초와 귀갑)을 일으켜 백성
   들이 사용하기 전에 앞서서 열어준다.[是以明於天之道, 而察於民之故,
   是興神物以前民用.]"라고 하였다.
13) 올 것을 아는 것 : [계사상 11-2]에서 "신(神)으로써 앞으로 올 것을 안다.
   [神以知來.]"라고 하였다.
14) 백성들의 사정을 살펴 : [계사상 11-3]에서 "그러므로 하늘의 도(道)에 밝
   고 백성들의 사정을 살펴, 이에 신물(神物 : 시초와 귀갑)을 일으켜 백성
   들이 사용하기 전에 앞서서 열어준다.[是以明於天之道, 而察於民之故,
   是興神物以前民用.]"라고 하였다.

치게 하는 것'15)이니, 인사(人事)에서 나타난 것을 천도(天道)에 근
본하여 그것으로 나타난 것을 은미하게 했음을 말한다. '그윽한 것
을 밝힌다'는 것은 '도를 드러내는 것'16)이니, 천도의 그윽함을 인사
에 적용하여 그것으로 그윽함을 밝힌 것을 말한다."

● 蔡氏淸曰 : "人事粗跡也, 『易』書有以微之, 蓋於至著之中, 寓
至微之理也. 天道至幽也, 『易』書有以闡之, 蓋以至微之理, 寓
於至著之象也."17)

채청(蔡淸)이 말했다. "사람의 일은 조잡한 자취인데 『역』에서 그
것을 은미하게 한 것은, 지극히 드러나는 것 가운데 지극히 은미한
이치가 깃들어 있기 때문이다. 천도(天道)는 지극히 그윽한데 『역』
에서 그것을 밝힌 것은, 지극히 은미한 이치가 지극히 드러나는 상
(象)에 깃들어 있기 때문이다."

案

'彰往察來, 微顯闡幽', 承首節伏羲卦畫言. '當名辨物, 正言斷
辭', 承次節文王卦名言, 而因及乎辭也. '彰往察來', 卽所謂'體
天地之撰.' '微顯闡幽', 卽所謂'通神明之德.' '當名'者, 卽所謂'稱
名, 雜而不越'也. 命名之後, 又復辯卦中所具之物, 以繫之辭而

----

15) 덕행을 펼치게 하는 것 : [계사상 9-9]에서 "도(道)를 드러내고 덕행을 펼
    치게 한다.[顯道神德行.]"라고 하였다.
16) 도를 드러내는 것 : [계사상 9-9]에서 "도(道)를 드러내고 덕행을 펼치게
    한다.[顯道神德行.]"라고 하였다.
17) 채청(蔡淸), 『역경몽인(易經蒙引)』 권11하(下).

斷其占, 則所謂象也. 文王因卦畫而爲之名辭, 故曰'開而.' 有畫
無文, 易道未開也.

'지나간 것을 드러내고 올 것을 살피며, 나타난 것을 은미하게 하고
그윽한 것을 밝힌다'는 것은 첫 구절의 복희씨의 괘획(卦畫)을 이어
서 말하였다. '명칭에 마땅하게 하고 사물을 분별하며, 말을 바르게
하고 설명[辭]을 결단한다'는 것은 두 번째 구절의 문왕의 괘명(卦
名)을 이어서 말했는데, 연달아 설명[辭]에까지 미쳤다. '지나간 것
을 드러내고 올 것을 살핀다'는 바로 '천지의 일을 체현한다'는 것을
말한다. '나타난 것을 은미하게 하고 그윽한 것을 밝힌다'는 곧 '신
명(神明)의 덕을 통달한다'는 것을 말한다. '명칭에 마땅하게 한다'
는 바로 '명칭을 일컬은 것은 난잡하지만 사리(事理)를 벗어나지 않
는다'는 것을 말한다. 명명한 뒤에 또 다시 괘 가운데 갖추고 있는
것을 분별하여 설명[辭]을 붙여 그 점(占)을 결단하였으니, 이른바
단(彖)이다. 문왕이 괘획에 따라 명칭과 설명[辭]을 붙였기 때문에
'열어서'라고 말했다. 획만 있고 글이 없는 것은 역의 도가 아직 열
리지 않아서이다.

[계사하 6-4]

其稱名也小, 其取類也大. 其旨遠, 其辭文, 其言
曲而中, 其事肆而隱. 因貳以濟民行, 以明失得
之報.

그 명칭을 일컫는 것은 작지만 부류를 취하는 것은 크다. 그 뜻은
원대하고 그 설명[辭]은 아름다우며, 그 말은 곡진(曲盡)하면서도
적중하고 그 일은 진열되어 있으면서도 은미하다. 의심나는 것에
따라 백성들의 행위를 구제하여 얻음과 잃음의 보답을 밝혔다.

'肆', 陳也. '貳', 疑也.

'사(肆)'는 진열한다는 말이다. '이(貳)'는 의심한다는 뜻이다.

此第六章, 多闕文疑字, 不可盡通. 後皆放此.

이는 제6장이니, 빠진 글과 의심스러운 글자가 많아 의미가 다 통
할 수는 없다. 뒤도 모두 이와 같다.

● 程氏敬承曰 : "理貞夫一而民貳之, 有失得故貳也. '明失得之

報’, 則天下曉然歸於理之一, 而民行濟矣. ‘濟’者, 出之陷溺之
危, 而措之安吉之地, 此其所以爲衰世之意邪?

정경승(程敬承 : 程汝繼)이 말했다. “이치는 전일함에 항상되는데
백성이 그것을 의심하는 것은, 얻음과 잃음이 있기 때문에 의심한
다. ‘얻음과 잃음의 보답을 밝히면’, 천하가 명백하게 이치의 전일
함에 귀결되고 백성들의 행위는 구제될 것이다. ‘구제한다’는 것은
함정에 빠지는 위험을 벗어나 평안하고 길(吉)한 곳에 두는 일이니,
이것이 쇠퇴한 세상의 뜻으로 여긴 근거일까?

案

‘稱名小, 取類大’, 以卦名言; ‘旨遠, 辭文’, 以象辭言; ‘其言曲而
中’, 又申‘旨遠, 辭文’之意. 旨遠則多隱約, 故‘曲’也; 辭文則有條
理, 故‘中’也. ‘其事肆而隱’, 又申‘名小 · 類大’之意. 名小則事物
畢具, 故‘肆’也; 類大則義理包涵, 故‘隱’也.

‘명칭을 일컫는 것은 작지만 부류를 취하는 것은 크다’는 괘의 명칭
으로 말한 것이고, ‘뜻은 원대하고 설명[辭]은 아름답다’는 단사(象
辭)로 말한 것이며, ‘그 말은 곡진(曲盡)하면서도 적중하다’는 것은
또 ‘뜻은 원대하고 설명[辭]은 아름답다’는 뜻을 거듭한 것이다. 뜻
이 원대하면 은미하고 간략한 것이 많기 때문에 ‘곡진하며’, 설명
[辭]이 아름다우면 조리가 있기 때문에 ‘적중한다.’ ‘그 일은 진열되
어 있으면서도 은미하다’는 것은 또 ‘명칭을 일컫는 것은 작지만 부
류를 취하는 것은 크다’는 뜻을 거듭한 것이다. 명칭이 작으면 사물
이 모두 갖추어지기 때문에 ‘진열되고’, 부류가 크면 의리가 포함되
기 때문에 ‘은미하다.’

● 項氏安世曰:"此章專論『易』之象辭. 『易』不過乾坤二畫, 乾坤卽陰陽·剛柔也. 凡『易』之辭, 其稱名取類, 千彙萬狀, 大要不越於二者. 而其所以繫辭之意, 則爲世衰道微, 與民同患, 不得已而盡言之耳. 此斷辭之所以作也. 斷辭, 卽象辭也."18)

항안세(項安世)가 말했다. "이 장(章)은 오로지 『역』의 단사(彖辭)를 논했다. 『역』은 건과 곤 두 획에 지나지 않고 건·곤은 곧 음양·강유이다. 무릇 『역』의 설명[辭]은 그 명칭을 일컫고 부류를 취하는 것이 종류가 수없이 다양하지만 크게는 이 둘을 벗어나지 않는다. 그러나 그것으로 설명[辭]을 붙이는 뜻은, 세상이 쇠퇴하고 도가 없어짐에 백성들과 우환을 함께하기 위해 어쩔 수 없이 다 말한 것일 뿐이다. 이것이 설명[辭]을 결단하는 말이 지어진 까닭이다. 설명[辭]을 결단하는 말은 바로 단사(彖辭)이다."

---

18) 항안세(項安世), 『주역완사(周易玩辭)』 권14.

[계사하 7-1]

> 『易』之興也, 其於中古乎? 作『易』者, 其有憂患乎?
>
> 『역(易)』이 흥기한 것은 중고(中古)시대였을까? 『역(易)』을 지은
> 사람은 우환이 있었을까?

本義

夏‧商之末, 易道中微, 文王拘於羑里而繫象辭, 易道復興.

하(夏)나라와 상(商)나라 말엽에 역(易)의 도(道)가 중간에 쇠미하
였는데, 문왕이 유리(羑里)에 갇혀 있었을 때 단사(象辭)를 붙여 역
의 도가 다시 흥기하였다.

集說

● 孔氏穎達曰 : "『易』之爻卦之象, 則在上古伏羲之時. 但其時

理尙質素,1) 直觀其象, 足以垂教. 中古之時, 事漸澆浮, 非象可
以爲敎,2) 故爻卦之辭, 起於中古. 此之所論, 謂『周易』也, 身旣
憂患, 須垂法以示於後, 以防憂患之事."3)

공영달(孔穎達)이 말했다. "『역』의 효와 괘의 상(象)은 상고시대 복
희씨 때 있었다. 그러나 그 때는 지향하는 것이 질박함을 숭상했기
때문에 그 상을 직관하여 가르침을 베풀어 주기에 충분했다. 중고
(中古)시대에 사회 기풍이 점점 경박해져 상을 가지고 가르침을 삼
을 수 없었기 때문에, 효와 괘에 대한 설명[辭]이 중고시대에 흥기
했다. 여기에서 논하는 것은 『주역』을 가리키는 것으로, 몸이 이미
우환 속에 있으니 반드시 법칙을 베풀어 주는 것으로 뒤에 보여주
어, 우환 속에 있는 일을 방비할 수 있었다."

● 吳氏澄曰 : "羲皇之易, 有畫而已. 三畫之卦雖有名, 而六畫
之卦未有名. 文王始名六畫之卦, 而繫之以辭, 易道幾微, 至此
而復興也. 卦名及辭, 皆前此所未有, 故不云述而云作. 作『易』
在羑里時, 故云'其有憂患乎?' 蓋於名卦而知其有憂患也. 下文
舉九卦之名, 以見其憂患之意."4)

오징(吳澄)이 말했다. "복희씨의 역은 획을 그은 것이 있었을 뿐이

----

1) 但其時理尙質素 : 공영달 소(孔穎達 疏), 『주역주소(周易註疏)』 권12에
   는 이 구절 뒤에 "聖道凝寂[성인의 도가 매우 고요하여]"라는 말이 더
   있다.
2) 非象可以爲教 : 공영달 소(孔穎達 疏), 『주역주소(周易註疏)』 권12에는
   이 구절 뒤에 "又須繫以文辭 , 示其變動吉凶"라는 말이 더 있다.
3) 공영달 소(孔穎達 疏), 『주역주소(周易註疏)』 권12.
4) 오징(吳澄), 『역찬언(易纂言)』 권8.

다. 3획 괘는 비록 명칭이 있었지만 6획 괘는 아직 명칭이 없었다. 문왕이 처음으로 6획 괘에 명칭을 붙이고 설명[辭]을 붙여, 거의 쇠미했던 역의 도리가 여기에 이르러 다시 흥기했다. 괘의 명칭과 설명은 모두 이전에 없었던 것이기 때문에 서술했다[述]라 하지 않고 지었다[作]라고 말했다. 유리(羑里)에 갇혀 있었을 때 『역(易)』을 지었기 때문에 '우환이 있었을까?'라고 추측했다. 대개 괘의 명칭에서 우환이 있었으리라는 것을 알 수 있다. 아래 글에서는 9개 괘의 명칭을 들어 그 우환의 뜻을 보여주고 있다."

● 谷氏家杰曰 : "'憂患'二字, 以憂患天下言, 乃吉凶同患意. 民志未通, 務未成. 聖人切切然爲天下憂患之, 於是作『易』, 故 『易』皆處憂患之道."

곡가걸(谷家杰)이 말했다. "'우환'이라는 두 글자는 천하를 걱정하는 것으로 말한 것이니, 길흉을 같이 걱정한다는 뜻이다. 백성들의 의향에 통달하지 못하면 다스리는 일이 이루어지지 않는다. 성인이 간절히 천하를 위해 걱정하여 이에 『역』을 지었기 때문에 『역』은 모두 우환에 대처하는 도리이다."

● 何氏楷曰 : "聖人之憂患者,[5] 憂患天下之迷復也. 乃其處困又何憂患焉? 是故『易』者, 所以憂患天下之憂患也.[6]"[7]

---

5) 聖人之憂患者 : 하해(何楷), 『고주역정고(古周易訂詁)』권12에는 이 구절 앞에 "作『易』者, 其有憂患, 則以是九者爲處困之道乎? 曰, '非也. [『역』을 지은 사람은 우환을 가지고 있으니, 이 9개를 곤경에 대처하는 도(道)로 삼은 것인가? 대답한다. '아니다.]"라는 자문자답 형식의 말이 더 있다.

하해(何楷)가 말했다. "성인이 걱정한 것은 천하가 돌아옴에 혼미
함을 걱정한 것이다.[8] 그런데 곤경에 처하여 또 무엇을 걱정하겠
는가? 이 때문에 『역』은 그것으로 천하의 우환을 걱정한 것이다."

------

6) 是故『易』者, 所以憂患天下之憂患也 : 하해(何楷), 『고주역정고(古周易
  訂詁)』 권12에는 "是故九卦者, 所以釋天下之憂患也.[그러므로 9개의
  괘는 그것으로 천하의 우환을 풀이한 것이다.]"라고 하였다.
7) 하해(何楷), 『고주역정고(古周易訂詁)』 권12.
8) 천하가 돌아옴에 혼미함을 걱정한 것이다 : 『역』 복(復)괘 상육(上六)에
  서 "상육은 돌아옴에 혼미하므로 흉하다.[上六, 迷復, 凶.]"라고 하였다.

[계사하 7-2]

是故履, 德之基也; 謙, 德之柄也; 復, 德之本也;
恒, 德之固也; 損, 德之修也; 益, 德之裕也; 困, 德
之辨也; 井, 德之地也; 巽, 德之制也.

그러므로 이(履☰)괘는 덕의 기초이고, 겸(謙☷)괘는 덕의 자루이며,
복(復☷)괘는 덕의 근본이고, 항(恒☳)괘는 덕의 확고함이며, 손(損
☶)괘는 덕의 수양이고, 익(益☴)괘는 덕의 넉넉함이며, 곤(困☱)괘는
덕의 분별이고, 정(井☵)괘는 덕의 자리이며, 손(巽☴)괘는 덕의 재제
(裁制)이다.

本義

'履', 禮也. 上天下澤, 定分不易, 必謹乎此, 然後其德有以爲
基而立也. '謙'者, 自卑而尊人, 又爲禮者之所當執持而不可
失者也. 九卦皆反身修德以處憂患之事也, 而有序焉. '基'所
以立, '柄'所以持. '復'者, 心不外而善端存. '恒'者, 守不變而
常且久. 懲忿窒慾以修身, 遷善改過以長善. '困'以自驗其力,
'井'以不變其所, 然後能巽順於理以制事變也.

'이(履)'는 예(禮)이다. 위에 하늘이 있고 아래에 못이 있어 그 분수
가 정해져 바뀌지 않으니, 반드시 여기에서 삼간 뒤에야 그 덕이 기
초가 되어 설 수 있다. '겸(謙)'은 자신을 낮추고 남을 높이는 일이
니, 또 예(禮)를 행하는 자가 마땅히 굳게 지켜 잃어서는 안 되는

162 주역절중 *10*

것이다. 9개 괘는 모두 몸에 돌이켜 덕을 수양하여 우환에 대처하는 일인데, 순서가 있다. '기초[基]'는 서는 근거이고, '자루[柄]'는 잡는 근거이다. '복(復)'은 마음이 밖으로 치닫지 않아 선한 단서가 보존되는 것이다. '항(恒)'은 지키는 것이 변하지 않아 항상하고 오래하는 일이다. 분노를 억제하고 욕심을 막는 것으로 몸을 수양하며, 선으로 옮기고 허물을 고치는 것으로 선을 자라게 하며, '곤(困)'으로 스스로 그 능력을 시험하고, '정(井)'으로 그 자리를 변치 않으니, 그런 뒤에야 이치에 순응하여 일의 변화를 재제(裁制)할 수 있다.

集說

● 鄭氏康成曰 : "'辨', 別也. 遭困之時, 君子固窮, 小人則濫, 德於是別也."[9]

정강성(鄭康成 : 鄭玄)이 말했다. "'분별[辨]'은 구별이다. 곤경을 만났을 때 군자는 본디 곤궁하지만 소인은 넘치니,[10] 덕이 여기에서 구별된다."

● 干氏寶曰 : "'柄'所以持物, '謙'所以持禮者也."[11]

---

9) 왕응린(王應麟) 편, 『주역정강성주(周易鄭康成注)』.
10) 곤경을 만났을 때 군자는 본디 곤궁하지만 소인은 넘치니 : 『논어』「위령공(衛靈公)」에서 "자로(子路)가 성난 얼굴로 (공자를) 뵙고 말했다. '군자도 곤궁할 때가 있습니까?' 공자가 말했다. '군자는 본디 곤궁하니, 소인은 곤궁하면 넘친다.'[子路慍見曰, '君子亦有窮乎?' 子曰, '君子固窮, 小人窮斯濫矣.']"라고 하였다.

간보(干寶)가 말했다. "'자루[柄]'는 물건을 잡아 지키는 근거이고, '겸손함[謙]'은 예(禮)를 잡아 지키는 근거이다."

● 『朱子語類』, 問 : "'巽'何以爲'德之制'?" 曰 : "'巽'爲資斧, '巽'多作斷制之象. 蓋'巽'字之義, 非順所能盡, 乃順而能入之義. 是入細直徹到底,[12] 不只是到皮子上, 如此方能斷得殺. 若不見得盡, 如何可以行權?"[13]

『주자어류』에서 물었다. "'손(巽☴)괘'가 어떻게 '덕의 재제(裁制)'가 됩니까?"
(주자가) 대답했다. "'손(巽)'은 (재계하여 사당에 들어갈 때) 도끼를 받는 것이니, '손(巽)'은 대부분 결단하여 재제하는 모습으로 삼는다. 대개 '손(巽)'이라는 글자의 뜻은 다 발휘할 수 있는 것을 순조롭게 따르는 것이 아니라, 곧 순조롭게 따라 들어갈 수 있다는 의미이다. 이는 들어가는 것이 세밀하여 곧바로 바닥까지 꿰뚫어 가는 것이지 단지 표면에만 이르는 일이 아니니, 이렇게 해야 비로소 세차게 결단할 수 있다. 만약 다 보지 못한다면 어떻게 권도(權道)를 행할 수 있겠는가?[14]"

....

11) 이정조(李鼎祚), 『주역집해(周易集解)』 권16에 간보(干寶)의 말로 기재되어 있다.
12) 是入細直徹到底 : 주희, 『주자어류』 권76, 80조목에는 이 구절 앞에 "謂巽一陰入在二陽之下.[손괘(巽☴)의 하나의 음효가 두 개의 양효 아래에 들어가는 것을 말한다.]"라는 말이 더 있다.
13) 주희, 『주자어류』 권76, 80조목.
14) 권도(權道)를 행할 수 있겠는가 : 본문 [계사하 7-4]에서 "손괘(巽☴)로써 권도(權道)를 행한다.[巽以行權.]"라고 하였다.

● 陸氏九淵曰 : "上天下澤, 尊卑之義, 禮之本也. 經禮三百, 曲禮三千, 皆本諸此. '履, 德之基', 謂以行爲德之基也. '基', 始也. 德, 自行而進也, 不行則德何由而積? 有而不居爲'謙'. 謙者不盈也, 盈則其德喪矣. 常執不盈之心, 則德乃日積, 故曰'德之柄.'

육구연(陸九淵)이 말했다. "위에 하늘이 있고 아래에 못이 있는 것은 (지위의) 높고 낮음을 의미하니 예(禮)의 근본이다. '불변하는 예[經禮]' 3백 가지와 '세부적인 의례절차[曲禮]' 3천 가지는[15] 모두 여기에 근본한다. '실천[履]은 덕의 기초이다'라는 것은 실행함으로 덕의 기초로 삼음을 말한다. '기초'는 시작하는 것이다. 덕은 스스로 실행하여 진전하는 것인데, 실행하지 않으면 덕이 무엇을 근거로 쌓일 수 있겠는가? 가지고 있으면서도 점유하지 않는 것이 겸손 [謙]이다. 겸손함은 가득 채우지 않으니, 채우면 그 덕을 잃을 것이다. 항상 채우지 않으려는 마음을 잡고 있으면 덕이 나날이 쌓이기 때문에 '덕의 자루'라고 하였다.

旣能謙, 然後能復. 復者陽復, 爲復善之義. 人性本善, 其不善者遷於物也. 知物之爲害而能自反, 則知善者乃吾性之固有; 循吾固有而進德, 則沛然無它適矣. 故曰'復, 德之本也.' 知復則內外合矣, 然而不常則其德不固, 所謂雖得之必失之, 故曰'恒, 德之固也.'

겸손할 수 있은 다음에 회복[復]할 수 있다. 회복은 양(陽)이 회복

---

15) '불변하는 예[經禮]' 3백 가지와 '세부적인 의례절차[曲禮]' 3천 가지는 : 『예기』「예기(禮器)」에서 "그러므로 '불변하는 예[經禮]' 3백 가지와 '세부적인 의례절차[曲禮]' 3천 가지는 그것을 지극하게 하면 한 가지이다. [故經禮三百, 曲禮三千, 其致一也.]"라고 하였다.

하는 것이니, 선을 회복한다는 의미이다. 사람의 성(性)은 본래 선하니, 선하지 않은 것은 외부의 물건으로 옮겨간 것이다. 외부의 물건이 해롭다는 것을 알고 스스로 돌이킬 수 있으면, 선이 곧 나의 성(性)이 본디 가지고 있는 것이라는 것을 알며, 내가 본디 가지고 있는 것을 좇아 덕을 진전시키면, 왕성해져 다른 데로 갈 것이 없다. 그러므로 '회복함은 덕의 근본이다'라고 하였다. 회복함을 알면 안과 밖이 합쳐지지만, 늘 그렇게 하지 않으면 그 덕이 확고하지 않아, 이른바 비록 얻었다 하더라도 반드시 잃을 것이기 때문에 '항상함은 덕의 확고함이다'라고 하였다.

君子之修德, 必去其害德者, 則德日進矣, 故曰'損, 德之修也.' 善日積則寬裕, 故曰'益, 德之裕也.' 不臨患難·難處之地, 未足以見其德, 故曰'困, 德之辨也.' '井'以養人利物爲事, 君子之德亦猶是也, 故曰'井, 德之地也.' 夫然可以有爲, 有爲者常順時制宜, 不順時制宜者, 一方一曲之士, 非盛德之事也. 順時制宜, 非隨俗合汙, 如禹·稷·顔子是已, 故曰'巽, 德之制也.'"16)

군자가 덕을 수양할 때, 반드시 덕을 해치는 사안을 제거하면 덕이 나날이 진전하기 때문에 '덜어냄[損]은 덕의 수양이다'라고 하였다. 선이 나날이 쌓이면 여유로워지기 때문에 '증가함[益]은 덕의 넉넉함이다'라고 하였다. 환난과 곤란한 지경에 임하지 않으면 그 덕을 알기에 충분하지 못하기 때문에 '곤경[困]은 덕의 분별이다'라고 하였다. '우물[井]'은 사람을 길러주고 사물을 이롭게 하는 것을 일삼으며, 군자의 덕도 또한 이와 같기 때문에 '우물[井]은 덕의 자리이다'라고 하였다. 그러하면 작위함이 있을 수 있으니, 작위함은

<hr />

16) 육구연(陸九淵), 『상산집(象山集)』「상산어록(象山語錄)」권2.

항상 때에 순응하여 알맞게 해야 한다. 때에 순응하여 알맞게 하
지 않는 자는 한 쪽으로 치우친 관리이니 덕을 융성하게 하는 일
이 아니다. 때에 순응하여 알맞게 하는 것은 세속에 따라 더럽혀
지는 것이 아니니, 우임금과 후직(后稷)과 안회(顔回)와 같은 사람
이 이러할 뿐이기 때문에 '순응하여 따름[巽]은 덕의 재제(裁制)이
다'라고 하였다."

● 陳氏琛曰 : "'德之基', 就積行上說; '德之本', 就心裏說, 要當
有辨; '德之固', 是得寸守寸, 得尺守尺; '德之地', 則全體不窮矣,
亦要有辨."

진침(陳琛)이 말했다. "'덕의 기초'는 선행을 쌓는 방면에서 말하였
고, '덕의 근본'은 마음으로 말하여 마땅히 분별이 있어야 하며, '덕
의 확고함'은 1촌(寸) 만큼을 얻으면 그만큼을 지키고 1척(尺) 만큼
을 얻으면 그만큼을 지킨다는 뜻이고, '덕의 자리'는 전체가 캐물어
지지 않으면 또한 분별이 있어야 한다는 말이다."

● 盧氏曰 : "'基'與'地'有別, '基'小而'地'大. '基'是初起腳跟, 積累
可由此而上; '地'是凝成全體, 施用之妙, 皆由此而出也."

노씨(盧氏)가 말했다. "'기초'와 '자리'는 구별이 있으니, '기초'는 작
고 '자리'는 크다. '기초'는 처음 바탕을 세워 누적하는 것으로 이로
말미암아 올라갈 수 있다. '자리'는 전체를 응결하여 오묘한 작용을
베푸는 것으로 모두 이로 말미암아 나온다."

履, 和而至; 謙, 尊而光; 復, 小而辨於物. 恒, 雜而
不厭; 損, 先難而後易; 益, 長裕而不設; 困, 窮而
通; 井, 居其所而遷; 巽, 稱而隱.

이(履☰☱)괘는 조화하지만 지극하고 겸(謙☷☶)괘는 높지만 빛나며, 복
(復☷☳)괘는 작지만 사물을 분별하고, 항(恒☳☴)괘는 섞여 있지만 싫어
하지 않으며, 손(損☶☱)괘는 먼저 어렵지만 뒤에는 쉽고, 익(益☴☳)괘는
증가하여 넉넉하지만 조작을 베풀지 않으며, 곤(困☱☵)괘는 곤궁하지
만 통달하고, 정(井☵☴)괘는 제자리에 머물러 있지만 옮겨가며, 손(巽
☴)괘는 잘 헤아리지만 드러나지 않는다.

本義

此如『書』之九德. 禮非强世, 然事皆至極. 謙以自卑, 而尊且
光. 復陽微而不亂於群陰. 恒處雜而常德不厭. 損欲先難, 習
熟則易. 益但充長, 而不造作. 困身困而道亨. 井不動而及物.
巽稱物之宜而潛隱不露.

이는 『서경(書經)』의 구덕(九德)[17]과 같다. 예(禮)는 세상 사람들에

----

17) 『서경(書經)』의 구덕(九德) : 『서경』「고요모(皐陶謨)」에서 구덕(九德)에
대하여 "너그러우면서도 장엄하고, 유순하면서도 꼿꼿하며, 삼가면서도
공손하고, 다스리면서도 공경하며, 익숙하면서도 굳세고, 곧으면서도 온
화하며, 간략하면서도 모나고, 굳세면서도 독실하며, 강하면서도 의(義)

게 억지로 권면하는 것이 아니지만 일이 모두 지극하다. 겸(謙☷☶)괘
는 자신을 낮춤으로 높고 또 빛난다. 복(復☷☳)괘는 양(陽)이 미약하
지만 여러 음(陰)에게 어지럽혀지지 않는다. 항(恒☳☴)괘는 처한 것
이 섞여 있지만 항상된 덕을 싫어하지 않는다. 손(損☶☱)괘는 먼저
어려워하지만 익숙해지면 쉽다. 익(益☴☳)괘는 다만 채우고 증가하
지만 조작하지 않는다. 곤(困☱☵)괘는 몸이 곤궁하지만 도(道)에 형
통한다. 정(井☵☴)괘는 움직이지 않지만 남에게 미친다. 손(巽☴☴)괘
는 사물의 마땅함을 헤아리지만 숨어서 드러나지 않는다.

集說

● 韓氏伯曰 : "和而不至, 從物者也. 和而能至, 故可履也. 微而
辨之, 不遠復也. 雜而不厭, 是以能恒. 刻損以修身, 故先難也,
身修而無患, 故後易也. 有所興爲, 以益於物, 故曰'長裕.' 因物
興務, 不虛設也."[18]

한백(韓伯)이 말했다. "조화하지만 지극하지 않음은 외부의 사물을
따르는 것이다. 조화하지만 지극할 수 있기 때문에 실천할 수 있
다. 작지만 분별함은 멀리가지 않고 돌아오는 것이다.[19] 섞여 있지
만 싫어하지 않으니 이 때문에 항상될 수 있다. 각박하게 덜어내면

를 좋아한다.[寬而栗, 柔而立, 愿而恭, 亂而敬, 擾而毅, 直而溫, 簡而
廉, 剛而塞, 彊而義.]"라고 하였다.

18) 한백(韓伯), 『주역주소(周易註疏)』 권12.
19) 멀리가지 않고 돌아오는 것이다 : 『역』 복(復☷☳)괘 초구(初九)에서 "초구
(初九)는 멀리 가지 않고 돌아오기 때문에 뉘우침에 이르지 않으니, 크게
선하여 길하다.[初九, 不遠復, 无祗悔, 元吉.]"라고 하였다.

서 몸을 수양하기 때문에 먼저는 어렵지만, 몸을 수양한 뒤에는 우환이 없기 때문에 뒤에는 쉽다. 흥기하는 것이 있어 사물을 증가시키기 때문에 '증가하여 넉넉하다'고 하였다. 사물에 따라 힘쓸 일을 흥기시키기 때문에 헛된 것을 베풀지 않는다."

● 程子曰 : "'益, 長裕而不設', 謂固有此理而就上充長也. '設'是撰造也, 撰造則爲僞也."[20]

정자(程子 : 程顥·程頤)가 말했다. "'익(益☲☳)괘는 증가하여 넉넉하지만 조작을 베풀지 않는다'라는 것은 본디 이 이치가 있지만 그 위에 채우고 증가시키는 일을 말한다. '베푼다'는 것은 억지로 지어내는 뜻이니, 억지로 지어내면 허위가 된다."

● 『朱子語類』云 : "'稱而隱', 是巽順恰好底道理. 有隱而不能稱量者, 有能稱量而不能隱伏不露形跡者, 皆非巽之道也. '巽, 德之制也', '巽以行權', 都是此意."[21]

『주자어류』에서 말했다. "'잘 헤아리지만 드러나지 않는다'는 것은 적절하게 순종하는 도리이다. 드러나지 않지만 잘 헤아릴 수 없는 경우도 있고, 잘 헤아릴 수 있지만 숨지 못하여 형적이 드러나지 않게 하지 못하는 경우도 있으니, 이는 모두 '순응하여 따르는[巽]' 도가 아니다. '손(巽☴☴)괘는 덕의 재제(裁制)이다'라고 한 것과 '손(巽☴☴)괘로 권도(權道)를 행한다'라고 한 것은 모두 이 뜻이다."

....

20) 정호·정이, 『하남정씨유서(河南程氏遺書)』 권17.
21) 주희, 『주자어류』 권76, 82조목.

● 陸氏九淵曰 : "'履, 和而至.' 兌以柔悅承乾之剛健, 故'和'. 天在上, 澤處下, 理之至極不可易, 故'至'. 君子所行, 體履之義, 故'和而至.' '謙, 尊而光.' 不謙則必自尊自耀, 自尊則人必賤之, 自耀則德喪; 能謙則自卑自晦, 自卑則人尊之, 自晦則德益光顯.

육구연(陸九淵)이 말했다. "'이(履☰)괘는 조화하지만 지극하다' 태(兌☱)괘가 부드럽고 기뻐함으로써 건(乾☰)괘의 강건함을 받들기 때문에 '조화한다.' 하늘이 위에 있고 못이 아래에 처해 있는 것은 지극한 이치로 바뀔 수 없기 때문에 '지극하다.' '겸(謙☷)괘는 높지만 빛난다.' 겸손하지 않으면 반드시 스스로 높이고 스스로 빛내니, 스스로 높이면 남들은 반드시 그를 천박하게 여기고 스스로 빛내면 덕(德)이 손상된다. 겸손할 수 있으면 스스로 낮추고 스스로 감추니, 스스로 낮추면 남들이 그를 높이고 스스로 감추면 덕은 더욱 빛나고 드러난다.

'復, 小而辨於物.' 復貴不遠, 言動之微, 念慮之隱, 必察其爲物所誘與否. 不辨於小, 則將致悔咎矣. '恒, 雜而不厭.' 人之生, 動用酬酢, 事變非一. 人情於此, 多至厭倦, 是不恒其德者也. 能恒者雖雜而不厭. '損, 先難而後易.' 人情逆之則難, 順之則易. 凡抑損其過, 必逆乎情, 故'先難.' 旣損抑以歸於善, 則順乎本心, 故'後易.'

'복(復☷)괘는 작지만 사물을 분별한다.' 돌아옴은 멀리가지 않는 것을 귀하게 여기니, 말과 행동과 사려가 은미할 때 반드시 그것이 외부의 사물에 유혹되었는지의 여부를 살펴야 한다. 작은 일에도 분별하지 않으면 후회와 허물을 불러일으킬 것이다. '항(恒☳)괘는 섞여 있지만 싫어하지 않는다.' 사람의 삶에 운용하는 것과 응대하는 것이 일의 변화가 한결 같지 않다. 이에 대해 사람의 감정은 대부분 싫증을 느끼게 되는데 이것은 그 덕을 변함없도록 하지 못하는 것이다. 변함없도록 할 수 있는 자는 비록 섞여 있더라도 싫어하지 않는다. '손(損☲)괘는 먼저는 어렵지만 뒤에는 쉽다.' 사람의 감정을 거스르는 것은 어렵고 순응하는 것은 쉽다. 무릇 그 잘못을 억제하여 덜어내는 것은 반드시 감정을 거스르기 때문에 '먼저는 어렵다.' 이미 억제하고 덜어내어 선에 귀결하면 본심에 순응하기 때문에 '뒤에는 쉽다.'

'益, 長裕而不設.' 益者遷善以益己之德, 故其德長進而寬裕. 設者, 侈張也, 有侈大不誠實之意. 如是則非所以爲益也. '困, 窮而通.' 不修德者, 遇窮困則隕穫喪亡而已; 君子遇窮困則德益進, 道益通. '井, 居其所而遷.' 如君子不以道徇人, 故曰'居其所.' 而博施濟衆, 無有不及, 故曰'遷'. '巽, 稱而隱.' 巽順於理, 故動稱宜. 其所以稱宜者, 非有形迹可見, 故'隱'."22)

'익(益☲)괘는 증가하여 넉넉하지만 조작을 베풀지 않는다.' 증가한다는 것은 선으로 옮겨가서 자신의 덕을 보태기 때문에 그 덕이 향상되어 관대해진다. 조작을 베푼다는 것은 과장하는 일이니, 과대하게 하여 성실하지 못한 뜻이 있다. 이와 같으면 보탬이 되는 것이 아니다. '곤(困☲)괘는 곤궁하지만 통달한다.' 덕을 닦지 않는 자는 곤궁함을 만나면 의지를 상실하여 망할 뿐이고, 군자가 곤궁함을 만나면 덕은 더욱 진전하고 도(道)에는 더욱 통달한다. '정(井☲)괘는 제자리에 머물러 있지만 옮겨간다.' 만약 군자라면 도를 가지고 다른 사람을 따르지 않기 때문에 '자리에 머물러 있다.' 그러

----

22) 육구연(陸九淵), 『상산집(象山集)』「상산어록(象山語錄)」권2.

나 널리 베풀어 많은 사람을 구제함에[23] 미치지 않는 곳이 없기 때문에 '옮겨간다.' '손(巽☴)괘는 잘 헤아리지만 드러나지 않는다.' 이치에 순종하기 때문에 움직임이 알맞다. 그 알맞은 까닭이 형적으로 볼 수 있는 것이 아니기 때문에 '드러나지 않는다.'"

案

'復, 小而辨於物', 陸氏蓋用韓氏之說, 與朱子異, 然朱子之義爲精.

'복(復☳)괘는 작지만 사물을 분별한다.'라는 구절에 대해 육구연은 한백(韓伯)의 주장을 채용하여 주자와 달라졌는데, 주자의 의미가 정밀하다.

---

23) 널리 베풀어 많은 사람을 구제함에 : 『논어』「옹야(雍也)」에서 "자공(子貢)이 말했다. '만일 백성에게 은혜를 널리 베풀어 많은 사람을 구제한다면 어떻습니까? 인(仁)하다고 할 만합니까?' 공자가 말했다. '어찌 인(仁)을 일삼는 데 그치겠는가? 반드시 성인일 것이다! 요순도 아마 오히려 그렇지 못함을 병통으로 여겼을 것이다.'[子貢曰, '如有博施於民而能濟衆, 何如? 可謂仁乎?' 子曰, '何事於仁? 必也聖乎! 堯舜, 其猶病諸.']"라고 하였다.

[계사하 7-4]

履以和行, 謙以制禮, 復以自知, 恒以一德, 損以
遠害, 益以興利, 困以寡怨, 井以辨義, 巽以行權.

이(履☰)괘로 행위를 조화하고, 겸(謙☷)괘로 예(禮)를 준칙으로 삼
으며, 복(復☷)괘로 스스로 알고, 항(恒☳)괘로 덕을 한결 같이 하며,
손(損☶)괘로 해로움을 멀리하고, 익(益☴)괘로 이로움을 일으키며,
곤(困☱)괘로 원망을 적게 하고, 정(井☴)괘로 의(義)를 분별하며, 손
(巽☴)괘로 권도(權道)를 행한다.

本義

'寡怨', 謂少所怨尤. '辨義', 謂安而能慮.

'원망을 적게 한다[寡怨]'는 원망을 품는 일이 적게 함을 말한다. '의
(義)를 분별한다[辨義]'는 편안하여 사려할 수 있음을 말한다.

此第七章, 三陳九卦, 以明處憂患之道.

이는 제7장이니, 세 차례 9개의 괘를 진술하여 우환에 대처하는 도
(道)를 밝혔다.

集說

● 虞氏翻曰 : "禮和爲貴,24) 故'以和行'也. '有不善, 未嘗不知',

故‘自知’也. 恒立不易方,25) 故‘一德’也."26)

우번(虞翻)이 말했다. "예(禮)는 조화를 귀하게 여기기 때문에 ‘그
것으로 행위를 조화한다.’ ‘선하지 않음이 있으면 알지 못한 적이
없기 때문에’ ‘스스로 안다.’ 항상 정립하여 방정함을 바꾸지 않기
때문에 ‘덕을 한결같이 한다.’"

● 歐陽氏修曰 : "君子者天下係焉, 一身之損益,27) 天下之利害
也. 君子之自損, 忿慾耳; 自益, 遷善而改過耳. 然而肆其忿慾
者, 豈止一身之損哉? 天下有被其害矣. 遷善而改過, 豈止一身
之益哉? 天下有蒙其利矣."28)

구양수(歐陽修)가 말했다. "군자는 천하가 그에게 달려 있으니, 한
몸의 손익이 천하의 이로움과 해로움이다. 군자가 스스로 손해를
입히는 것은 분노와 욕망이고 스스로 이롭게 하는 것은 선으로 옮
겨가서 잘못을 고치는 일일 뿐이다. 그러나 그 분노와 욕망을 제멋

----

24) 禮和爲貴 : 이정조(李鼎祚), 『주역집해(周易集解)』 권16에는 "禮之用,
    和爲貴, 謙震爲行[예의 작용은 조화를 귀하게 여기고, 겸(謙䷎)괘는 진
    (震☳)괘를 행위로 삼기 때문에]"라고 되어 있다.
25) 恒立不易方 : 이정조(李鼎祚), 『주역집해(周易集解)』 권16에는 "恒德之
    固, 立不易方, 從一而終[항(恒䷟)괘의 덕의 견고함은 정립하여 방정함
    을 바꾸지 않고, 하나를 따라 끝마치기 때문에]"라고 되어 있다.
26) 이정조(李鼎祚), 『주역집해(周易集解)』 권16에 우번(虞翻)의 말로 기재
    되어 있다.
27) 一身之損益 : 구양수(歐陽修), 『문충집(文忠集)』 권77, 『역동자문(易童
    子問)』 제2에는 "非一身之損益[한 몸의 손익이 아니라]"라고 되어 있다.
28) 구양수(歐陽修), 『문충집(文忠集)』 권77, 『역동자문(易童子問)』 제2.

대로 하는 것이 어찌 한 몸에만 손해를 입히는 데 그치겠는가? 천
하가 그 해로움을 당할 것이다. 선으로 옮겨가서 잘못을 고치는 것
이 어찌 한 몸만을 이롭게 하는 데 그치겠는가? 천하가 그 이로움
을 입을 것이다."

● 『朱子語類』, 問 : "'巽以行權', 權是透迤曲折以順理否?" 曰 :
"然. 巽有入之義. '巽爲風', 如風之入物. 只爲巽, 便能入義理之
中, 無細不入." 又問 : "'巽稱而隱', 隱亦是入物否?" 曰 : "隱便是
不見處."29)

『주자어류』에서 물었다. "'손(巽☴)괘로 권도(權道)를 행한다'에서
권도는 이리저리 구부려 이치를 따르는 것이지 않습니까?"
(주희가) 대답했다. "그렇다. 손괘에는 들어간다는 뜻이 있다. '손
괘는 바람이 된다'30) 라는 것은 바람이 사물에 들어간다는 말과 같
다. 다만 손괘는 의리(義理) 가운데 들어갈 수 있어 아무리 세밀한
것에도 들어가지 않음이 없다."
또 물었다. "'손(巽☴)괘는 잘 헤아리지만 드러나지 않는다'에서 드
러나지 않음도 또한 사물에 들어가는 것이지 않습니까?"

....

29) 주희, 『주자어류』 권76, 88조목.
30) 손괘는 바람이 된다 : 『역』「설괘전」에서 "손괘는 나무가 되고, 바람이 되
고, 장녀(長女)가 되고, 먹줄이 곧음이 되고, 공장(工匠)이 되고, 흰색이
되고, 긴 것이 되고, 높음이 되고, 진퇴가 되고, 과단성 없음이 되고, 냄새
가 되며, 사람에게서는 적은 머리숱이 되고, 넓은 이마가 되고, 흰자위가
많은 눈이 되고, 이익을 가까이 하여 세 배의 폭리를 남기는 것이 되며,
궁극에는 조급한 괘가 된다.[巽爲木, 爲風, 爲長女, 爲繩直, 爲工, 爲白,
爲長, 爲高, 爲進退, 爲不果, 爲臭, 其於人也爲寡髮, 爲廣顙, 爲多白
眼, 爲近利市三倍, 其究爲躁卦.]"라고 하였다.

(주희가) 대답했다. "드러나지 않음은 바로 보이지 않는 곳이다."

● 又云 : "見得道理精熟後, 於物之精微委曲處, 無處不入, 所
以說'巽以行權.'"31)

(주희가) 또 말했다. "도리를 정밀하고 익숙하게 본 뒤에, 사물의
정미하고 세밀한 곳까지 들어가지 않는 곳이 없기 때문에 '손괘는
권도를 행한다'고 말했다."

● 又云 : "'兌見而巽伏', 權是隱然作底事物. 若顯然地作, 卻不
成行權."32)

(주희가) 또 말했다. "태(兌☱)괘는 드러나고 손(巽☴)괘는 숨는다
.'33)라고 했으니, 권도는 은밀하게 하는 것이다. 만약 드러내놓고
한다면 도리어 권도를 행하는 것이 될 수 없다."

● 陸氏九淵曰 : "'履以和行.' 行有不和, 以不由禮故也, 能由禮
則和矣. '謙以制禮.' 自尊大則不能由禮, 卑以自牧, 乃能自節制
以禮. '復以自知.' 自克乃能復善, 他人無與焉.

육구연(陸九淵)이 말했다. "'이(履☲)괘로 행위를 조화한다.' 행위에
조화하지 않음이 있는 것은 예(禮)로 말미암지 않았기 때문이니,

....

31) 주희, 『주자어류』 권76, 87조목.
32) 주희, 『주자어류』 권76, 90조목.
33) 태괘(兌☱)는 드러나고 손괘(巽☴)는 숨는다 : 『역』「잡괘전」.

예로 말미암을 수 있으면 조화한다. '겸(謙䷠)괘로 예(禮)를 준칙으로 삼는다.' 스스로 존귀하게 여기고 위대하게 여기면 예(禮)로 말미암을 수 없으니, 낮추어 스스로 수양해야 스스로 예로 절제할 수 있다. '복(復䷗)괘로 스스로 안다.' 스스로 극복해야 선을 회복할 수 있지 다른 사람이 간여할 수 없다.

'恒以一德.' 不常則二三, 常則一. 終始惟一, 時乃日新. '損以遠害.' 如忿慾之類, 爲德之害, 損者損其害德而已. 能損其害德者, 則吾身之害, 固有可遠之道, 特君子不取必乎此也. '益以興利.' 有益於己者爲利, 天下之有益於己者莫如善. 君子觀易之象而遷善, 故曰'興利.' 能遷善則福慶之利, 固有自致之理, 在君子無加損焉, 有不足言者.

'항(恒䷟)괘로 덕을 한결 같이 한다.' 항상되지 않으면 두 가지가 되고 세 가지가 되며, 항상되면 한결 같다. 처음부터 끝까지 오직 한결 같아야 때에 맞추어 날로 새로워진다. '손(損䷨)괘로 해로움을 멀리한다.' 예컨대 분노와 욕망 따위는 덕을 해치는 것이 되니, 덜어내는 자는 그 덕을 해치는 사안을 덜어낼 뿐이다. 그 덕을 해치는 내용을 덜어낼 수 있으면 내 몸을 해치는 것은 본디 멀리할 수 있는 방도가 있으니, 다만 군자는 여기에 기필하는 것을 취하지 않을 뿐이다. '익(益䷩)괘로 이로움을 일으킨다.' 자신에게 이익이 있는 것은 이로움이 되는데, 천하에서 자신에게 이익이 있는 것은 선(善)만한 것이 없다. 군자는 역(易)의 상(象)을 관찰하여 선으로 옮겨가기 때문에 '이로움을 일으킨다'고 했다. 선으로 옮겨갈 수 있으면 행운과 경사(慶事)의 이로움은 본디 저절로 이르게 되는 이치가 있으니, 군자에게서 거기에 더 보태거나 덜어낼 것이 없다는 말은 필요가 없다.

‘困以寡怨.’ 君子於困厄之時, 必推致其命, 吾遂吾之志, 何怨之有? 推困之義, 不必窮厄患難及己也. 凡道有所不可行, 皆困也. 君子於此, 自反而已, 未嘗有所怨也. ‘井以辨義.’ 君子之義, 在於濟物, 於井之養人, 可以明君子之義. ‘巽以行權.’ 巽順於理, 如權之於物. 隨輕重而應, 則動靜稱宜, 不以一定而悖理也. 九卦之列, 君子修身之要, 其序如此, 缺一不可也, 故詳復贊之.”[34]

‘곤(困䷮)괘로 원망을 적게 한다.’ 군자는 곤궁하고 위험할 때 반드시 그 목숨 바치기를 추구하여 스스로 자신의 뜻을 이루니 무슨 원망이 있겠는가? 곤궁함의 의미를 추구하니 반드시 곤궁함과 환난이 자신에게 미치지는 않을 것이다. 무릇 도(道)에 행할 수 없는 바가 있는 것은 모두 곤궁함이다. 군자는 여기에서 스스로 돌이켜볼 뿐이니, 원망함이 있은 적이 없다. ‘정(井䷯)괘로 의(義)를 분별한다.’ 군자의 의(義)는 만물을 구제하는 데 있으니, 우물이 사람들을 길러주는 것에서 군자의 의(義)를 밝힐 수 있다. ‘손(巽䷸)괘로 권도(權道)를 행한다.’ 이치에 순종하는 것이 마치 사물을 저울질하는 것 같다. 가볍고 무거운 정도에 따라 대응하면 움직임과 고요함이 알맞으니, 하나로 고정되어 이치에 어긋나지 않는다. 9개 괘의 진열에서 군자가 수신하는 요점이 그 차례가 이와 같으니 하나라도 빠뜨려서는 안 된다. 그러므로 다시 상세하게 밝혔다.

● 王氏應麟曰 : “‘復以自知’, 必自知然後見天地之心, ‘有不善, 未嘗不知’, 自知之明也.”[35]

---

34) 육구연(陸九淵), 『상산집(象山集)』「상산어록(象山語錄)」권2.
35) 왕응린(王應麟), 『곤학기문(困學紀聞)』 권1.

왕응린(王應麟)이 말했다. "'복(復)䷗괘로 스스로 안다.'라는 것은 반드시 스스로 안 뒤에 천지의 마음을 안다는 뜻이고, '선하지 않은 것이 있으면 알지 못한 적이 없었다'라는 것은 스스로 아는 것이 밝다는 말이다."

● 何氏楷曰 : "以, 用也. 履者, 禮也. 用禮以約之, 而制作始和, 此履所以爲'德之基'也. 所貴乎禮者以其爲德之品節也, 然惟讓爲禮之實. 不讓不爲禮, 故用謙以制之, 此謙所以爲'德之柄'也."36)

하해(何楷)가 말했다. "이(以)자는 '~를 써서[가지고]'라는 뜻이다. 이(履)는 예(禮)이다. 예(禮)로 요약하고37) 지어내는 것이 처음부터 조화하니, 이것이 이(履)괘가 '덕의 기반'이 되는 까닭이다. 예(禮)를 귀하게 여기는 것은 덕을 등급에 따라 절제하는 사안이기 때문이지만, 오직 겸양하는 것이 예의 실질이다. 겸양하지 않으면 예가되지 않기 때문에 겸양으로 그것을 준칙으로 삼았으니, 이것이 겸(謙)괘가 '덕의 자루'가 되는 까닭이다."

總論

● 項氏安世曰 : "此章亦論象辭. 凡象辭之體, 皆先釋卦名, 次

---

36) 하해(何楷), 『고주역정고(古周易訂詁)』 권12.
37) 예(禮)로 요약하고 : 『논어』 「옹야(雍也)」에서 "공자가 말했다. '군자가 문(文)에 대해 널리 배우고 예(禮)로 요약한다면 또한 도(道)에 어긋나지 않을 것이다.'[子曰, '君子博學於文, 約之以禮, 亦可以弗畔矣夫!']"라고 하였다.

言兩卦之體, 末推卦用. 故此章之序亦然, 以爲觀象者之法
也."[38]

항안세(項安世)가 말했다. "이 장(章)도 또한 단사(象辭)를 논했다.
무릇 단사의 체제는 모두 먼저 괘의 명칭을 풀이하고 다음으로 내
괘·외괘 두 괘의 괘체를 말하고 끝으로 괘의 작용을 추론한다. 그
러므로 이 장(章)의 순서 또한 그러하니, 그것으로 단사를 살펴보
는 법도로 삼았다."

● 胡氏炳文曰: "上經自乾至履九卦, 下經自恒至損·益亦九卦;
上經履至謙五卦, 下經益至困·井亦五卦. 上經謙至復又九卦,
下經井至巽又九卦. 上經自復而後八卦而爲下經之恒, 下經自
巽而未濟, 亦八卦復爲上經之乾. 上下經對待, 非偶然者.[39]"[40]

호병문(胡炳文)이 말했다. "상경(上經)에 건(乾)괘에서 이(履)괘까
지는 9개 괘이고, 하경(下經)에 항(恒)괘에서 손(損)괘·익(益)괘까
지도 역시 9개 괘이며, 상경에 이(履)괘에서 겸(謙)괘까지는 5개 괘
이고, 하경에 익(益)괘에서 곤(困)괘·정(井)괘까지도 또한 5개 괘
이다. 상경에 겸(謙)괘에서 복(復)괘까지는 또 9개 괘이고, 하경에
정(井)괘에서 손(巽)괘까지는 또 9개 괘이다. 상경에 복(復)괘에서
뒤로 8개째 괘는 하경의 항(恒)괘가 되고, 하경에 손(巽)괘에서 미
제(未濟)를 거쳐 또 8개째 괘는 다시 상경의 건(乾)괘가 된다. 상
·하경이 대대(對待)하는 것은 우연이 아니다."

----

38) 항안세(項安世),『주역완사(周易玩辭)』권14.
39) 非偶然者 : 호병문(胡炳文),『주역본의통석(周易本義通釋)』 권6에는
    "又似非偶然者[또 우연이 아닌 것 같다]"라고 되어 있다.
40) 호병문(胡炳文),『주역본의통석(周易本義通釋)』권6.

● 葉氏良佩曰："此章三陳九卦，專言卦也；易道屢遷一章，專言爻也."

섭량패(葉良佩)가 말했다. "이 장(章)에서 세 번 9개 괘를 진술한 것은 오로지 괘를 말한 것이고, 역(易)의 도(道)가 자주 옮긴다는 다음 장(章)은 오로지 효(爻)를 말한 것이다."

案

此上二章, 申象之動乎內, 而吉凶見乎外也. 六十四卦之象, 皆以乾坤交錯而成, 中涵天地變化之道, 鬼神微妙之德, 是所謂'動乎內者'也. 及聖人命之以名, 繫之以辭, 於是吉凶之義, 昭然見矣. 六十四卦之名, 或曰伏羲所命, 或曰文王所命, 蓋自夫子之時而已疑也. 但以其所取事類觀之, 知其非上古淳質時所有, 則爲文王命名, 可以理推.

이 위의 두 장(章)은 상(象)이 안에서 움직이지만 길흉이 밖으로 드러남을 거듭 말한 것이다. 64괘의 상은 모두 건괘와 곤괘가 교착하여 이루어지고 중간에 천지 변화의 도(道)와 귀신의 미묘한 덕을 포함하고 있으니, 이것이 이른바 '안에서 움직인다'는 뜻이다. 성인이 명칭을 짓고 설명[辭]을 붙이니, 이에 길흉의 의미가 분명하게 드러났다. 64괘의 명칭에 대해 어떤 사람은 복희씨가 이름 지었다고 하고 어떤 사람은 문왕이 이름 지었다고도 하는데, 공자시대부터 이미 의심스러웠다. 그러나 취한 일의 종류로 살펴보면 그것이 상고시대 돈후하고 질박한 때에 있었던 일이 아니라는 것을 알 수 있으니, 문왕이 이름 붙였다는 것을 논리적으로 미루어 볼 수 있다.

名當, 則卦爻之物可辨, 因正言其是非, 而吉凶之辭可斷. 向之
'體天地之撰', 而有以'彰往察來', '通神明之德', 而有以'微顯闡
幽'者, 至是而大備矣. '名雜而不越', 故所稱者小而義則大. 象所
以發其蘊也, 故寓意深遠而辭則文. 指遠辭文, 故言雖'曲而中';
名小類大, 故事雖'肆而隱.' 蓋由於世衰民疑, 而將以濟其行. 故
非'探賾索隱', 無以盡其變也; 非周事體物, 無以悟其心也. 夫吉
凶者失得之報而已矣, 故下九卦遂言聖人之所處, 以示觀象之
例.

명칭이 합당하면 괘와 효의 사물을 변별할 수 있으니, 그 시비를
바르게 말하여 길흉의 설명을 단정할 수 있기 때문이다. 앞에서 '천
지의 일을 체현하여' 그것으로 '지나간 것을 드러내고 앞으로 올 것
을 살피며' '신명(神明)의 덕을 통달하며', 그것으로 '나타난 것을 은
미하게 하고 그윽한 것을 밝히는' 것이 여기에 이르러 크게 갖추어
졌다. '명칭을 일컬은 것은 난잡하지만 사리(事理)를 벗어나지 않
기' 때문에 일컬은 것은 작지만 의미는 크다. 단전에서 그 깊은 의
미를 발휘했기 때문에 깃들어 있는 뜻이 심원하고 설명[辭]은 문채
난다. 가리키는 뜻은 심원하지만 설명이 문채나기 때문에 말이 비
록 '곡진(曲盡)하지만 적중하며', 명칭은 작지만 부류가 크기 때문
에 일이 비록 '진열되어 있지만 은미하다.' 그것은 세상이 쇠퇴하고
백성들이 의심하지만 장차 그 행위를 구제하려고 하기 때문이다.
그러므로 '번잡한 것을 탐구하고 은미한 것을 밝히지' 않으면 그 변
(變)을 다 밝힐 수 있는 것이 없고, 일에 두루하여 사물을 체인하지
않으면 그 마음을 깨달을 수 있는 것이 없다. 길흉은 얻고 잃는 보
답일 뿐이기 때문에, 그 아래 9개의 괘는 마침내 성인이 처하는 곳
을 말하여 단전을 살펴보는 사례를 보였다.

계사하 8

[계사하 8-1]

『易』之爲書也不可遠, 爲道也屢遷. 變動不居, 周流六虛. 上下無常, 剛柔相易. 不可爲典要, 唯變所適.

『역(易)』이라는 책은 멀리할 수 없고 그 도(道)됨은 자주 옮겨간다. 변동하여 머물지 않아 6개 효(爻)의 빈자리에 두루 흐른다. 올라가고 내려오는 것이 일정함이 없고 강(剛)과 유(柔)가 서로 교역(交易)한다. 전요(典要 : 불변하는 준칙)로 삼을 수 없으니, 오직 변(變)하여 나아가는 것일 뿐이다.

本義

'遠', 猶忘也. '周流六虛', 謂陰陽流行於卦之六位.

'원(遠)'은 잊는다[忘]는 말과 같다. '6개 효(爻)의 빈자리에 두루 흐른다'는 것은 음·양이 괘의 6개 자리에 유행하는 것을 말한다.

184 주역절중 10

● 侯氏行果曰 : "居則觀象, 動則玩占, 故'不可遠'也."[1]

후행과(侯行果)가 말했다. "자리 잡고 있으면 상(象)을 관찰하고 움직이면 점(占)을 완미하기 때문에 '잊을 수 없다.'"

● 孔氏穎達曰 : "六位言'虛'者, 位本無體, 因爻始見, 故稱'虛'也."[2]

공영달(孔穎達)이 말했다. "6개의 자리를 '빈자리'라고 말한 것은 자리가 본래 체(體)가 없지만, 효에 따라 비로소 드러나기 때문에 '빈자리'라고 일컬었다."

● 邵子曰 : "'六虛'者, 六位也, 虛以待變動之事也.'"[3]

소자(邵子 : 邵雍)가 말했다. "'6개 효(爻)의 빈자리'는 6개의 자리이니, 비워서 변동하는 일을 대비한 것이다."

●『朱子語類』云 : "『易』'不可爲典要', 『易』不是確定硬本子. 揚雄『太玄』排定三百五十四贊當晝,[4] 三百五十四贊當夜, 晝底吉,

----

1) 이정조(李鼎祚), 『주역집해(周易集解)』 권16에 후과(侯果)의 말로 기재되어 있다.
2) 공영달 소(孔穎達 疏), 『주역주소(周易註疏)』 권12.
3) 소옹(邵雍), 『황극경세서(皇極經世書)』 권13, 「관물외편상(觀物外篇上)」.

夜底凶, 吉之中又自分輕重, 凶之中又自分輕重. 『易』卻不然.
有陽居陽爻而吉底, 又有凶底; 有陰居陰爻而吉底, 又有凶底;
有有應而吉底, 有有應而凶底, 是'不可爲典要'之書也. 是有那
許多變, 所以如此."5)

『주자어류』에서 말했다. "『역』은 '전요(典要 : 불변하는 준칙)로 삼
을 수 없다'라는 것은 『역』이 확정되어 경직된 책이 아니라는 말이
다. 양웅(揚雄)의 『태현경』은 354찬(贊)을 낮으로 삼고 354찬을 밤
으로 삼아 배정하였는데, 낮은 길하고 밤은 흉하며, 길한 것 가운데
또 그 자체로 가볍고 무거운 것을 나누고, 흉한 것 가운데 또 그
자체로 가볍고 무거운 것을 나누었다. 『역』은 도리어 그렇지 않다.
양(陽)이 양효에 자리 잡아서 길한 것이 있고 또 흉한 것도 있으며,
음(陰)이 음효에 자리 잡아 길한 것이 있고 또 흉한 것이 있으며,
응함이 있으면서 길한 것도 있고 응함이 있으면서 흉한 것도 있으
니, '전요로 삼을 수 없는' 책이다. 이는 그렇게 많은 변(變)이 있기
때문에 이와 같은 것이다."

● 蔡氏淵曰 : "'屢遷', 謂爲道變通而不滯乎物. 自'『易』之爲書'
至'屢遷', 此總言爲書爲道, 以起下文之意也. 自'變動不居'至'唯
變所適', 言易道之屢遷也. '不居', 猶不止也. '六虛', 六位也. 位
未有爻曰'虛.' 卦雖六位, 而剛柔爻畫, 往來如寄, 故以'虛'言. 或

4) 揚雄『太玄』排定三百五十四贊當晝 : 주희, 『주자어류』 권76, 93조목에
   는 "揚雄『太玄』卻是可爲典要. 他排定三百五十四贊當晝.[양웅(揚雄)
   의 『태현경』은 도리어 전요가 될 수 있는 것이다. 그는 354찬을 낮으로
   삼아 배정하였고]"라고 되어 있다.
5) 주희, 『주자어류』 권76, 93조목.

自上而降, 或由下而升, 上下無常也. 柔來文剛, 分剛上而文柔, 剛柔相易也. '典', 常也; '要', 約也. 其屢變無常'不可爲典要, 唯變所適'而已."⁶⁾

채연(蔡淵)이 말했다. "'자주 옮겨간다'는 도(道)됨이 변통하여 사물에 막히지 않는다는 것을 말한다. '『역(易)』이라는 책'에서 '자주 옮겨간다'까지는 역(易)의 책됨과 도(道)됨을 총괄적으로 말하여 아래 글의 뜻을 일으켰다. '변동하여 머물지 않는다'에서 '오직 변(變)하여 나아가는 것일 뿐이다'까지는 역의 도가 자주 옮겨간다는 것을 말했다. '머물지 않는다'는 것은 멈추어 있지 않는다는 뜻과 같다. '6개 효(爻)의 빈자리'는 괘에서 6개의 자리이다. 자리에 아직 효가 있지 않은 것을 '빈자리'라고 한다. 괘에 비록 6개의 자리가 있지만 강(剛)·유(柔)의 효와 획이 왕래하는 일이 기탁하는 것과 같기 때문에 '빈자리'라고 말했다. 어떤 경우는 위에서 내려오고 어떤 경우는 아래에서 올라가 위와 아래가 일정하지 않다. 유(柔)가 와서 강(剛)을 새기고 강(剛)을 나누어 위로 올려 유(柔)를 새기니, 강·유가 서로 바뀐다. 전요(典要)의 전(典)은 항상됨이고, 전요(典要)의 요(要)는 약속함이다. 그것이 자주 변하여 '전요로 삼을 수 없으니 오직 변(變)하여 나아가는 것'일 뿐이다."

● 吳氏曰愼曰 : "'不可爲典要', 變無方也. 旣有典常, 理有定也, 故曰易者變易也, 不易也."

오왈신(吳曰愼)이 말했다. "'전요(典要)로 삼을 수 없다'는 것은 변

---

6) 동진경(董真卿), 『주역회통(周易會通)』 권13에 채연(蔡淵)의 말로 인용되어 있다.

(變)이 방소(方所)가 없다는 말이다. 이미 불변하는 법도가 있으니 이치에 정해짐이 있다.7) 그러므로 역(易)은 변역(變易 : 변하면서 바뀜)이면서 불역(不易 : 바뀌지 않음)이라고 하였다.”

---

7) 이미 불변하는 법도가 있으니 이치에 정해짐이 있다 : 본문 [계사하 8-4] 에서 “처음에 그 말을 따라 그 도리를 헤아려보면 이미 불변하는 법도가 있지만, 만약 훌륭한 사람이 아니면 도(道)는 헛되이 행해지지 않는다. [初率其辭, 而揆其方, 旣有典常, 苟非其人, 道不虛行.]”라고 하였다.

其出入以度, 外內使知懼.

나가고 들어옴을 법도(法度)로 하여 안과 밖으로 두려움을 알도록
한다.

本義

此句未詳, 疑有脫誤.

이 구절은 분명하지 않으니, 오탈자(誤脫字)가 있는 것 같다.

集說

● 韓氏伯曰 : "明出入之度, 使物知外內之戒也."[8]

한백(韓伯)이 말했다. "나가고 들어오는 법도를 밝혀 사물들이 안
과 밖으로 경계해야 할 것을 알도록 하였다."

● 潘氏夢旂曰 : "『易』雖不可爲典要, 而其出入往來, 皆有法度,
而非妄動也. 故卦之外內, 皆足以使人知懼."

---

8) 한백(韓伯), 『주역주소(周易註疏)』 권12.

반몽기(潘夢旂)가 말했다. "『역(易)』은 비록 전요(典要)로 삼을 수 없지만, 그 출입 왕래는 모두 법도가 있어 함부로 움직이지 않는다. 그러므로 괘의 안과 밖은 모두 사람들에게 두려움을 알도록 하기에 충분하다."

● 蔡氏淸曰 : "卦爻所說者, 皆利用出入之事, 其出入也, 皆必以其法. 法者, 事理當然之則也, 使人入而在內, 出而在外, 皆知有法而不敢妄爲, 是使知懼也. 知懼必以度."9)

채청(蔡淸)이 말했다. "괘와 효에서 말하는 것은 모두 나가고 들어오는 일을 이용하는데, 그 나가고 들어옴은 모두 반드시 그 법도로 한다. 법도는 사물 이치의 당연한 법칙으로, 사람이 들어와 안에 있을 때나 나가 밖에 있을 때나 모두 법도가 있음을 알아서 감히 함부로 행동하지 못하도록 하니, 이것이 두려움을 알도록 한다는 말이다. 두려움을 아는 것은 반드시 법도로 한다."

9) 채청(蔡淸), 『역경몽인(易經蒙引)』 권11하(下).

[계사하 8-3]

又明於憂患與故, 無有師保, 如臨父母.

또 우환과 그 까닭에 밝으니, 사보(師保 : 보좌관과 스승)가 없지만
부모가 임한 것 같다.

本義

雖無師保, 而常若父母臨之, 戒懼之至.

비록 사보(師保)가 없지만 항상 부모가 임한 것 같으니, 경계하고
두려워함이 지극하다.

集說

● 虞氏翻曰 : "'神以知來', 故明憂患; '知以藏往', 故知事故."10)

우번(虞翻)이 말했다. "'신(神)으로 앞으로 올 것을 알기' 때문에 우
환에 밝고, '지혜로 지나간 것을 간직하기'11) 때문에 일의 까닭을
안다."

....

10) 이정조(李鼎祚), 『주역집해(周易集解)』 권16에 우번(虞翻)의 말로 기재
되어 있다.
11) '신(神)으로 앞으로 올 것을 알기', '지혜로 지나간 것을 간직하기' : 본문
[계사상 11-2].

● 蘇氏軾曰 : "憂患之來, 苟不明其故, 則人有苟免之志而怠.12) 故易明憂患, 又明其所以致之之故."13)

소식(蘇軾)이 말했다. "우환이 닥쳐오는데 만약 그 까닭에 밝지 못하면, 사람들은 구차하게 그것을 모면하려는 뜻을 가지고 게을러진다. 그러므로 역(易)은 우환에 밝고 또 그것이 이르게 되는 까닭에 밝다."

● 朱氏震曰 : "又明於己之所當憂患, 與所以致憂患之故,14) 無有師保教訓而嚴憚之,15) 有如父母親臨而愛敬之, 見聖人之情也."16)

주진(朱震)이 말했다. "또 자신이 마땅히 근심해야 할 것과 그 근심이 이르게 되는 까닭에 밝으면, 사보(師保)의 교훈이 없어도 매우 조심하게 되고, 부모가 몸소 임한 것 같아 친애하고 공경하게 되니, 성인의 정(情)을 볼 수 있다."

---

12) 則人有苟免之志而怠 : 소식(蘇軾), 『동파역전(東坡易傳)』 권8에는 "則人有苟免之志而怠於避禍矣[사람들은 구차하게 그것을 모면하려는 뜻을 가지고, 재앙을 피하는 것에 대해서는 게을러진다]"라고 되어 있다.

13) 소식(蘇軾), 『동파역전(東坡易傳)』 권8.

14) 與所以致憂患之故 : 주진(朱震), 『한상역전(漢上易傳)』 권8에는 이 구절 뒤에 "安不忘危, 存不忘亡, 治不忘亂.[평안해도 위험을 잊지 않고, 보존되어도 멸망하는 것을 잊지 않으며, 다스려져도 혼란함을 잊지 않는다.]"라는 말이 더 있다.

15) 無有師保教訓而嚴憚之 : 주진(朱震), 『한상역전(漢上易傳)』 권8에는 이 구절 뒤에 "明失得之報也.[득실의 보답에 밝다.]"라는 말이 더 있다.

16) 주진(朱震), 『한상역전(漢上易傳)』 권8.

● 趙氏振芳曰："不特使人知懼, 又明於憂患與所以致憂患之故, 諄諄然與民同患, 與民同憂. 不止如師保之提命, 且直如父母之儼臨, 愛之無所不至, 慮之無所不周, 故訓之無所不切也."

조진방(趙振芳)이 말했다. "다만 사람들에게 두려움을 알도록 할 뿐 아니라 또 우환에 밝고 우환이 이르게 되는 까닭에 밝으니, 지극히 정성스럽게 백성들과 우환을 함께 한다. 단지 사보(師保)가 몸소 가르쳐 주는 것과 같을 뿐 아니라 곧바로 부모가 장엄하게 임하는 것과 같으니, 사랑이 이르지 않는 곳이 없고 배려가 두루하지 않는 곳이 없다. 그러므로 가르침이 절실하지 않는 곳이 없다."

案

'無有師保, 如臨父母', 朱氏·趙氏之說甚善. 蓋上文言'出入以度', 則人知畏懼, 嚴憚之如師保. 及觀其示人憂患之故, 懇切周盡, 使聞之者, 不知嚴憚而但感其慈愛. 此聖人之情, 所以爲至也. '無有'者, 非無師保也, 人之意中, '無有師保'也.

'사보(師保：보좌관과 스승)가 없지만 부모가 임한 것 같다'라는 구절에 대해서는 주진(朱震)과 조진방(趙振芳)의 주장이 매우 훌륭하다. 윗글에서 '나가고 들어옴을 법도(法度)로 한다'라고 말했으니, 사람들이 두려움을 알아 매우 조심하게 되는 것이 사보(師保)와 같다. 그것이 사람들에게 우환의 까닭을 보여주는 것을 살펴보게 되면, 간절함이 두루 다하여 그것을 듣는 사람에게 매우 조심하는 것을 알지 못하면서도 다만 그 자애로움을 느끼게 한다. 이것이 성인의 정(情)이 지극한 까닭이다. '없다[無有]'라는 것은 사보(師保)가 없다는 말이 아니라, 사람들의 생각에 '사보(師保)가 없다'는 뜻이다.

[계사하 8-4]

> 初率其辭, 而揆其方, 旣有典常, 苟非其人, 道不
> 虛行.

처음에 그 말을 따라 그 도(道)를 헤아려보면 이미 불변하는 법도
가 있지만, 만약 훌륭한 사람이 아니면 도(道)는 헛되이 행해지지
않는다.

本義

'方', 道也. 始由辭以度其理, 則見其有典常矣. 然神而明之,
則存乎其人也.

'방(方)'은 방법[道]이다. 처음에 그 설명[辭]에 말미암아 그 도리를
헤아려 보면 불변하는 법도가 있음을 알 수 있다. 그러나 신묘하게
밝히는 것은 사람에게 달려 있다.[17)

此第八章.

이는 제8장이다.

----

17) 신묘하게 밝히는 것은 사람에게 달려 있다 : [계사상 12-7]에서 "화(化)하
여 재제(裁制)하는 것은 변(變)에 있고, 미루어 행하는 것은 통(通)에 있
으며, 신묘하게 하여 밝히는 것은 그 사람에 있고, 묵묵히 이루며 말하지
않아도 믿는 것은 덕행(德行)에 있다.[化而裁之存乎變, 推而行之存乎
通, 神而明之存乎其人, 默而成之, 不言而信, 存乎德行.]"라고 하였다.

● 虞氏翻曰 : "'其出入有度', 故'有典常.' '神而明之, 存乎其人', '不言而信', 謂之德行. 故'不虛行'也."18)

우번(虞翻)이 말했다. "'나가고 들어옴을 법도(法度)로 하기' 때문에 '불변하는 법도가 있다.' '신묘하게 하여 밝히는 것은 그 사람에 있다'와 '말하지 않아도 믿는다'라는 것은 덕행을 말한다. 그러므로 '헛되이 행해지지 않는다.'"

● 孔氏穎達曰 : "雖千變萬化, '不可爲典要', 然循其辭, 度其義, 原尋其初, 要結其終, 皆'唯變所適!' 是其常典也."19)

공영달(孔穎達)이 말했다. "비록 수만 가지로 변화하여 전요(典要)로 삼을 수 없지만 그 설명[辭]에 따라 그 의미를 헤아리고 그 시초를 추구하여 그 끝을 결합하면, 모두 '오직 변(變)하여 나아가는 것일 뿐이니', 이것이 그 불변하는 법도이다."

● 邵子曰 : "'旣有典常', 常也; '不可爲典要', 變也."20)

소자(邵子 : 邵雍)가 말했다. "'이미 불변하는 법도가 있다'는 것은 항상됨이고, '전요(典要)로 삼을 수 없다'는 것은 변함이다."

---

18) 이정조(李鼎祚), 『주역집해(周易集解)』 권16에 우번(虞翻)의 말로 기재되어 있다.
19) 공영달 소(孔穎達 疏), 『주역주소(周易註疏)』 권12.
20) 소옹(邵雍), 『황극경세서(皇極經世書)』 권13, 「관물외편상(觀物外篇上)」.

● 龔氏煥曰: "旣曰'不可爲典要', 又曰'旣有典常.' '不可爲典要'
者, 以剛柔之變易無常者言也; '旣有典常'者, 以卦爻之一定而
不可易者言也. 剛柔變易之無常, 所以卦爻一定而不可易, 而一
定不易之理, 未嘗不行於剛柔變易之中也."21)

공환(龔煥)이 말했다. "이미 '전요(典要)로 삼을 수 없다'라 하고 또
'이미 불변하는 법도가 있다'고 했다. '전요(典要)로 삼을 수 없다'는
것은 강유(剛柔)의 변역(變易)이 항상됨이 없다는 것으로서 말하였
고, '이미 불변하는 법도가 있다'는 것은 괘효가 일정하여 바뀔 수
없음으로 말하였다. 강유의 변역이 항상됨이 없기 때문에 괘효가
일정하여 바뀔 수 없지만, 일정하여 바뀌지 않는 이치는 강유의 변
역 가운데 유행하지 않은 적이 없다."

總論

● 項氏安世曰: "此章專論『易』之爻辭. '『易』之爲書也不可遠,
爲道也屢遷'二句, 一章大指. 自'變動不居'至'唯變所適', 言'屢遷'
也; 自'出入以度'至'道不虛行', 言'不可遠'也. 唯其屢遷, 故虛而
無常, 不可爲典要; 唯其不可遠, 故有度有方, 有典有常, 而不可
虛. 方其率之也, 則謂之辭; 及其行之也, 則謂之道. 辭之所指,
卽道之所遷也, 人能循其不可遠之理, 則屢遷之道得矣."22)

항안세(項安世)가 말했다. "이 장(章)은 오로지『역』의 효사를 논했
다. 『역(易)』이라는 책은 잊을 수 없고 그 도(道)됨은 자주 옮겨간

---

21) 웅량보(熊良輔), 『주역본의집성(周易本義集成)』 권8에 공환(龔煥)의
   말로 기록되어 있다.
22) 항안세(項安世), 『주역완사(周易玩辭)』 권14.

다'라는 두 구절이 이 장(章)의 큰 요지이다. '변동하여 머물지 않는
다'에서 '오직 변(變)하여 나아가는 것일 뿐이다'까지는 '자주 옮겨
간다'는 것을 말했고, '나가고 들어옴을 법도(法度)로 한다'에서 '도
(道)는 헛되이 행해지지 않는다'까지는 '잊을 수 없다'는 것을 말했
다. 오직 그것이 자주 옮겨가기 때문에 비어서 항상됨이 없어 전요
(典要)로 삼을 수 없으며, 오직 그것이 잊을 수 없기 때문에 도수와
방향이 있고 법도와 항상됨이 있어 헛될 수 없다. 바야흐로 그것을
따르는 것은 설명[辭]을 말하고, 그것을 실행하는 것은 도(道)를 말
한다. 설명[辭]이 가리키는 것은 바로 도가 옮겨가는 것이고, 사람
들이 그 잊을 수 없는 이치를 좇을 수 있는 것은 자주 옮겨가는 도
를 터득한 것이다."

[계사하 9-1]

『易』之爲書也, 原始要終, 以爲質也. 六爻相雜,
唯其時·物也.

『역(易)』이라는 책은 처음을 추구하여 끝을 탐구하는 것으로 바탕
을 삼는다. 6효(六爻)가 서로 섞이는 것은 오직 그 때와 사물이다.

本義

‘質’謂卦體, 卦必擧其始終而後成體. 爻則唯其時·物而已.

‘바탕[質]’은 괘체(卦體)를 말하는데, 괘는 반드시 그 처음과 끝을 든
뒤에 체(體)를 이룬다. 효는 오직 그 때와 사물[物 : 일]일 뿐이다.

集說

● 韓氏伯曰 : “‘質’, 體也. 卦兼始終之義也.”[1]

한백(韓伯)이 말했다. "'바탕[質]'은 괘의 몸체[體]이다. 괘는 처음 끝의 의미를 겸한다."

● 孔氏穎達曰 : "'物', 事也. 一卦之中, 六爻交相雜錯, 唯各會其時, 各主其事."[2]

공영달(孔穎達)이 말했다. "'사물'은 일이다. 하나의 괘 가운데 6효가 교착하여 서로 섞여있는 것은 오직 각각 그 때를 만나고 각각 그 일을 주관하는 것일 뿐이다."

● 吳氏澄曰 : "'質'謂卦之體質. 文王原卦義之始, 要卦義之終, 以爲卦之體質, 各名其卦而繫彖辭也. '爻'之爲言交也. 周公觀六位之交錯, 唯其六爻之時, 各因其義而繫爻辭也. 此章言六爻, 而六爻統於彖, 故先言彖, 乃說六爻也."[3]

오징(吳澄)이 말했다. "'바탕[質]'은 괘의 체질(體質)을 말한다. 문왕이 괘의 의미가 시작되는 처음을 추구하여 괘의 의미가 종결되는 끝을 탐구하는 것으로 괘의 체질을 삼고, 각각 그 괘를 이름 짓고 단사(彖辭)를 붙였다. '효(爻)'는 교착(交錯)을 말한다. 주공이 6개 자리의 교착을 살펴보고, 오직 6효의 때에 각각 그 의미에 따라 효사(爻辭)를 붙였다. 이 장(章)에서 6효를 말했지만 6효는 단사에 통섭되기 때문에 먼저 단사를 말하고 나서 6효를 말했다."

---

1) 한백(韓伯), 『주역주소(周易註疏)』 권12.
2) 공영달 소(孔穎達 疏), 『주역주소(周易註疏)』 권12.
3) 오징(吳澄), 『역찬언(易纂言)』 권8.

● 谷氏家杰曰 : "此章雖兼卦爻, 實以卦引起爻, 專重在爻上."

곡가걸(谷家杰)이 말했다. "이 장(章)은 비록 괘와 효를 겸해서 말했지만 실제로는 괘로써 효를 이끌어 냈으니 중점은 오로지 효에 있다."

● 何氏楷曰 : "此章統論爻畫, 而歸重於象辭, 說『易』之法, 莫備於此. 『易』之爲書, 綱紀在卦, 卦必合爻之全而後成卦, 一畫不似, 便成他局. 聖人之繫卦, 爲之推原其始, 要約其終, 彌綸全卦之理,[4] 如物之有體質. 至於繫爻, 則惟相其六位之時而導之宜, 因其陰陽之物而立之像. 然其大指, 要不過推演象辭之意."[5]

하해(何楷)가 말했다. "이 장(章)은 효의 획을 총괄적으로 논하여 단사(彖辭)에 중점을 귀결시켰으니, 『역』을 설명하는 방법이 이보다 잘 갖추어진 것이 없다. 『역』이라는 책은 근본 강령이 괘에 있고, 괘는 반드시 효와의 결합이 온전해진 뒤에 괘를 이루니, 한 획이라도 그럴듯하지 않으면 다른 형국이 된다. 성인이 괘에 설명을 붙일 때 그 처음을 추구하여 그 끝을 요약하고 전체 괘의 이치를 통섭한 것이 마치 사물에 형체가 있는 것과 같았다. 효에 설명을 붙이는 경우는 오직 6개 자리의 때를 관찰하고 마땅하게 인도하여, 그것이 음(陰)인지 양(陽)인지에 따라 형상을 세웠다. 그러나 그 큰 뜻은 결국 단사의 뜻을 추론하여 연역한 것에 지나지 않는다."

---

4) 彌綸全卦之理 : 하해(何楷), 『고주역정고(古周易訂詁)』 권12에는 이 구절 뒤에 "而包羅含蓄於象辭之內[단사 안에 뭉뚱그려 함축한 것이]"라는 말이 더 있다.
5) 하해(何楷), 『고주역정고(古周易訂詁)』 권12.

> 其初難知, 其上易知, 本末也. 初辭擬之, 卒成之
> 終.
>
> 초(初 : 초효)는 알기 어렵고 상(上 : 상효)은 알기 쉬우니, 근본[本]
> 과 말단[末]이다. 초효의 효사는 그것을 헤아리지만 마침내 끝에서
> 이루어진다.

本義

此言初・上二爻.

이는 초(初)와 상(上) 두 개의 효를 말한 것이다.

集說

● 干氏寶曰 : "初擬議之, 故難知; 卒終成之, 故易知. 本末勢然
也."[6]

간보(干寶)가 말했다. "초효는 헤아리기 때문에 알기 어렵고, 마침
내 끝에서 이루어지기 때문에 알기 쉽다. 근본과 말단의 형세가 그
러하다."

....

6) 이정조(李鼎祚), 『주역집해(周易集解)』 권16에 간보(干寶)의 말로 기재
되어 있다.

● 孔氏穎達曰: "'初辭擬之'者, 覆釋'其初難知'也, 以初時擬議 其始, 故'難知'也. '卒成之終'者, 覆釋'其上易知'也, 言'上'是事之 卒了, 而成就終竟, 故'易知'也."[7]

공영달(孔穎達)이 말했다. "'초효의 효사는 그것을 헤아린다'라는 것은 '초효는 알기 어렵다'라는 뜻을 되풀이하여 풀이한 것이니, 처음에 그 시작을 헤아리기 때문에 '알기 어렵다'는 말이다. '마침내 끝에서 이루어진다'라는 것은 '상효는 알기 쉽다'라는 뜻을 되풀이하여 풀이한 것이니, '상효'는 일을 마쳐 끝을 성취하는 일이기 때문에 '알기 쉽다'는 말이다."

● 吳氏澄曰: "'初'與'終'爲對, '擬之'與'卒成之'爲對. 兩句文法, 顚倒相互."[8]

오징(吳澄)이 말했다. "'초효'와 '끝'이 짝이 되고, '헤아리는 것'과 '마침내 이루어지는 것'이 짝이 된다. 이 두 구절의 어법은 서로 전도되어 있다."

案

講家以'難知'·'易知'屬學易者, '擬之'·'卒成'屬作易者. 然聖人作 易, 六爻之條理, 渾成於心, 豈有難易哉? 故'初辭擬之'·'卒成之 終'兩句, 是申上兩句, 皆當屬學易者說.

강론하는 사람들은 '알기 어렵다'와 '알기 쉽다'를 역(易)을 배우는

---

7) 공영달 소(孔穎達 疏), 『주역주소(周易註疏)』 권12.
8) 오징(吳澄), 『역찬언(易纂言)』 권8.

사람에게 소속시키고, '그것을 헤아린다'와 '마침내 끝에서 이룬다'를 역을 만드는 사람에게 소속시킨다. 그러나 성인이 역을 지을 때 6효의 조리가 마음에 혼연히 이루어졌는데 어찌 쉽고 어려움이 있었겠는가? 그러므로 '초효의 효사는 그것을 헤아린다'와 '마침내 끝에서 이루어진다'라는 두 구절은 위의 두 구절을 거듭 설명한 것이니, 모두 역을 배우는 사람에게 소속시키는 것으로 말해야 마땅하다.

[계사하 9-3]

> 若夫雜物撰德, 辯是與非, 則非其中爻不備.

그런데 사물을 뒤섞어 덕을 찬술하는 것과 시비(是非)를 분별하는 것과 같은 경우는 '가운데 효[中爻 : 6효 중 가운데 4개 효]'가 아니면 갖추지 못할 것이다.

本義

此謂卦中四爻.

이는 괘의 가운데에 있는 4개 효를 말한 것이다.

案

'雜'字·'撰'字·'辨'字, 亦當屬學易者說. '雜'者, 參錯其貴賤上下之位也; '撰'者, 體察其剛柔健順之德也; 德位分而是非判矣. '辨'者, 剖別之於象, 以考驗之於辭也.

'뒤섞는다'와 '찬술한다'와 '분별한다'라는 글자는 또한 마땅히 역을 배우는 사람에게 소속시키는 것으로 말해야 한다. '뒤섞는다'는 것은 귀천과 상하의 자리를 뒤섞어 놓는 일이고, '찬술한다'는 것은 강유(剛柔)와 건순(健順)의 덕을 체찰하는 일이니, 덕의 자리가 나누어지고 시비가 판가름 난다. '분별한다'는 것은 상(象)에서 그것을 판별하여 효사에서 그것을 고찰하여 검증하는 일이다.

噫! 亦要存亡吉凶, 則居可知矣. 知者觀其彖辭,
則思過半矣.

아! 또한 존망과 길흉을 탐구하면 분명하게 알 수 있다. 지혜로운
사람이 단사(彖辭)를 살펴보면 절반 넘게 이해할 수 있을 것이다.

本義

彖統論一卦六爻之體.

단사는 한 괘의 6효가 지닌 본체를 총괄하여 논의한 것이다.

集說

● 蘇氏軾曰 : "彖者, 常論其用事之爻. 故觀其彖, 則其餘皆彖
爻之所用者也."9)

소식(蘇軾)이 말했다. "단사는 일반적으로 일을 하는 효를 논한다.
그러므로 그 단사를 살펴보면 그 나머지는 모두 단사에서 말하는
효가 쓰는 것임을 알 수 있다."

---

9) 소식(蘇軾), 『동파역전(東坡易傳)』 권8.

● 吳氏澄曰 : "章首第一句言象, 第二句總言六爻, 此一節又總
言六爻而歸重於象, 蓋爲結語與章首起語相始終."10)

오징(吳澄)이 말했다. "이 장(章)의 첫머리 첫 번째 구절은 단사를
말했고, 두 번째 구절은 6효를 총괄하여 말했으며, 이 구절은 또 6
효를 총괄하여 말해서 중점을 단사에 귀결시켰으니, 대개 결어와
이 장(章)의 첫머리를 여는 말이 서로 처음과 끝이 된다."

案

象辭之繫, 文王蓋統觀六爻以立義者. 如『屯』則以初爲侯, 『蒙』
則以二爲師, 『師』則以二爲將, 『比』則以五爲君, 其義皆先定於
象, 爻辭不過因之而隨爻細別耳. 其爻之合於卦義者吉, 不合於
卦義者凶, 故象辭爲綱領, 而爻其目也; 象辭爲權衡, 而爻其物
也. 總之於綱, 則目之先後可知; 審之於權衡, 則物之輕重可見.
夫子象傳, 旣參錯六爻之義以釋辭, 示人卦爻之不相離矣. 於此
又特指其要而切言之, 讀『易』之法, 莫先於此.

단사를 붙인 것은 문왕이 6효를 총괄하여 관찰해서 의미를 세운 것
이다. 예컨대 준(屯䷂)괘는 초효로 제후를 삼고,11) 몽(蒙䷃)괘는 구
이로 스승을 삼으며,12) 사(師䷆)괘는 구이로 장수를 삼고,13) 비(比

---

10) 오징(吳澄), 『역찬언(易纂言)』 권8.
11) 준(屯䷂)괘는 초효로 제후를 삼고 : 준(屯䷂)괘 초구 효사에서 "초구(初
九)는 주저함[磐桓]이니, 정(貞)에 거처함이 이롭고 제후를 세우는 것이
이롭다.[初九, 磐桓, 利居貞, 利建侯.]"라고 하였다.
12) 몽(蒙䷃)괘는 구이로 스승을 삼으며 : 몽(蒙䷃)괘 구이 효사에서 "구이(九
二)는 몽매함을 포용함이니 길하다. 부인의 말을 받아들이니 길하고, 자
식이 집안 일을 잘하는 것이다.[九二, 包蒙, 吉. 納婦, 吉, 子克家.]"라고

☷)괘는 구오로 군주를 삼았는데,[14] 그 의미가 모두 단사에서 미리 정해졌으니, 효사는 다만 그것으로 인해 효에 따라 세세하게 구별한 것일 뿐이다. 그 효가 괘의 의미에 부합하는 것은 길하고 괘의 의미에 부합하지 않는 것은 흉하기 때문에, 단사는 강령이고 효사는 그 세목이며, 단사는 저울이고 효사는 저울에 실린 물건이다. 강령에 총괄하면 세목의 선후를 알 수 있고, 저울에 재어보면 물건의 경중을 알 수 있다. 공자의 단전(象傳)은 이미 6효의 의미를 이리저리 교착하여 단사를 풀이해서, 사람들에게 괘와 효가 서로 떨어져 있지 않음을 보여주었다. 이에 또 그 요점을 특별히 지적하여 절실하게 말했으니, 『역』을 읽는 방법에 이보다 우선할 것이 없다.

하였다.

13) 사(師☷)괘는 구이로 장수를 삼고 : 사(師☷)괘 구이 효사에서 "구이(九二)는 사(師)의 가운데에 있어 길하다. 허물이 없으니 왕이 총애하는 명령을 세 번이나 내렸다.[九二, 在師中, 吉. 无咎, 王三錫命.]"라고 하였다.

14) 비(比☷)괘는 구오로 군주를 삼았는데 : 비(比☷)괘 구오 효사에서 "구오(九五)는 친밀함을 드러내는 것이다. 왕이 삼면에서 몰이함에 앞에 있는 짐승을 잃고 읍인(邑人)도 경계하지 않으니, 길하다.[九五, 顯比. 王用三驅, 失前禽, 邑人不誡, 吉.]"라고 하였다.

> 二與四, 同功而異位, 其善不同. 二多譽, 四多懼,
> 近也. 柔之爲道, 不利遠者. 其要無咎, 其用柔中也.

제2효와 제4효는 공로가 같지만 자리가 다르니 선함이 같지 않다.
제2효는 칭찬이 많은데 제4효가 두려움이 많은 것은 군주의 자리
와 가깝기 때문이다. 유(柔)의 도(道)는 멀리 있는 것이 이롭지
않다. 그 요지가 허물이 없는 것은 그 작용이 부드러움으로 가운데
자리 잡기 때문이다.

本義

此以下論中爻, '同功', 謂皆陰位. '異位', 謂遠近不同. 四近
君, 故'多懼.' 柔不利遠, 而'二多譽'者, 以其'柔中'也.

이로부터 아래는 가운데 효를 논한 것이다. '공로가 같다'는 것은 모
두 음(陰)의 자리임을 말한다. '자리가 다르다'는 것은 멀고 가까움
이 같지 않음을 말한다. 제4효는 군주와 가깝기 때문에 '두려움이
많다.' 유(柔)는 멀리 있는 것이 이롭지 않지만 '제2효가 칭찬이 많
은 것'은 '부드러움으로 가운데[柔中] 자리 잡기' 때문이다.

集說

● 崔氏憬曰：“此重釋中四爻功位所宜也. 二·四皆陰位, 陰之

爲道, 近比承陽, 故'不利遠'矣. 二遠陽雖則不利, 其要或有無咎者, 以柔居中, 異於四也."15)

최경(崔憬)이 말했다. "이는 가운데 4개 효의 공로와 자리의 마땅함을 거듭 풀이한 것이다. 제2효와 제4효는 모두 음(陰)의 자리이고, 음의 도(道)는 가까이에서 양(陽)을 받드는 것이기 때문에 '멀리 있는 것이 이롭지 않다.' 제2효는 양과 멀리 떨어져 있어 비록 이롭지 않지만 그 요지가 간혹 허물이 없는 것은, 부드러움으로 가운데 자리 잡아 제4효와 다르기 때문이다."

● 蘇氏軾曰 : "近於五也, 有善之名, 而近於君則懼矣. 故二之善宜著, 四之善宜隱."16)

소식(蘇軾)이 말했다. "제5효에 가까이 있는 것은 선(善)한 명성이 있지만 군주에 가까우니 두렵다. 그러므로 제2효의 선함은 마땅히 드러내야 하지만, 제4효의 선함은 마땅히 숨겨야 한다."

● 程氏逈曰 : "『易』以六居五, 以九居二, 爲卦十有六. 雖爲時不同, 其十有五皆吉, 謂人君柔中虛己, 而任剛德之臣, 其臣亦以剛中應之也."17)

정형(程逈)18)이 말했다. "『역(易)』에서 육(六 : 陰)으로 제5효에 자

---

15) 이정조(李鼎祚), 『주역집해(周易集解)』 권16에 최경의 말로 실려 있다.
16) 소식(蘇軾), 『동파역전(東坡易傳)』 권8.
17) 정형(程逈), 『주역장구외편(周易章句外編)』.
18) 정형(程逈) : 남송 응천부(應天府) 영릉(寧陵) 사람으로 자는 가구(可

리 잡고, 구(九 : 陽)로 제2효에 자리 잡은 것이 10개의 괘 가운데 6개이다. 비록 때가 같지 않지만 10개 가운데 5개는 길하니, 군주가 부드러움으로 가운데 자리 잡아 자신을 비우고 굳센 덕이 있는 신하에게 맡기며, 그 신하 또한 굳셈으로 가운데 자리 잡아 그것에 호응함을 말한다."

● 吳氏澄曰 : "二與四同是陰位, 若皆以柔居之, 則六二・六四同是以柔居陰, 故曰'同功.' 然其位則有遠近之異. 五者一卦之尊位, 故遠近皆自五而言. 二與五應爲遠, 四與五比爲近. 以位之遠近有異, 而其善亦不同. 遠者意氣舒展而多譽, 近者勢分逼迫而多懼. 多者, 謂不盡然而若此者衆爾.

오징(吳澄)이 말했다. "제2효와 제4효는 다같이 음의 자리인데, 만약 모두 부드러움으로 거기에 자리 잡으면 육이(六二)와 육사(六四)는 다같이 부드러움으로 음의 자리에 자리 잡았기 때문에 '공로

久)이고, 호는 사수(沙隨)이다. 효종(孝宗) 융흥(隆興) 원년(1163)에 진사(進士)에 급제하여, 진현(進賢)과 상요(上饒)의 지현(知縣), 양주(揚州) 태흥위(泰興尉), 요주덕흥지현(饒州德興知縣) 등을 역임하였다. 일찍이 왕보(王葆)와 가흥(嘉興)의 학자 무덕(茂德), 엄릉(嚴陵), 유저(喩樗)에게 경전을 배웠고, 주희는 그의 박학다식함과 실천정신을 칭찬했다. 경서는 물론 불교와 도가, 음운에 이르기까지 두루 연구했다. 저서에 『고역고(古易考)』, 『고역장구(古易章句)』, 『역전외편(易傳外編)』, 『춘추전현미예목(春秋傳顯微例目)』, 『논어전(論語傳)』, 『맹자장구(孟子章句)』, 『경사설제논변(經史說諸論辨)』, 『사성운(四聲韻)』, 『고운통식(古韻通式)』, 『의경정본서(醫經正本書)』, 『삼기도의(三器圖義)』, 『남재소집(南齋小集)』 등이 있는데, 세상에 전해진 것으로는 『주역고점법(周易古占法)』과 『주역장구외편(周易章句外編)』 등이 있다.

가 같다'라고 말했다. 그러나 그 자리에는 멀고 가까운 차이가 있다. 제5효는 한 괘의 존귀한 자리이기 때문에 멀고 가까운 것은 모두 제5효로부터 말한다. 제2효는 제5효와 호응하여 멀고, 제4효는 제5효와 이웃하여 가깝다. 자리의 멀고 가까움에 차이가 있기 때문에 그 선함도 역시 같지 않다. 먼 것은 의지와 기개가 펼쳐져 칭찬이 많고, 가까운 것은 형세와 분수가 핍박되어 두려움이 많다. 많다는 표현은 전부 그러하지는 않지만 이와 같은 것이 많음을 말한다.

'近也'二字, 釋'四多懼', 謂四之所以懼, 不能如二之多譽者, 蓋迫近尊位不得自安故也. '柔之爲道'以下, 釋'二多譽.' 柔不能自立, 近者有所依倚, 遠者宜若不利. 二遠於五, 而其歸得以無咎者, 以其用柔而居下卦之中也."[19]

'군주의 자리와 가깝기 때문이다'라는 말은 '제4효가 두려움이 많다'는 뜻을 풀이한 것이니, 제4효가 두려워하여 제2효처럼 칭찬이 많을 수 없는 까닭은 존귀한 지위에 가까이 닥쳐 스스로 편안할 수 없기 때문이다. '유(柔)의 도(道)' 이하는 '제2효는 칭찬이 많다'라는 말을 풀이한 것이다. 유(柔)는 스스로 설 수 없으니, 가까운 것은 의지하는 것이 있고 먼 것은 마치 이롭지 않은 것 같다. 제2효는 제5효에서 멀지만 그 귀결이 허물이 없을 수 있음은 그것이 부드러움을 써서 하괘(下卦)의 가운데에 자리 잡았기 때문이다."

● 何氏楷曰 : "月遠日則光滿, 近則光微. 此多譽'·'多懼'之說也."[20]

---

19) 오징(吳澄), 『역찬언(易纂言)』 권8.
20) 하해(何楷), 『고주역정고(古周易訂詁)』 권12.

하해(何楷)가 말했다. "달이 해에서 멀면 빛이 가득하고 가까우면 빛이 희미하다. 이것이 '칭찬이 많다'와 '두려움이 많다'라는 말을 설명한 것이다."

案

吳氏說亦詳密, 但以二之譽·四之懼, 專爲以柔居柔者, 三之凶·五之功, 專爲以剛居剛者, 則於經意猶偏. 蓋聖人之言擧其一隅, 則可以三隅反. '多譽'·'多懼', 以二·四之位言, 不論剛柔居之, 皆'多譽'·'多懼'也; 多凶·多功, 以三·五之位言, 亦不論剛柔居之, 皆多凶·多功也.

오징(吳澄)의 말이 또한 자세하고 엄밀하지만, 제2효의 칭찬과 제4효의 두려움을 오로지 유(柔)로서 유(柔)에 자리 잡은 것으로 여기고, 제3효의 흉함과 제5효의 공로를 오로지 강(剛)으로서 강(剛)에 자리 잡은 것으로 여기면, 경(經)의 뜻에 오히려 치우친다. 대개 성인의 말은 한 쪽 귀퉁이를 들어주면 세 쪽 귀퉁이를 반증(反證)할 수 있는 것이다.[21] '칭찬이 많은 것'과 '두려움이 많은 것'은 제2효와 제4효의 자리로 말한 것이니 강(剛)·유(柔)가 거기에 자리 잡은 것은 논할 것도 없이 모두 '칭찬이 많은 것'과 '두려움이 많은 것'이다. 흉함이 많은 것과 공로가 많은 것은 제3효와 제5효의 자리로

....

21) 성인의 말은 한 쪽 귀퉁이를 들어주면 세 쪽 귀퉁이를 반증(反證)할 수 있는 것이다 : 『논어』「술이(述而)」에서 "공자가 말했다. '마음속으로 통하려고 노력하지 않으면 열어주지 않으며, 애태워하지 않으면 말해주지 않되, 한 귀퉁이를 들어주었는데 이것을 가지고 남은 세 귀퉁이를 반증(反證)하지 못하면 다시 더 일러주지 않아야 한다.'[子曰, '不憤不啓, 不悱不發, 擧一隅, 不以三隅反, 則不復也.]"라고 하였다.

말한 것이니 역시 강(剛)·유(柔)가 거기에 자리 잡은 것은 논할 것도 없이 모두 흉함이 많은 것과 공로가 많은 것이다.

下文言'柔之爲道, 不利遠者', 則可見二雖多譽, 而九二尤善於六二; 四旣多懼, 而九四尤甚於六四也. 又言'其柔危, 其剛勝邪', 則可見三雖多凶, 而九三猶善於六三; 五雖多功, 而六五猶讓於九五也. '柔之爲道, 不利遠者', 爲六二言, 而九二在其中, 並六四·九四皆在其中. '其柔危', 爲六三言, 而九三在其中, 並六五·九五亦在其中. 此聖言之所以妙.

그 아래 글에서 '유(柔)의 도(道)는 멀리 있는 것이 이롭지 않다'라고 말했으니, 제2효가 비록 칭찬이 많지만 구이(九二)가 육이(六二)보다 더욱 선하며, 제4효가 이미 두려움이 많지만 구사(九四)가 육사(六四)보다 더욱 심한 것을 알 수 있다. 또 '유(柔)는 위태롭고 강(剛)은 이겨낼 것이다'라고 말했으니, 제3효가 비록 흉함이 많지만 구삼(九三)이 육삼(六三)보다 또한 선하며, 제5효가 비록 공로가 많지만 육오(六五)가 구오(九五)보다 또한 겸양한다는 것을 알 수 있다. '유(柔)의 도(道)는 멀리 있는 것이 이롭지 않다'는 것은 육이를 위해 말한 것이지만, 구이가 그 가운데 있으며 아울러 육사와 구사도 모두 그 가운데 있다. '유(柔)는 위태롭고'라는 것은 육삼을 위해 말한 것이지만, 구삼이 그 가운데 있으며 아울러 육오와 구오도 또한 그 가운데 있다. 이것이 성인의 말이 오묘한 까닭이다.

> ## 三與五, 同功而異位. 三多凶, 五多功, 貴賤之等
> ## 也. 其柔危, 其剛勝邪?
>
> 제3효와 제5효는 공로가 같지만 자리는 다르다. 제3효는 흉함이
> 많은데 제5효가 공로가 많은 것은 귀천의 등급 때문이다. 유(柔)는
> 위태롭고 강(剛)은 이겨낼까?

本義

三·五同陽位, 而貴賤不同. 然以柔居之則危, 唯剛則能勝之.

제3효와 제5효는 똑같이 양(陽)의 자리이지만 귀천이 같지 않다.
그러나 유(柔)가 거기에 자리 잡으면 위태롭고 오직 강(剛)이라야
이겨낼 수 있다.

此第九章.

이는 제9장이다.

集說

● 侯氏行果曰 : "三·五陽位, 陰柔處之, 則多凶危. 剛正居之, 則
勝其任, 言'邪'者不定之辭也. 或有柔居而吉者, 得其時也.[22]"[23]

후행과(侯行果)가 말했다. "제3효와 제5효는 양(陽)의 자리인데 음의 부드러움이 거기에 처하면 흉하고 위험이 많다. 굳세고 바른 것이 거기에 자리 잡으면 그것을 감당해서 이겨낼 수 있는데 '야(邪: 어조사)'라고 말한 것은 단정하지 않는다는 말이다. 간혹 유(柔)가 자리 잡고도 길함이 있는 것은 그 적절한 때를 얻기 때문이다."

● 崔氏憬曰 : "三處下卦之極, 居上卦之下,[24] 而上承天子, 若無含章之美, 則必致凶. 五旣居中不偏, 貴乘天位, 以道濟物, 廣被寰中, 故'多功'也."[25]

최경(崔憬)이 말했다. "제3효는 하괘(下卦)의 끝에 처했고, 상괘(上卦)의 아래에 자리 잡아 위로 천자를 받들고 있는데, 만약 훌륭한 자질을 갖추고 있지 않다면 반드시 흉함을 초래할 것이다. 제5효는 이미 가운데 자리 잡아 치우치지 않고, 귀하기는 하늘의 자리까지 올라 도(道)로 만물을 구제하기를 널리 천하에 두루 미치기 때문에 '공로가 많다.'"

● 吳氏澄曰 : "三與五同是陽位, 若皆以剛居之, 則九三·九五,

---

22) 得其時也 : 이정조(李鼎祚), 『주역집해(周易集解)』 권16에는 이 구절 뒤에 "剛居而凶, 私其應也.[강(剛)이 자리 잡고도 흉한 것은 사사롭게 호응한 것이다.]"라는 말이 더 있다.

23) 이정조(李鼎祚), 『주역집해(周易集解)』 권16에 후과(侯果)의 말로 기재되어 있다.

24) 居上卦之下 : 이정조(李鼎祚), 『주역집해(周易集解)』 권16에는 이 구절 뒤에 "爲一國之君, 有威權之重[한 나라의 군주가 되어 중대한 권위를 가지고 있으면서]"라는 말이 더 있다.

25) 이정조(李鼎祚), 『주역집해(周易集解)』 권16에 최경의 말로 실려 있다.

同是以剛居陽, 故曰'同功.' 然其位則有貴賤之異,²⁶⁾ 賤者, 剛居
剛爲太過而多凶; 貴者, 剛居剛爲適宜而多功. '二多譽, 四多懼'
之上, 有'其善不同'一句, 而'三多凶, 五多功'之上無之者, 譽懼雖
不同, 而皆可謂之善. 凶則不可謂善矣, 故不言也. '貴賤之等也'
五字, 釋'三多凶', 謂三之所以凶, 不能如五之功者. 蓋貴賤有等,
賤者不與貴者同故也. '其柔危'以下, 釋'五多功', 五爲尊位, 以
柔居之, 則不勝其任而危, 惟剛居之, 則能勝其任而有功也."²⁷⁾

오징(吳澄)이 말했다. "제3효와 제5효는 같이 양(陽)의 자리인데 만
약 모두 강(剛)으로 자리 잡으면 구삼(九三)과 구오(九五)가 같이
강(剛)으로 양(陽)의 자리에 자리 잡은 것이기 때문에 '공로가 같다'
라고 하였다. 그러나 그 자리에 귀함과 천함의 다름이 있으니, 천
한 것은 강(剛)이 강(剛)한 자리에 자리 잡은 것이 너무 지나쳐 흉
함이 많은 것이고, 귀한 것은 강(剛)이 강(剛)한 자리에 자리 잡은
것이 적절하여 공로가 많은 것이다. '제2효는 칭찬이 많은데 제4효
가 두려움이 많다'라는 말 앞에 '선함이 같지 않다'라는 구절이 있는
데, '제3효는 흉함이 많은데 제5효가 공로가 많다'라는 말 앞에 없
는 것은 칭찬과 두려움이 비록 같지 않지만, 모두 선하다고 할 수
있기 때문이다. 흉하면 선하다고 할 수 없기 때문에 말하지 않았
다. '귀천의 등급 때문이다'라는 말은 '제3효는 흉함이 많다'라는 뜻
을 풀이한 것이니, 제3효의 흉함은 제5효의 공로와 같을 수 없음을
말한다. 대개 귀천에는 등급이 있으니, 천한 것은 귀한 것과 같지

---

26) 然其位則有貴賤之異 : 오징(吳澄), 『역찬언(易纂言)』 권8에는 이 구절
뒤에, "五天子之位爲貴, 三諸侯之位爲賤, 以位之貴賤有異.[제5효는 천
자의 자리로 귀하고 제3효는 제후의 자리로 천하니, 자리의 귀천에 다름
이 있다.]"라는 말이 더 있다.

27) 오징(吳澄), 『역찬언(易纂言)』 권8.

않기 때문이다. '유(柔)는 위태롭고'라는 말 이하는 '제5효가 공로가 많다'라는 뜻을 풀이한 것이니, 제5효는 존귀한 자리로 유(柔)로써 거기에 자리 잡으면 그 임무를 이겨낼 수 없어 위태롭고, 오직 강(剛)으로 자리 잡아야 그 임무를 이겨내어 공로가 있을 수 있기 때문이다."

● 胡氏炳文曰 : "'其柔危, 其剛勝', 專爲三言也."28)

호병문(胡炳文)이 말했다. "'유(柔)는 위태롭고 강(剛)은 이겨낸다'라는 말은 오로지 제3효를 위해 말한 것이다."

● 蔡氏淸曰 : "或遠或近, 或貴或賤, 此所謂'爻有等, 故曰物'者, 是爲'雜物.' 或柔中, 或不中, 或多譽, 或多懼, 或多凶, 或多功, 又或柔危而剛勝, 此所謂'撰德'也. 而'辨是與非', 舉具其中矣."29)

채청(蔡淸)이 말했다. "혹은 멀고 혹은 가까우며, 혹은 귀하고 혹은 천한 것은 이른바 ([계사하 10-2]의) '효(爻)에 등급이 있기 때문에 사물이라 한다'는 것이니, 이것이 '사물을 뒤섞는다'라는 뜻이 된다. 혹은 유(柔)로써 가운데 자리 잡고 혹은 가운데 자리 잡지 않으며, 혹은 명예가 많고 혹은 두려움이 많으며, 혹은 흉함이 많고 혹은 공로가 많으며, 또 혹은 유(柔)는 위태롭고 강(剛)은 이겨내는 것은 이른바 '덕을 찬술한다'는 말이다. 그러나 '시비(是非)를 분별하는 것'이 모두 그 가운데 갖추어져 있다."

....

28) 호병문(胡炳文), 『주역본의통석(周易本義通釋)』 권6.
29) 채청(蔡淸), 『역경몽인(易經蒙引)』 권11하(下).

‘柔危, 剛勝’, 吳氏以爲指五, 胡氏以爲指三, 侯氏兼之, 須分別
融會, 乃得經意.

‘유(柔)는 위태롭고 강(剛)은 이겨낸다’라는 것에 대해 오징(吳澄)은
제5효를 가리킨다고 보았고, 호병문(胡炳文)은 제3효를 가리키는
것으로 보았으며, 후행과(侯行果)는 그 둘을 겸했으니, 모름지기 분
별하고 융회해야만 비로소 경(經)의 뜻을 터득할 수 있다.

● 何氏楷曰 : “章末復擧中爻, 所以略初·上不言者, 蓋初·上非
用事之地, 故所重在時位, 中四爻用事之地, 故惟重在德行也.
若夫卦主在初·上者, 則不可以此例論. 此章爲『易』之凡例, 求
卦爻之義者, 執此以求之而已. 然僅曰‘要’·曰‘多’·曰‘過半’, 則
雖聖人猶未敢輕言之. ‘韋編三絕’有以夫!”30)

하해(何楷)가 말했다. “장(章) 끝에 다시 ‘가운데 효[中爻 : 6효 가운
데 4개 효]’를 제시하면서 초효와 상효를 말하지 않은 까닭은, 초효
와 상효는 일을 하는 곳이 아니기 때문에 중시한 것이 때와 자리에
있고, 가운데 4개 효는 일을 하는 곳이기 때문에 오직 중점이 덕행
에 있다. 그런데 괘의 주인이 초효나 상효에 있는 것은 이러한 방
식으로 논할 수 없다. 이 장(章)은 『역』의 범례이니, 괘와 효의 의
미를 구하는 자는 이것을 가지고 구하면 될 뿐이다. 그러나 다만
‘하려고 한다’, ‘많다’, ‘절반이 넘을 것이다’라고 말했으니, 비록 성
인일지라도 오히려 감히 가볍게 말하지 못했다. ‘위편삼절(韋編三

30) 하해(何楷), 『고주역정고(古周易訂詁)』 권12.

絶)'31)이라는 말이 있지 않은가!"

此上二章, 中爻之動乎內, 而吉凶見乎外也. '道屢遷'者, 於'周流
六虛'見之. '無常'·'相易', 所謂'周流'者也. '唯變所適', 所謂'屢遷'
者也. 此則爻之動乎內者, 及繫辭而吉凶見, 則使人於日用出入
之間, 各循乎法度而知懼, 蓋凜乎師保之嚴矣. 再觀其開示人以
憂患, 與其所以至憂患之故, 不啻父母之謀其子孫者, 又使人無
有師保之嚴, 但如臨父母之親而已. 夫是以由其辭而揆之, 則不
可爲典要者, 未嘗不有典常, 而欲體其道而行之, 則所謂不可遠
者, 又存乎其人之不遠於道也.

위의 두 장(章)은 '가운데 효[中爻 : 6효 가운데 4개 효]'가 안에서 움
직여 길흉이 밖으로 나타난 것이다. '도(道)가 자주 옮겨간다'는 것
은 '6개 효(爻)의 빈자리에 두루 흐른다'는 데서 볼 수 있다. '일정
함이 없다'와 '서로 교역(交易)한다'라는 것은 이른바 '두루 흐른다'
는 뜻이다. '오직 변(變)하여 나아가는 것일 뿐이다'라는 것은 이른
바 '자주 옮겨간다'는 말이다. 이는 효가 안에서 움직인다는 뜻인데,
설명[辭]을 붙여 길흉이 나타나면 사람들에게 일상으로 드나드는
사이에 각각 법도를 좇아 두려움을 알게 하니, 사보(師保 : 보좌관
과 스승)의 엄중함을 두려워하기 때문이다. 다시 우환으로 사람들
에게 열어 보여준 것과 우환에 이르게 되는 까닭을 살펴보면, 다만
부모가 그 자손을 위해 도모하는 것 뿐 아니라 또한 사람들에게 사

---

31) 위편삼절(韋編三絕) : 『사기(史記)』「공자세가(孔子世家)」에서, "공자는
만년에 『역』을 좋아하여 … 『역』을 읽음에 책을 묶은 가죽끈이 세 번이
나 끊어졌다.[孔子晚而喜『易』 … 讀『易』, 韋編三絕.]"라고 하였다.

보(師保)의 엄중함이 없지만 부모의 친밀함이 임한 것 같을 뿐임을 알게 해주는 것이다. 이 때문에 그 설명으로 말미암아 그것을 헤아려 보면, '전요(典要 : 불변하는 준칙)로 삼을 수 없다'는 것은 전상(典常 : 불변하는 법도)을 가지지 않은 적이 없고, 그 도(道)를 체인하여 실천하면 이른바 '잊을 수 없다'는 것도 그 사람이 도를 잊지 못한다는 것을 보존하고 있다.

下文遂以辭之典常言之, 大約初·上雖無位, 而爲事之始終, 自二至五, 則居中而正爲用事之位. 玩辭者, 擬其初, 竟其終, 參合其物理, 以辨其是非而求其備, 此學易之法也. 然象者括始終以立體, 而爻則其趨時之物而已, 故知者觀象辭而爻義已大半得, 此又學易之要也. 又舉中四爻而申之, 以見凡當位用事, 則有譽有懼, 有凶有功, 非初·上無位而或在功過之外者比也. 聖人所謂明憂患與故者, 於此尤諄諄焉.

아래 글에서 마침내 설명의 불변하는 법도로 말했으니, 대체로 초효와 상효는 비록 지위가 없지만 일의 처음과 끝이 되고, 제2효에서 제5효까지는 가운데에 자리 잡아 꼭 바로 일을 하는 자리가 된다는 것이다. 설명[辭]을 음미하는 자는 그 처음을 헤아려 그 끝을 맺고 그 사리(事理)를 종합적으로 참조해서 그 시비를 변별하여 완비하기를 구하는 것이 바로 역(易)을 배우는 방법이다. 그러나 단사는 처음과 끝을 총괄하여 체(體)를 세웠고 효(爻)는 때를 따른 것일 뿐이기 때문에, 지혜로운 자가 단사를 살펴보면 효의 의미는 이미 절반 이상을 터득할 수 있으니, 이것이 또 역(易)을 배우는 요점이다. 또 가운데 4개 효를 들어 그것을 거듭 말하고 해당하는 자리에서 일하는 것을 보여주었으니, 명예가 있는 것도 있고 두려움이 있는 것도 있으며 흉함이 있는 것도 있고 공로가 있는 것도 있는데, 초효와 상효가 지위는 없지만 공로와 과실의 밖에 있는 것과는 비교할 것이 아니다. 성인이 이른바 우환과 그 까닭을 밝힌 것이 여기에서 더욱 정성스럽다.

계사하 10

[계사하 10-1]

> 『易』之爲書也, 廣大悉備, 有天道焉, 有人道焉, 有地道焉. 兼三才而兩之, 故六. 六者非它也, 三才之道也.

『역(易)』이라는 책은 광대하여 모두 구비하고 있으니, 천도(天道)가 있고 인도(人道)가 있고 지도(地道)가 있다. 삼재(三才：천·지·인)를 겸하여 두 번했기 때문에 육(六：六爻)이 되었다. 육(六)은 다름이 아니라 삼재(三才)의 도(道)이다.

本義

> 三畫已具三才, 重之故六, 而以上二爻爲天, 中二爻爲人, 下二爻爲地.

세 획(畫)이 이미 삼재(三才)를 갖추었는데 그것을 거듭했기 때문에 육효(六爻)가 되었다. 그리고 위의 2개 효를 천(天)으로 삼고,

가운데 2개 효를 인(人)으로 삼으며, 아래의 2개 효를 지(地)로 삼았다.

集說

● 項氏安世曰 : "言聖人所以兼三才而兩之者， 非以私意傅會, 三才之道, 自各有兩, 不得而不六也."[1]

항안세(項安世)가 말했다. "성인이 삼재를 겸하여 두 번 한 까닭은 사사로운 뜻으로 견강부회한 것이 아니라 삼재의 도(道)가 스스로 각각 두 가지씩 가지고 있어서 육(六)이 되지 않을 수 없었음을 말한다."

1) 항안세(項安世), 『주역완사(周易玩辭)』 권14.

道有變動, 故曰爻; 爻有等, 故曰物; 物相雜, 故
曰文. 文不當, 故吉凶生焉.

도(道)에 변함과 움직임이 있기 때문에 효(爻)라 하고, 효(爻)에
등급이 있기 때문에 사물이라 하며, 사물이 서로 섞여 있기 때문에
문(文 : 문양이 어울림)이라고 한다. 문(文)에 합당하지 않음이 있
기 때문에 거기에서 길흉이 생겨난다.

本義

'道有變動', 謂卦之一體. '等', 謂遠近·貴賤之差. '相雜', 謂剛
柔之位相間. '不當', 謂爻不當位.

'도(道)에 변함과 움직임이 있다'는 괘가 하나의 몸체라는 것을 말
한다. '등급[等]'은 원근(遠近)과 귀천(貴賤)의 차이를 말한다. '서로
섞여 있다'는 강(剛)·유(柔)의 자리가 서로 사이를 두고 있다는 것
을 말한다. '합당하지 않음이 있다'는 효가 자리에 합당하지 않음이
있다는 것을 말한다.

此第十章.

이는 제10장이다.

● 陸氏績曰 : "天道有晝夜·日月之變, 地道有剛柔·燥濕之變, 人道有行止·動靜·吉凶·善惡之變. 聖人設爻以效三者之變動, 故謂之爻者也."[2]

육적(陸績)이 말했다. "천도(天道)에는 주야·일월의 변함이 있고, 지도(地道)에는 강유·조습(燥濕 : 건조함과 축축함)의 변함이 있으며, 인도(人道)에는 가고 멈춤, 움직임과 고요함, 길함과 흉함, 선과 악의 변함이 있다. 성인이 효(爻)를 설치하여 이 셋의 바뀜과 움직임을 본받았기 때문에 효라고 하였다."

● 孔氏穎達曰 : "三才之道, 旣有變化移動, 故重畫以象之, 而曰爻也. '物'者, 物類也. 爻有陰陽·貴賤等級, 以象萬物之類, 故謂之物也. 若相與聚居, 間雜成文, 不相妨害, 則吉凶不生. 由文之不當相與聚居, 不當於理, 故吉凶生也."[3]

공영달(孔穎達)이 말했다. "삼재의 도가 이미 변화하고 이동했기 때문에 획을 거듭하여 그것을 상징하여 효(爻)라고 하였다. '사물[物]'은 사물의 부류이다. 효(爻)에 음양과 귀천의 등급이 있어 만물의 부류를 상징하기 때문에 사물이라고 한다. 만약 서로 함께 모여 있으면서도 혼잡하게 문양이 어울려 서로 방해하지 않으면 길흉이 생기지 않을 것이다. 그러나 문양의 어울림이 서로 함께 있기에 적절하지 않음으로 말미암아 이치에 합당하지 않기 때문에 길흉이 생겨난다."

---

2) 요사린(姚士粦) 편, 『육씨역해(陸氏易解)』.
3) 공영달 소(孔穎達 疏), 『주역주소(周易註疏)』 권12.

● 張子曰 : "'故曰爻', 爻者交雜之義."[4]

장자(張子 : 張載)가 말했다. "'그러므로 효(爻)라고 한다'에서 효는
교잡(交雜)의 의미이다."

● 項氏安世曰 : "'爻有等'者, 初·二·三·四·五·上也. '物相雜'
者, 初·三·五與二·四·上, 陰陽相間也. '文不當'者, 九居陰位,
六居陽位也."[5]

항안세(項安世)가 말했다. "'효(爻)에 등급이 있다'는 것은 초효·2
효·3효·4효·5효·상효를 말한다. '사물이 서로 섞여 있다'는 것은
초효·3효·5효와 2효·4효·상효가 음양이 서로 간격을 두고 있다
는 뜻이다. '문(文)에 합당하지 않음이 있다'는 말은 양효가 음의 자
리에 자리 잡고, 음효가 양의 자리에 자리 잡은 것이다."

● 李氏簡曰 : "一則無變無動, 兼而兩之, 故三才之道, 皆有變
動, 以其道有變動. 故名其畫曰爻. 爻者, 效也, 言六畫能效天下
之動也. 爻有貴賤·上下之等, 故曰物. 物有九·六雜居剛柔之
位, 則成文. 交錯之際, 有當不當, 吉凶由是生焉."[6]

이간(李簡)이 말했다. "하나이면 바뀜이 없고 움직임도 없지만 겸
하여 두 번하기 때문에 삼재의 도가 모두 바뀜과 움직임이 있어 그
도(道)에 바뀜과 움직임이 있다. 그러므로 그 획을 이름하여 효(爻)

....

4) 장재(張載), 『횡거역설(橫渠易說)』 권3, 「계사하」.
5) 항안세(項安世), 『주역완사(周易玩辭)』 권14.
6) 이간(李簡), 『학역기(學易記)』 권8.

라고 한다. 효는 본받음이니, 6획이 천하의 움직임을 본받을 수 있다는 것을 말한다. 효에 귀천과 상하의 등급이 있기 때문에 사물[物]이라고 한다. 사물에는 음과 양이 강(剛)과 유(柔)의 자리에 섞여 자리 잡음이 있으니 문(文)을 이룬다. 교착할 때 합당함과 합당하지 않음이 있어서 길흉이 이로 말미암아 생겨난다."

● 汪氏咸池曰 : "文既相雜, 豈能皆當? 故有以剛居柔, 以柔居剛, 而位不當者, 亦有以柔居柔, 以剛居剛, 而位未必皆當者. 則吉凶於是而生矣."

왕함지(汪咸池)가 말했다. "문(文)이 이미 서로 섞여 있는데 어찌 모두 합당할 수 있겠는가? 그러므로 강(剛)으로써 유(柔)의 자리에 자리 잡거나 유로써 강의 자리에 자리 잡아 자리가 합당하지 않은 것이 있고, 또한 유로써 유의 자리에 자리 잡거나 강으로써 강의 자리에 자리 잡았지만 자리가 반드시 모두 합당하지만은 않은 것도 있다. 그러하니 길흉이 여기에서 생겨난다."

● 何氏楷曰 : "不當者非專指陽居陰位, 陰居陽位也. 卦情若淑, 或以不當爲吉; 卦情若慝, 反以當位爲凶. 要在隨時變易得其當而已."[7]

하해(何楷)가 말했다. "합당하지 않은 것은 오로지 양이 음의 자리에 자리 잡거나 음이 양의 자리에 자리 잡은 것만을 가리키지는 않

....

7) 하해(何楷), 『고주역정고(古周易訂詁)』 권12.

는다. 괘의 정황[情]이 좋으면 간혹 자리가 합당하지 않은 것을 길하게 여기기도 하고, 괘의 정황이 나쁘면 거꾸로 합당한 자리를 흉하게 여기기도 한다. 요점은 때에 따라 변역(變易)하여 그 합당함을 얻는 것에 달려있을 뿐이다."

● 吳氏曰愼曰 : "以時義之得爲當, 時義之失爲不當, 不以位論."

오왈신(吳曰愼)이 말했다. "때의 마땅함을 얻는 것을 합당함이라고 하고, 때의 마땅함을 잃는 것을 합당하지 않음이라고 하지, 자리로 논하지 않는다."

[계사하 11-1]

> 易之興也, 其當殷之末世, 周之盛德邪, 當文王與
> 紂之事邪? 是故其辭危, 危者使平, 易者使傾. 其道
> 甚大, 百物不廢, 懼以終始, 其要無咎. 此之謂易之
> 道也.

역(易)이 흥기한 것은 은(殷)나라 말기 주(周)나라의 덕이 융성할
때였을 것이니, 문왕(文王)과 주(紂)의 일이 있었을 때였을까? 그러
므로 그 말은 위태로워, 위태롭게 여기는 자를 평안하게 하고 쉽게
여기는 자를 기울어지게 하였다. 그 도(道)는 매우 커서 온갖 것을
폐기하지 않았지만, 두려워하면서 시작하고 끝마치면 그 요점은 허
물이 없다. 이를 일러 역(易)의 도(道)라 한다.

本義

> 危懼故得平安, 慢易則必傾覆, 易之道也.

위태로워하고 두려워하기 때문에 평안함을 얻게 되고, 태만하고 쉽게

여기면 반드시 기울어져 뒤집히게 되는 것이 역(易)의 도(道)이다.

此第十一章.

이는 제11장이다.

● 張氏栻¹⁾曰 : "旣懼其始, 使人防微杜漸, 又懼其終, 使人持盈守成. 要之以無咎而補過, 乃易之道也."²⁾

장식(張栻)이 말했다. "이미 그 시작을 두려워하여 사람들에게 은미한 것을 방비하여 그것이 자라나는 것을 막게 하고, 또 그 끝을 두려워하여 사람들에게 이미 이루어 놓은 것을 유지하게 한다. 요컨대 허물을 없애고 잘못을 보완하는 것이 바로 역(易)의 도(道)이다."

---

1) 장식(張栻, 1133~1180) : 자는 경부(敬夫) 또는 낙재(樂齋)이고 호는 남헌(南軒)이다. 남송(南宋) 한주 면죽(漢州綿竹 : 현 사천성 면죽〈綿竹〉) 사람이다. 주자, 여조겸(呂祖謙)과 함께 남송의 '동남 삼현(東南三賢)'이라고 불렸다. 아버지 장준(張浚)이 송의 승상을 지내고 위국공(魏國公)에 봉해졌기 때문에 그도 일찍이 출사하여 이부시랑(吏部侍郞) 겸 시강(侍講), 비각수찬(秘閣修撰), 우문전수찬(右文殿修撰) 등을 역임하였으나, 잦은 직언 때문에 퇴임했다. 어려서는 가학을 이어 받았고, 성장하여 호굉(胡宏)에게 배워 호상학파(湖湘學派)의 학술을 정립시켰다. 저서에 『남헌집(南軒集)』, 『남헌역설(南軒易說)』, 『계사논어해(癸巳論語解)』 등이 있다.
2) 장식(張栻), 『남헌역설(南軒易說)』 권2.

● 高氏攀龍曰 : "一部『易』原始要終, 只是敬懼無咎而已. 故曰 '懼以終始', '無咎者, 善補過也.' 『易』中凡說'有喜'·'有慶吉'·'元吉', 都是及於物處, 若本等只到了無咎便好."

고반룡(高攀龍)이 말했다. "『역』이라는 책의 '처음을 추구하여 끝을 탐구한다[原始要終]'는 것은 다만 삼가고 두려워하여 허물이 없는 것일 뿐이다. 그러므로 '두려워하면서 시작하고 끝마친다'라고 하였고, '허물이 없다는 것은 잘못을 잘 보완한 것이다'[3]라고 하였다. 『역』에서 무릇 '기쁨이 있다'라고 하거나, '경사가 있어 길하다'라고 하거나, '크게 길하다'라고 말한 것은 모두 구체적인 사물에 대해 언급한 것이니, 만약 본래의 등급이 다만 허물이 없는 데 이르렀으면 좋다는 것이다."

● 趙氏光大曰 : "'危者使平'二句, 卽是辭危處, 使之不可作易使之. 言由危而平者, 危使之也; 言其理之必然, 若有以使之也. '易之道', 與'其道甚大"道'字正相應."

조광대(趙光大)가 말했다. "'위태롭게 여기는 자를 평안하게 하고 쉽게 여기는 자를 기울어지게 한다'라는 두 구절은 곧 말이 위태로운 곳에 그것을 쉽게 여겨 하지 못하도록 한 것이다. 위태로운 것에서부터 평안해진다는 것은 위태롭게 여기면서 그것을 하도록 함을 말하고, 이치의 필연은 마치 도리를 가지고 그것을 하도록 함과 같다는 것을 말한다. '역(易)의 도(道)'라고 한 것은 '그 도(道)가 매우 크다'라고 할 때의 '도(道)'와 바로 상응한다."

---

3) 허물이 없다는 것은 잘못을 잘 보완한 것이다 : 본문 [계사상 3-2]

● 何氏楷曰：“使者, 天理之自然, 若或使之也, 所謂‘殖有禮, 覆昏暴’, 天之道也.”4)

하해(何楷)가 말했다. “그렇게 하도록 하는 것은 천리(天理)가 저절로 그러함이니, 만약 그렇게 하도록 하는 일이라면 이른바 ‘예(禮)가 있는 자를 자라게 해주고 어리석고 포악한 자를 뒤집는다’5)라는 말이니 천(天)의 도리이다.”

案

此上二章, 申‘功業見乎變, 聖人之情見乎辭也.’ 所謂變者, 生於三才之道, 以兩而行, 交合相濟, 迭用不窮也. 寫之於易, 則以其兩相交也, 而名爲爻; 所處之位不同也, 而名爲物; 所以處是位者, 又相錯也, 而名爲文. 相錯則有當有否, 而吉凶於此生. 大業於此起矣, 故曰‘功業見乎變.’ 雖然, 上古之聖, 以是濟民用焉. 而辭未備也. 文王當殷商之衰, 忘己之憂, 而唯世之患. 是故其因事設戒者, 無非欲人戰戰兢兢, 免於咎而趨於平也. 是所謂以身立教, 反覆一編之中, 千載之上, 心如見焉. 故曰‘聖人之情見乎辭.’

위의 두 장(章)은 ([계사하 1-9]에서) ‘공업(功業)은 변(變)에 나타나

----

4) 하해(何楷), 『고주역정고(古周易訂詁)』 권12.
5) 예(禮)가 있는 자를 자라게 해주고 어리석고 포악한 자를 뒤집는다 : 『서경』「상서(商書)·중훼지고(仲虺之誥)」에서, “오호라! 그 끝을 삼가려면 그 시작을 잘해야 하니, 예(禮)가 있는 자를 자라게해주고 어리석고 포악한 자를 뒤집어, 천도(天道)를 공경하고 높여야 천명(天命)을 영원히 보존할 것이다.[嗚呼! 愼厥終, 惟其始, 殖有禮, 覆昏暴. 欽崇天道, 永保天命.]”라고 하였다.

고, 성인의 정(情)은 설명[辭]에 나타난다'라는 말을 거듭 설명한 것이다. 이른바 변(變)이라는 것은 삼재(三才)의 도(道)가 두 번씩 행함에 결합하여 서로 구제하는 것이 끊임없이 번갈아 작용하는 데서 생겨났다. 그것을 역(易)에 쓰면 그것들이 두 번씩 서로 교류하기 때문에 효(爻)라 이름 지었고, 처한 자리가 같지 않기 때문에 사물[物]이라 이름 지었으며, 이 자리들에 처한 것이 또 서로 교착하기 때문에 문(文)이라고 이름 지었다. 서로 교착하면 마땅한 것과 그렇지 않은 것이 있기 때문에 길흉이 여기에서 생겨난다. 큰 사업이 여기에서 일어나기 때문에 '공업(功業)은 변(變)에 나타난다'라고 하였다. 그렇지만 먼 옛날의 성인들은 이것으로 백성을 구제하는 데 사용하였다. 그러나 설명이 갖추어지지 않았다. 문왕(文王)이 은나라가 쇠퇴할 때 자신의 근심을 잊고 오직 세상만을 걱정했다. 이 때문에 일에 따라 경계할 것을 준비했으니, 그것은 사람들이 전전긍긍하여 허물에서 벗어나 평온을 좇도록 하는 것이 아님이 없었다. 이것이 이른바 몸소 가르침을 세운 것이니 한 편을 반복하는 가운데 천 년 전의 마음을 보는 듯하다는 것이다. 그러므로 ([계사하 1-9]에서) '성인의 정(情)은 설명[辭]에 나타난다'라고 하였다.

계사하 12-1

夫乾, 天下之至健也, 德行恒易以知險; 夫坤, 天
下之至順也, 德行恒簡以知阻.

건(乾)은 천하의 지극히 강건함이니 그 덕행은 항상 쉬움으로써
험난함을 알고, 곤(坤)은 천하의 지극히 순응함이니 그 덕행은
항상 간단함으로써 고난을 안다.

本義

至健則所行無難, 故易; 至順則所行不繁, 故簡. 然其於事, 皆
有以知其難, 而不敢易以處之. 是以其有憂患, 則健者如自高
臨下, 而知其險, 順者如自下趨上, 而知其阻. 蓋雖易而能知
險, 則不陷於險矣; 旣簡而又知阻, 則不困於阻矣. 所以能危
能懼, 而無易者之傾也.

지극히 강건하면 행하는 것이 어려움이 없기 때문에 쉽고, 지극히

순응하면 행하는 것이 번거롭지 않기 때문에 간단하다. 그러나 일에 대해서는 모두 그 어려움을 알아 감히 쉽게 처리하지 않음이 있다. 이 때문에 우환이 있으면 강건한 것은 마치 높은 곳에서 아래를 임하는 것 같이 하여 그 험난함을 알고, 순응하는 것은 마치 아래로부터 위로 좇는 것 같이 하여 그 고난을 안다. 이는 비록 쉽지만 험난함을 알 수 있으면 험난함에 빠지지 않고, 간단하면서도 또 고난을 알면 고난에 막히지 않기 때문이다. 그러므로 위태로워하고 두려워할 수 있어 쉽게 여기는 자의 기울어짐이 없다.

集說

● 孔氏穎達曰 : "乾之德行恒易略, 不有艱難. 以此之故, 能知險之所興. 若不易則爲險, 故行易以知險也. 坤之德行恒爲簡靜, 不有繁亂. 以此之故, 知阻之所興. 若不簡則爲阻難, 故行簡以知阻也."[1]

공영달(孔穎達)이 말했다. "건(乾)의 덕행은 항상 쉽고 간략하여 어려움이 없다. 이 때문에 험난함이 일어나는 곳을 알 수 있다. 만약 쉽지 않으면 험난하기 때문에 행함이 쉬워 험난함을 알 수 있다. 곤(坤)의 덕행은 항상 간단하고 고요하여 번잡하고 혼란함이 없다. 이 때문에 고난이 일어나는 곳을 알 수 있다. 만약 간단하지 않으면 고난하기 때문에 행함이 간단하여 고난을 알 수 있다."

● 蘇氏軾曰 : "已險而能知險, 已阻而能知阻者, 天下未嘗有也.

---

1) 공영달 소(孔穎達 疏),『주역주소(周易註疏)』권12.

是故處下以傾高, 則高者畢赴, 用晦以求明, 則明者必見. 易簡
以觀險阻, 則險阻無隱情矣."[2]

소식(蘇軾)이 말했다. "이미 험난해진 뒤에 험난함을 알 수 있고 이
미 고난스러워진 뒤에 고난을 알 수 있는 자는 천하에 있은 적이
없다. 이 때문에 아래에 처하여 높은 것을 기울게 하면 높은 것은
반드시 넘어지고, 어둠으로써 밝음을 구하면 밝은 것은 반드시 드
러난다. 쉽고 간단함으로 험난함과 고난을 살펴보면 험난함과 고난
은 정황을 숨김이 없을 것이다."

● 張子曰 : "簡易然後知險阻.[3] 簡易理得, 然後一以貫天下之
道."[4]

장자(張子 : 張載)가 말했다. "간단하고 쉬운 다음에 험난함과 고난
을 알 수 있다. 간단하고 쉬움을 잘 할 수 있은 뒤에 천하의 도(道)
를 하나로 꿰뚫을 수 있다."

●『朱子語類』云 : "險與阻不同, 險是自上視下, 見下之險, 故不
敢行; 阻是自下觀上, 爲上所阻, 故不敢進."[5]

....

2) 소식(蘇軾), 『동파역전(東坡易傳)』 권8.
3) 簡易然後知險阻 : 장재(張載), 『횡거역설(橫渠易說)』 권3, 「계사하」에
   는 "簡易然後能知險阻.[간단하고 쉬운 다음에 험난함과 고난을 알 수
   있다.]"라고 되어 있다.
4) 장재(張載), 『횡거역설(橫渠易說)』 권3, 「계사하」.
5) 주희, 『주자어류』 권76, 102조목.

『주자어류』에서 말했다. "험난함과 고난은 같지 않으니, 험난함은 위에서 아래를 보아 아래의 험난함을 알기 때문에 감히 행하지 않는 것이고, 고난은 아래에서 위를 살펴보아 위가 고난스럽게 되기 때문에 감히 나아가지 않는다."

● 項氏安世曰 : "易與險相反, 唯中心易直者能照天下險巇之情.6) 簡與阻相反, 唯行事簡靜者, 能察天下繁壅之機.7)"8)

항안세(項安世)가 말했다. "쉬움과 험난함은 상반되니 오직 마음이 쉽고 곧은 사람만이 천하의 험악한 정(情)을 비춰볼 수 있다. 간단함과 고난은 상반되니 오직 일을 하는 것이 간단하고 고요한 사람만이 천하의 번잡하고 꽉 막힌 기틀을 자세히 살펴볼 수 있다."

● 李氏簡曰 : "兩險相疑,9) 兩阻相持, 則險不能知險, 知天下之至險者, 至易者也, 阻不能知阻, 知天下之至阻者, 至簡者也."10)

....

6) 唯中心易直者能照天下險巇之情 : 항안세(項安世), 『주역완사(周易玩辭)』 권14에는 이 구절 뒤에 "卽所謂通天下之志也.[곧 이른바 천하의 뜻에 통달한다는 것이다.]"라는 말이 더 있다.
7) 能察天下繁壅之機 : 항안세(項安世), 『주역완사(周易玩辭)』 권14에는 이 구절 뒤에 "卽所謂成天下之務也.[곧 이른바 천하의 일을 이룬다는 것이다.]"라는 말이 더 있다.
8) 항안세(項安世), 『주역완사(周易玩辭)』 권14.
9) 兩險相疑 : 이간(李簡), 『학역기(學易記)』 권8에는 이 구절 앞에 "今也易而能知險, 簡而能知阻, 何也?[이제 쉽지만 험난함을 알 수 있고 간단하지만 고난을 알 수 있다는 것은 무엇 때문인가?]"라는 말이 더 있다.
10) 이간(李簡), 『학역기(學易記)』 권8.

이간(李簡)이 말했다. "양쪽이 험난하여 서로 의심하고 양쪽이 고난스러워 서로 쟁탈하여 양보하지 않으면, 험난한 것에 험난함을 알 수 없으니 천하에 지극히 험난한 것을 아는 자는 지극히 쉬운 자이고, 고난스러운 것에 고난을 알 수 없으니 천하에 지극히 고난스러운 것을 아는 자는 지극히 간단한 자이다."

● 胡氏炳文曰: "前言乾坤之易簡, 此言乾坤之所以爲易簡. 蓋乾之德行, 所以恒易者, 何也? 乾, 天下之至健也. 坤之德行, 所以恒簡者. 何也? 坤, 天下之至順也."11)

호병문(胡炳文)이 말했다. "앞에서는 건·곤의 쉬움과 간단함을 말했고, 여기에서는 건·곤이 쉬움과 간단함이 되는 까닭을 말했다. 건의 덕행이 항상 쉬운 까닭은 무엇인가? 건은 천하의 지극히 강건한 것이기 때문이다. 곤의 덕행이 항상 간단한 까닭은 무엇인가? 곤은 천하의 지극히 순응하는 것이기 때문이다."

● 蔡氏淸曰: "'天下之至健'·'天下之至順', 猶『中庸』云'天下至誠'·'天下至聖'相似, 皆以人言. 君子行此四德者, 故曰'乾, 元亨利貞', 此天下之至健者也; '安貞之吉, 應地無疆', 此天下之至順者也."12)

채청(蔡淸)이 말했다. "'천하의 지극히 강건한 것'과 '천하의 지극히 순응하는 것'은 마치 『중용』에서 '천하의 지극히 성실한 사람'13)과

---

11) 호병문(胡炳文), 『주역본의통석(周易本義通釋)』 권6.
12) 채청(蔡淸), 『역경몽인(易經蒙引)』 권11하(下).
13) 천하의 지극히 성실한 사람: 『중용』 제22장에서 "오직 천하에 지극히 성

'천하의 지극한 성인'[14]이라고 말한 것과 서로 비슷하니, 모두 사람으로서 말한 것이다. 군자가 이 네 가지 덕을 실천하기 때문에 (건괘 괘사에서) '건(乾)은 크게 형통하고 곧음이 이롭다'라고 하였으니, 이는 천하의 지극히 강건한 자이며, (곤괘 단전에서) '안정되면서 올바르게 해야 길하다는 것은 끝없는 땅의 도에 호응하는 것이다'라고 하였으니, 이는 천하의 지극히 순응하는 자이다."

실한 사람만이 그 성(性)을 다 발휘할 수 있으니, 그 성(性)을 다 발휘할 수 있으면 사람의 성(性)을 다 발휘할 수 있고, 사람의 성(性)을 다 발휘할 수 있으면 사물의 성(性)을 다 발휘할 수 있으며, 사물의 성(性)을 다 발휘할 수 있으면 천지의 화육(化育)을 도울 수 있을 것이고, 천지의 화육(化育)을 도울 수 있으면 천지와 더불어 참여할 수 있을 것이다.[惟天下至誠, 爲能盡其性, 能盡其性, 則能盡人之性; 能盡人之性, 則能盡物之性; 能盡物之性, 則可以贊天地之化育; 可以贊天地之化育, 則可以與天地參矣.]"라고 하였다.

14) 천하의 지극한 성인 :『중용』제31장에서 "오직 천하의 지극한 성인만이 총명함과 예지(睿智)가 충분히 임할 수 있으니, 관대함과 온화함이 충분히 용납될 수 있고, 강함을 드러냄과 굳셈이 충분히 잡힐 수 있으며, 장엄함과 중정(中正)이 충분히 공경될 수 있고, 문리(文理)와 엄밀히 살핌이 충분히 분별될 수 있다.[唯天下至聖, 爲能聰明睿知足以有臨也, 寬裕溫柔足以有容也, 發强剛毅足以有執也, 齊莊中正足以有敬也, 文理密察足以有別也.]"라고 하였다.

[계사하 12-2]

能說諸心, 能研諸侯之慮, 定天下之吉凶, 成天
下之亹亹者.

마음에 기쁠 수 있고 생각에 연구할 수 있어, 천하에 길흉을 정하
고 천하에 힘써야 할 일을 이룬다.

本義

'侯之'二字衍. 說諸心者, 心與理會, 乾之事也. 研諸慮者, 理
因慮審, 坤之事也. 說諸心, 故有以定吉凶; 研諸慮, 故有以
成亹亹.

'후지(侯之)'라는 두 글자는 쓸데없이 들어간 글이다. 마음에 기쁘
다는 것은 마음이 이치와 합쳐지는 뜻이니 건(乾)의 일이다. 생각에
연구한다는 것은 이치가 생각으로 인하여 자세히 살펴지는 뜻이니
곤(坤)의 일이다. 마음에 기쁘기 때문에 그것으로 길흉을 정하고,
생각에 연구하기 때문에 그것으로 힘써야 할 일을 이룬다.

集說

● 張子曰 : "易簡故能說諸心, 知險阻故能研諸慮."[15]

....

15) 장재(張載), 『정몽(正蒙)』 제9, 「지당편(至當篇)」.

장자(張子 : 張載)가 말했다. "쉽고 간단하기 때문에 마음에 기쁠 수 있고, 험난함과 고난을 알기 때문에 생각에 연구할 수 있다."

● 朱氏震曰 : "簡易者我心之所固有, 反而得之, 能無說乎? 以我所有, 慮其不然, 能無研乎?"[16]

주진(朱震)이 말했다. "간단함과 쉬움은 내 마음에 본디 가지고 있는 것인데, 돌이켜 그것을 터득하니 기쁨이 없을 수 있겠는가? 내가 가지고 있는 것으로 그것이 그렇지 않은 것을 생각하니 연구함이 없을 수 있겠는가?"

● 『朱子語類』云 : "'能說諸心, 能研諸慮', 方始能'定天下之吉凶, 成天下之亹亹.' 凡事見得通透了, 自然歡說. 旣說諸心, 是理會得了, 於事上更審一審, 便是研諸慮. 研是更去研磨. '定天下之吉凶', 是剖判得這事; '成天下之亹亹', 是作得這事業."[17]

『주자어류』에서 말했다. "'마음에 기쁠 수 있고 생각에 연구할 수 있어야' 비로소 '천하에 길흉을 정하고 천하에 힘써야 할 일을 이룰 수 있다.' 무릇 일에 투철하게 꿰뚫어 볼 수 있으면 자연스럽게 기뻐한다. 이미 마음에 기뻐한 것은 이해했다는 말이고, 일에서 더욱 자세히 살펴보는 것이 바로 생각에 연구하는 일이다. 연구하는 것은 더욱 연마한다는 뜻이다. '천하에 길흉을 정한다'는 것은 이 일을 변별한 것이고, '천하에 힘써야 할 일을 이룬다'는 것은 이 사업을 한 것이다."

---

16) 주진(朱震), 『한상역전(漢上易傳)』 권8.
17) 주희, 『주자어류』 권76, 114조목.

● 張氏栻曰 : "心之說也, 不忤於理, 慮之研也, 不昧於事, 則得者爲吉, 失者爲凶. 吉凶旣定, 則凡勉於事功者, 莫不弘之不息以成其功矣."[18]

장식(張栻)이 말했다. "마음의 기쁨이 이치에 거스르지 않고 생각의 연구가 일에 어둡지 않으면, 얻는 것은 길(吉)하고 잃는 것은 흉(凶)하다. 길과 흉이 이미 정해지고 나면 무릇 공적에 힘쓰는 자는 그것을 끊임없이 넓혀 그 공로를 이루지 않음이 없다."

● 谷氏家杰曰 : "'能說諸心, 能研諸慮', 二'能'字應下'成能'之能. 見此理人人具有, 唯聖人能說能研耳."

곡가걸(谷家杰)이 말했다. "'마음에 기쁠 수 있고 생각에 연구할 수 있다[能說諸心, 能研諸慮]'에서 두 개의 '능(能)'이라는 글자는 아래([계사하 12-4])의 '공능(功能)을 이룬다[成能]'라고 할 때의 '능(能)'이라는 글자와 호응한다. 이 이치는 사람마다 모두 갖추고 있지만 오직 성인만이 기뻐할 수 있고 연구할 수 있을 뿐이다."

18) 장식(張栻), 『남헌역설(南軒易說)』 권2.

是故變化云爲, 吉事有祥. 象事知器, 占事知來.

그러므로 변·화·말·행위에 길(吉)한 일은 상서로움이 있다. 일을
상징하여 기물(器物)을 알고, 일을 점쳐 앞으로 올 것을 안다.

本義

變化云爲, 故象事可以知器; 吉事有祥, 故占事可以知來.

변·화·말·행위가 있기 때문에 일을 상징하여 기물(器物)을 알 수
있고, 길(吉)한 일은 상서로움이 있기 때문에 일을 점쳐 앞으로 올
것을 알 수 있다.

集說

● 蘇氏軾曰 : "言易簡者無不知也."[19]

소식(蘇軾)이 말했다. "쉽고 간단한 자는 알지 못하는 것이 없음을
말한다."

●『朱子語類』, 問 : "有許多'變化云爲', 又吉事皆有休祥之應,

---

19) 소식(蘇軾),『동파역전(東坡易傳)』권8.

所以象事者於此而知器, 占事者於此而知來."
曰 : "是."20)

『주자어류』에서 물었다. "수많은 '변·화·말·행위'가 있고, 또 길
(吉)한 일은 모두 길한 조짐의 호응이 있기 때문에 일을 상징하는
자는 여기에서 기물(器物)을 알 수 있고, 일을 점치는 자는 여기에
서 앞으로 올 것을 알 수 있습니다."
(주자가) 대답했다. "그렇다."

● 何氏楷曰 : "凡人事之與吉逢者, 其先必有祥兆. 天人相感,
志一之動氣也. 聖人作易, 正以迪人於吉, 故獨以吉事言之, 與
吉之先見同義."21)

하해(何楷)가 말했다. "무릇 사람의 일이 길함을 만나는 경우는 먼
저 반드시 상서로운 조짐이 있다. 하늘과 사람이 서로 감응하는 것
은 뜻이 한결 같아 기(氣)를 움직이는 것이다. 성인이 역(易)을 지
은 것은 바로 그것으로 사람들을 길한 데로 이끄는 것이기 때문에
유독 길한 일로 그것을 말했으니, 길함이 먼저 나타난다는 것과 같
은 의미이다."

....
20) 주희, 『주자어류』 권76, 117조목.
21) 하해(何楷), 『고주역정고(古周易訂詁)』 권12.

天地設位, 聖人成能. 人謀鬼謀, 百姓與能.

천지가 자리를 확립하니 성인이 공능(功能)을 이룬다. 사람에게 도모하고 귀신에게 도모하니 백성이 그 공능에 참여한다.

本義

天地設位, 而聖人作易以成其功. 於是人謀鬼謀, 雖百姓之愚, 皆得以與其能.

천지가 자리를 확립하니 성인이 역(易)을 지어 그 공능을 이룬다. 이에 사람에게 도모하고 귀신에게 도모하니, 비록 어리석은 백성일지라도 모두 그 공능에 참여할 수 있게 되었다.

集說

● 『朱子語類』云: "'天地設位'四句, 說天人合處. '天地設位', 使聖人成其功能; '人謀鬼謀', 則雖百姓亦可與其能. '成能'與'與能', 雖大小不同, 然亦是小小底造化之功用."[22]

『주자어류』에서 말했다. "'천지가 자리를 확립하니' 이하의 네 구절

....

22) 주희, 『주자어류』 권76, 118조목.

은 하늘과 사람이 합치되는 곳을 말했다. '천지가 자리를 확립한다'는 것은 성인에게 그 공능을 이루도록 한다는 뜻이고, '사람에게 도모하고 귀신에게 도모한다'는 것은 그렇게 하면 비록 백성일지라도 또한 그 공능에 참여할 수 있다는 뜻이다. '공능을 이룬다'는 것과 '공능에 참여한다'는 것은 비록 크고 작은 차이가 있지만, 역시 작은 조화(造化)의 공용(功用)이다."

● 胡氏炳文曰 : "聖人成天地所不能成之能, 百姓得以與聖人所已成之能也."[23]

호병문(胡炳文)이 말했다. "성인은 천지가 이루지 못한 공능을 이루고, 백성은 성인이 이미 이루어 놓은 공능에 참여할 수 있다."

● 蔡氏淸曰 : "凡卜筮問易者, 先須謀諸人, 然後乃可問易. 雖聖人亦然, 故「洪範」曰'謀及卿士, 謀及庶人', 然後曰'謀及卜筮'; 又曰'朕志先定, 詢謀僉同', 然後'鬼神其依, 龜筮協從', 是也.'"[24]

채청(蔡淸)이 말했다. "무릇 점을 쳐서 역(易)에 물어보는 자는 먼저 반드시 사람들에게 도모하고 난 뒤에야 역(易)에 물어볼 수 있다. 비록 성인이라도 또한 그러하기 때문에 『서경』「홍범」에서, '도모함이 경사(卿士)에 미치고 서인(庶人)에 미친다'라고 말한 다음에 '도모함이 점치는 데 미친다'라고 말했으며,[25] 또 '짐의 뜻이 먼저

....

23) 호병문(胡炳文), 『주역본의통석(周易本義通釋)』 권6.
24) 채청(蔡淸), 『역경몽인(易經蒙引)』 권11하(下).
25) 『서경』「홍범」에서, '도모함이 경사(卿士)에 미치고 … '도모함이 점치는 데 미친다'라고 말했으며 : 『서경』「홍범」에서 "너는 큰 의심이 있으면 도

결정되었는데 사람들에게 물어 도모함에 모두 같았다'라고 말한 다음에 '귀신이 따라 순응하여 거북점과 시초점이 화합하여 따랐다'라고 말한 것이[26] 이것이다."

모함이 너의 마음에 미치고, 도모함이 경사(卿士)에 미치며, 도모함이 서인(庶人)에 미치고, 도모함이 복서(卜筮)에 미쳐야 한다.[汝則有大疑, 謀及乃心, 謀及卿士, 謀及庶人, 謀及卜筮.]'라고 하였다.

26) '짐의 뜻이 먼저 결정되었는데 … 거북점과 시초점이 화합하여 따랐다'라고 말한 것이 : 『서경』「홍범」에서 "우(禹)가 '공신(功臣)들을 낱낱이 점쳐서 오직 길한 사람을 따르십시오.'라고 말했다. 제순(帝舜)이 '우(禹)야! 복관(卜官)이 점을 판단하는 것은 먼저 자기의 뜻을 결정하고 나서 큰 거북에게 명한다. 짐의 뜻이 먼저 결정되었는데 사람들에게 물어 도모함에 모두 같으며 귀신이 따라 순응하여 거북점과 시초점이 화합하여 따랐으니, 점괘는 거듭 길하지 않은 법이다.'라고 대답했다.[禹曰, '枚卜功臣, 惟吉之從.' 帝曰, '禹! 官占惟先蔽志, 昆命于元龜, 朕志先定, 詢謀僉同, 鬼神其依, 龜筮協從, 卜不習吉.']"라고 하였다.

[계사하 12-5]

> 八卦以象告, 爻·彖以情言. 剛柔雜居, 而吉凶可
> 見矣.
>
> 8괘는 상징[象]으로 알려주고 효(爻)와 단(彖)은 실정[情]으로 말해
> 준다. 강·유가 뒤섞여 자리 잡으니 길·흉을 볼 수 있다.

本義

象, 謂卦畫. 爻·彖, 謂卦爻辭.

상(象)은 괘의 획(畫)을 말하고, 효(爻)와 단(彖)은 괘사와 효사(爻
辭)를 말한다.

集說

● 崔氏憬曰 : "伏羲始畫八卦, 因而重之, 以備萬物而告於人也.
爻, 謂爻下辭; 象, 謂卦下辭, 皆是聖人之情, 見乎繫辭, 而假爻
·象以言, 故曰'爻·象以情言.' 六爻剛柔相推, 而物雜居, 得理
則吉, 失理則凶, 故'吉凶可見'也."27)

최경(崔憬)이 말했다. "복희씨가 처음 8괘를 긋고 그것에 따라 거듭

---

27) 이정조(李鼎祚), 『주역집해(周易集解)』 권16에 최경의 말로 실려 있다.

한 것은 만물을 갖추어 사람들에게 알려준 것이다. 효(爻)는 효 아래의 설명을 말하고, 단(彖)은 괘 아래의 설명을 말하는 것으로, 모두 성인의 실정[情]이 설명을 붙인 말에 나타난 것인데, 효(爻)와 단(彖)에 가탁해서 말했기 때문에 '효(爻)와 단(彖)은 실정[情]으로 말해준다'라고 하였다. 6효의 강·유가 서로 추이(推移)하는데 사물이 뒤섞여 자리 잡으니, 이치를 얻으면 길하고 이치를 잃으면 흉하기 때문에 '길·흉을 볼 수 있다'라고 했다."

● 蔡氏清曰 : "八卦以象告, 則剛柔雜居矣 ; 爻象以情言, 則吉凶可見矣."[28]

채청(蔡淸)이 말했다. "8괘가 상징[象]으로 알려주는 것은 바로 강·유가 뒤섞여 자리 잡은 것이고, 효(爻)와 단(彖)이 실정[情]으로 말해줌은 바로 길·흉을 볼 수 있는 것이다."

---

28) 채청(蔡淸), 『역경몽인(易經蒙引)』 권11하(下).

[계사하 12-6]

> 變·動以利言, 吉·凶以情遷. 是故愛惡相攻而
> 吉·凶生, 遠近相取而悔·吝生, 情僞相感而利
> 害生. 凡易之情, 近而不相得, 則凶, 或害之, 悔
> 且吝.
>
> 바뀜과 움직임은 이로움으로 말하고, 길(吉)·흉(凶)은 실정[情]으
> 로 옮겨간다. 이 때문에 사랑함과 미워함이 서로 공격하여 길·
> 흉이 생기며, 멀고 가까움이 서로 취하여 후회·유감이 생기며,
> 실정과 허위가 서로 감응하여 이로움과 해로움이 생겨난다. 무릇
> 역(易)의 실정[情]은 가깝지만 서로 맞지 않으면 흉하거나 혹은
> 해롭게 하니, 후회하고 또 유감스럽다.

本義

不相得, 謂相惡也, 凶·害·悔·吝, 皆由此生.

'서로 맞지 않다[不相得]'는 것은 서로 미워함을 말하니, 흉함·해로
움·후회·유감이 모두 이것으로 말미암아 생긴다.

集說

● 崔氏憬曰: "遠, 謂應與不應; 近, 謂比與不比. 或取遠應而舍
近比, 或取近比而舍遠應. 由此遠近相取, 所以生悔吝於繫辭

矣."29)

최경(崔憬)이 말했다. "멀다는 것은 호응함과 호응하지 않음을 말하고, 가깝다는 것은 이웃함과 이웃하지 않음을 말한다. 혹은 멀리 호응하는 것을 취하고 가까이 이웃하는 것을 버리는 경우도 있으며, 혹은 가까이 이웃하는 것을 취하고 멀리 호응하는 것을 버리는 경우도 있다. 이로 말미암아 먼 것과 가까운 것이 서로 취하기 때문에 설명을 붙인 것에 후회와 유감이 생겨난다."

● 項氏安世曰:"'愛惡相攻'以下, 皆言'吉凶以情遷'之事, 而以六爻之情與辭明之. 吉凶·悔吝·利害之三辭, 分出於相攻·相取·相感之三情, 而總屬於相近之一情, 此四者, 爻之情也. 命辭之法, 必各象其爻之情, 故觀其辭可以知其情.

항안세(項安世)가 말했다. "'사랑함과 미워함이 서로 공격하여'라는 말 아래는 모두 '길(吉)·흉(凶)은 실정[情]으로 옮겨간다'는 일을 말했는데, 6개 효의 실정[情]과 설명으로 그것을 밝혔다. 길함과 흉함, 후회와 유감, 이로움과 해로움이라는 세 가지 설명은 서로 공격함, 서로 취함, 서로 감동함이라는 세 가지 실정에서 나누어 나오지만, 총괄해보면 서로 가깝다는 하나의 실정에 속하니 이 네 가지는 효(爻)의 실정이다. 설명을 붙이는 법은 반드시 각각 그 효의 실정을 상징하기 때문에 그 설명을 살펴보면 그 실정을 알 수 있다.

利害者, 商略其事有利有不利也, 悔吝則有跡矣, 吉凶則其成也, 故總而名之曰吉凶. 相感者情之始交, 故以利害言之; 相取則有

29) 이정조(李鼎祚), 『주역집해(周易集解)』 권16에 최경의 말로 실려 있다.

事矣, 故以悔吝言之; 相攻則其事極矣, 故以吉凶言之. 愛惡·遠
近·情僞, 姑就淺深分之. 若錯而綜之, 則相攻·相取·相感之人,
其居皆有遠近, 其行皆有情僞, 其情皆有愛惡也, 故總以相近一
條明之.

이로움과 해로움은 그 일이 이로움이 있는지 이롭지 않음이 있는지
를 검토하는 것이고, 후회와 유감은 자취가 있는 것이며, 길함과 흉
함은 그것이 이루어진 것이기 때문에 총괄해 이름하여 길함과 흉함
이라고 했다. 서로 감응하는 것은 실정이 처음 교류하는 것이기 때
문에 이로움과 해로움으로 말했고, 서로 취하는 것은 일이 있기 때
문에 후회와 유감으로 말했으며, 서로 공격하는 것은 그 일이 극진
한 데 이르렀기 때문에 길함과 흉함으로 말했다. 사랑함과 미워함,
멀고 가까움, 실정과 허위는 잠시 얕음과 깊음의 정도로 그것을 나
눈 것이다. 만약 그것을 착종한다면 서로 공격하고 서로 취하며 서
로 감동하는 사람은 그 자리 잡은 것이 모두 멀거나 가까움이 있고,
그 행위가 모두 실정과 허위가 있으며, 그 실정이 모두 사랑함과
미워함이 있을 것이기 때문에 총괄하여 서로 가깝다는 한 조목으로
그것을 밝혔다.

近而不相得, 則以惡相攻而凶生矣, 以僞相感而害生矣, 不以近
相取而悔吝生矣. 是則一近之中, 備此三條也. 凡爻有比爻, 有
應爻, 有一卦之主爻, 皆情之當相得者也. 今稱近者, 止據比爻
言之, 反以三隅, 則遠而爲應爲主者, 亦必備此三條矣. 但居之
近者, 其吉凶尤多, 故聖人槪以近者明之."[30]

가깝지만 서로 맞지 않으면 미워함으로 서로 공격하여 흉함이 생겨

30) 항안세(項安世), 『주역완사(周易玩辭)』 권14.

나고, 허위로 서로 감응하여 해로움이 생겨나며, 가까운 것이 서로 취하지 못하여 후회와 유감이 생겨난다. 이렇다면 하나의 가까움 가운데 이 세 가지 조목을 갖추고 있다. 무릇 효(爻)에는 이웃하는 효가 있고, 호응하는 효가 있으며, 한 괘의 주인이 되는 효가 있는데, 모두 실정의 마땅함이 서로 맞는 것이다. 이제 가깝다고 일컫은 것은 다만 이웃하는 효에 의거하여 말했지만, 남은 세 귀퉁이를 반증하면[31] 멀면서도 호응하거나 주인이 되는 것은 또한 반드시 이 세 가지 조목을 갖추고 있다. 다만 자리 잡음이 가까운 것은 그 길함과 흉함이 더욱 많기 때문에 성인이 개괄하여 가까운 것으로 그것을 밝혔을 뿐이다."

● 吳氏澄曰 : "害者利之反, 凡占曰'不利'·'無攸利'者害也. 近而不相得, 則凶害悔吝; 其相得, 則吉利悔亡, 無悔無咎, 從可知也."[32]

오징(吳澄)이 말했다. "해로움은 이로움의 반대이니, 무릇 점쳐서 '이롭지 않다'거나 '이로운 것이 없다'라고 하는 것은 해로움이다. 가깝지만 서로 맞지 않으면 흉하고 해로우며 후회하고 유감스럽다. 그렇지만 서로 맞으면 길하고 이로워 후회가 없어질 것이니 후회가 없고 허물이 없음을 그에 따라 알 수 있다."

....

31) 남은 세 귀퉁이를 반증하면 : 『논어』「술이(述而)」에서 "공자가 말했다. '마음속으로 통하려고 노력하지 않으면 열어주지 않고, 애태워하지 않으면 말해주지 않는다. 한 귀퉁이를 들어주었는데 이것을 가지고 남은 세 귀퉁이를 반증(反證)하지 못하면 다시 더 일러주지 않는다.'[子曰 : '不憤不啓, 不悱不發. 擧一隅, 不以三隅反, 則不復也.']"라고 하였다.
32) 오징(吳澄), 『역찬언(易纂言)』 권8.

● 胡氏一桂曰 : "'凡易之情'以下, 獨舉近者總言之. 近而相取, 其情乃不相得, 此必其初之以僞感, 終至於惡而相攻, 是以凶耳. 既至於凶, 其於害悔吝可知已."[33]

호일계(胡一桂)가 말했다. "'무릇 역(易)의 실정[情]은'이라는 말 아래에는 유독 가까운 것을 들어 총괄하여 말했다. 가까워 서로 취했는데 그 실정이 서로 맞지 않으면, 이는 반드시 그 처음이 허위로 감응하여 끝내 미워하기에 이르러 서로 공격하니 이 때문에 흉할 뿐이다. 이미 흉함에 이르면 그 해로움에 대하여 후회하고 유감스러움을 알 수 있다."

● 蔡氏淸曰 : "'愛惡相攻'三句平等說. 下文卻合言之曰, 大抵凡易之情, 近而相得者爲貴, 不相得而遠者亦無害, 唯是近而不相得者則凶, 又有害而悔且吝矣."[34]

채청(蔡淸)이 말했다. "'사랑함과 미워함이 서로 공격하여 길·흉이 생기며, 멀고 가까움이 서로 취하여 후회·유감이 생기며, 실정과 허위가 서로 감응하여 이로움과 해로움이 생겨난다'라는 세 구절은 평등하게 말한 것이다. 그 아래 글은 또한 그것을 합쳐서 말하여, 대개 무릇 역(易)의 실정[情]은 가깝고 서로 맞는 것이 귀하며, 서로 맞지 않고 먼 것은 또한 해로움이 없는데, 오직 가깝지만 서로 맞지 않는 것이 흉하고 또 해로움이 있어 후회하고 유감스럽다고 하였다."

● 又曰 : "'吉凶悔吝利害'六字, 大抵吉凶重於利害, 利害重於悔

---

33) 호일계(胡一桂), 『역부록찬주(易附錄纂註)』 권8.
34) 채청(蔡淸), 『역경몽인(易經蒙引)』 권11하(下).

吝, 故末句先凶次害, 又次悔吝. 而凡曰吉凶見乎外, 吉凶以情遷, 則皆該利害與悔吝矣."35)

(채청이) 또 말했다. "길함, 흉함, 후회, 유감, 이로움, 해로움 이 여섯 가지에서, 대개 길함과 흉함이 이로움과 해로움보다 중요하고, 이로움과 해로움이 후회와 유감보다 중요하기 때문에 끝 구절에서 흉함을 먼저 말하고 해로움을 다음으로 말했으며 또 후회와 유감을 그 다음으로 말했다. 그런데 무릇 길·흉이 밖으로 드러나 길·흉은 실정[情]으로 옮겨간다고 말하면, 이로움과 해로움, 후회와 유감을 모두 갖춘다."

● 林氏希元曰 : "'近而不相得', 是解'遠近相取而悔吝生'一句, 並'愛惡相攻'兩句亦解. 蓋遠近相取而悔吝生,36) 這裏分情相得不相得. 情相得者, 遠相取而悔吝; 情不相得者, 近相取而悔吝. 但此意未明, 故於此發之. 只曰近不曰遠者, 舉近則遠者可以三隅反也. 夫近而不相得則凶, 可見惡相攻而凶生者, 以其近也, 僞相感而害生者, 亦以其近也. 故曰是並解'愛惡相攻'兩句."37)

임희원(林希元)이 말했다. "'가깝지만 서로 맞지 않다'는 것은 '멀고 가까움이 서로 취하여 후회·유감이 생겨난다'라는 구절을 풀이한 것이지만, 또 '사랑함과 미워함이 서로 공격하여 길·흉이 생겨난다'와 '실정과 허위가 서로 감응하여 이로움과 해로움이 생겨난다'라는

---

35) 채청(蔡淸), 『역경몽인(易經蒙引)』 권11하(下).
36) 蓋遠近相取而悔吝生 : 임희원(林希元), 『역경존의(易經存疑)』 권11에는 "蓋上文遠近相取而悔吝生[대개 윗글에서는 멀고 가까움이 서로 취하여 후회·유감이 생겨난다고 했지만]"이라고 되어 있다.
37) 임희원(林希元), 『역경존의(易經存疑)』 권11.

두 구절도 풀이하고 있다. 대개 멀고 가까움이 서로 취하여 후회
·유감이 생겨나지만 여기에서는 실정이 서로 맞는 것과 맞지 않는
것으로 나누었다. 실정이 서로 맞는 것은 먼 것이 서로 취하여 후
회하고 유감스러운 것이며, 실정이 서로 맞지 않는 것은 가까운 것
이 서로 취하여 후회하고 유감스러운 것이다. 다만 이러한 뜻이 분
명하지 않기 때문에 여기에서 그것을 드러내었다. 가까운 것만을
말하고 먼 것을 말하지 않은 까닭은 가까운 것을 들면 먼 것은 세
귀퉁이를 반증할 수 있기 때문이다. 무릇 가까운데도 서로 맞지 않
으면 흉하니, 미워함이 서로 공격하여 흉함이 생겨나는 것은 그것
이 가깝기 때문이며, 허위가 서로 감응하여 해로움이 생겨나는 것
도 또한 그것이 가깝기 때문임을 알 수 있다. 그러므로 이것은 '사
랑함과 미워함이 서로 공격하여 길·흉이 생겨난다'와 '실정과 허위
가 서로 감응하여 이로움과 해로움이 생겨난다'라는 두 구절을 아
울러 풀이하고 있는 것이라고 했다."

案

● 此條諸說相參, 極詳密矣. 然尙有須補備者, 諸說皆以近爲
相比之爻, 於易例未盡. 應爻雖遠, 然旣謂之應, 地雖遠而情則
近也. 先儒蓋因上章"四多懼, 近也. 柔之爲道, 不利遠者", 故必
以相比爲近. 然彼就二·四而言之, 則有遠近之別; 此就六爻而
統論之, 則比與應皆近也. 觀蒙之六四曰'獨遠實也', 以其比應
皆陰也. 如雖無比而有應, 亦不得謂之遠實矣. 故易於應爻, 有
曰'婚媾'者, 有曰'宗'者, 有曰'主'者, 有曰'類'者, 皆親近之稱也.
'遠近相取', 須分無比應者爲遠, 有比應者爲近, 乃爲完備.

이 조목의 여러 주장들을 서로 참조하면 매우 상세하고 면밀하다.
그러나 여전히 보충해 갖출 것이 있으니, 여러 주장들이 모두 가까

운 것을 서로 이웃하는 효(爻)로 여기고 있는데, 역(易)의 사례에서 미진한 점이 있다. 호응하는 효가 비록 멀지만 이미 호응한다고 말했다면, 장소는 멀어도 실정[情]은 가깝다. 선배 학자들이 대체로 윗 장([계사하 9-5])에서 "제4효가 두려움이 많은 것은 군주의 자리와 가깝기 때문이다. 유(柔)의 도(道)는 멀리 있는 것이 이롭지 않다"라고 말한 것 때문에 반드시 서로 이웃하는 것을 가까운 것으로 여겼다. 그러나 윗 장([계사하 9-5])의 경우는 제2효와 제4효에서 말하면 멀고 가까운 구별이 있다는 것이고, 이 장(章)의 경우는 6개의 효를 총괄해서 논하면 이웃하는 것과 호응하는 것이 모두 가깝다는 뜻이다. 몽(蒙䷃)괘 육사효에서 '유독 실(實 : 陽)과 멀기 때문이다'[38]라고 한 것을 살펴보면 그것은 이웃하는 것과 호응하는 것이 모두 음(陰)이기 때문이다. 만약 비록 이웃하는 것이 없지만 호응하는 것이 있으면, 그것을 실(實 : 陽)과 멀다고 말할 수 없다. 그러므로 역(易)은 호응하는 효에 대해 '혼구(婚媾 : 배우자)'라고 말한 것도 있고,[39] '종(宗 : 宗黨)'이라고 말한 것도 있으며,[40] '주(主 : 주인)'라고 말한 것도 있고,[41] '유(類 : 族類)'라고 말한 것도 있는데,[42] 모두 친근하다는 호칭이다. '멀고 가까움이 서로 취한다'라는

---

38) 유독 실(實 : 陽)과 멀기 때문이다 : 몽괘 육사효 상전(象傳)에서 "「상전」에 말했다. '몽(蒙)에 곤궁한 유감은 유독 실(實 : 陽)과 멀기 때문이다.' [象曰 : '困蒙之吝, 獨遠實也.]"라고 하였다.

39) '혼구(婚媾 : 배우자)'라고 말한 것도 있고 : 준(屯)괘 육이·육사효 효사, 비(賁)괘 육사효 효사, 규(睽)괘 상구효 효사, 진(震)괘 상육효 효사 등에서 '혼구(婚媾 : 배우자)'라고 말했다.

40) '종(宗 : 宗黨)'이라고 말한 것도 있으며 : 동인(同人)괘 육이효 효사와 규(睽)괘 육오효 효사에서 '종(宗 : 宗黨)'이라고 말했다.

41) '주(主 : 주인)'라고 말한 것도 있고 : 규(睽)괘 구이효 효사와 풍(豐)괘 초구·구사효 효사에서 '주(主 : 주인)'라고 말했다.

것은 반드시 이웃하거나 호응하는 것이 없는 것이 먼 것이 되고, 이웃하거나 호응함이 있는 것이 가까운 것이 되는 것으로 나누어야 완비된다.

● 易之情, 其有遠近者, 固從爻位而生. 若愛惡‧情僞, 則從何 處生來? 須知易爻吉凶, 皆在‘時’‧‘位’‧‘德’三字上取. ‘時’隨卦義 而變, 時變則有愛惡矣. 如泰之時則交, 否之時則隔, 比之時則 和, 訟之時則爭, 是‘愛惡相攻’者, 由於時也. ‘位’逐六爻而異, 位 異則有遠近矣. 如比之‘內比’‧‘外比’, 觀之‘觀光’者, 近也; 蒙之 ‘困蒙’, 復之‘迷復’者, 遠也. 是‘遠近相取’者, 由於位也. 德由剛 柔‧當否而別, 德別則有情僞矣. 如同人五之‘號咷’, 豫二之‘介 石’, 以中正也; 同人三之‘伏戎’, 豫三之‘盱豫’, 以不中正也. 是‘情 僞相感’者, 由於德也.

역(易)의 실정[情]에 멀고 가까움이 있는 것은 본디 효(爻)의 자리에서 생겨난다. 그런데 사랑함과 미워함, 실정과 허위와 같은 것은 어디에서 생겨 나오는가? 역(易)의 효에서 길함과 흉함은 모두 ‘때’‧‘자리’‧‘덕’ 세 가지에서 취하는 것임을 반드시 알아야 한다. ‘때’는 괘의 의미에 따라 변하니, 때가 변하면 사랑함과 미워함이 있게 된다. 예컨대 태(泰☷☰)괘의 때는 교류하고 비(否☰☷)괘의 때는 간격을 두며, 비(比☵☷)괘의 때는 화합하고 송(訟☰☵)괘의 때는 다투는 것과 같다. 이것은 ‘사랑함과 미워함이 서로 공격하는 것’이 때에서 말미암는다는 말이다. ‘자리’는 6개의 효를 좇아 달라지니, 자리가 다르면 멀고 가까움이 있게 된다. 예컨대 비(比☵☷)괘의 ‘안으로 이

<hr>

42) ‘유(類 : 族類)’라고 말한 것도 있는데 : 이(頤)괘 육이효 상전과 중부(中 孚)괘 육사효 상전에서 ‘유(類 : 族類)’라고 말했다.

웃함'43)과 '밖으로 이웃함',44) 관(觀☷☴)괘의 '나라의 빛남을 봄'45)과
같은 것이 가까운 것이고, 몽(蒙☶☵)괘의 '몽매함에 곤궁함'46)과 복
(復☷☳)괘의 '돌아옴에 혼미함'47)과 같은 것이 먼 것이다. 이것은 '멀
고 가까움이 서로 취하는 것'이 자리에서 말미암는다는 뜻이다. 덕
은 강(剛)·유(柔)와 마땅함·마땅하지 않음으로 말미암아 구별되
고, 덕이 구별되면 실정과 허위가 있게 된다. 예컨대 동인(同人☰☲)
괘 구오의 '울부짖음'48)과 예(豫☳☷)괘 육이의 '절개가 돌과 같음'49)
은 중정(中正)이기 때문이고, 동인(同人☰☲)괘 구삼의 '군대를 풀 속
에 숨겨둠'50)과 예(豫☳☷)괘 육삼의 '위로 올려보고 기뻐함'51)은 중

----

43) 안으로 이웃함 : 비(比☵☷)괘 육이효 효사에서 "六二, 比之自內, 貞吉.[육이
   (六二)는 이웃하기를 안으로 하니, 정(貞)하여 길(吉)하다.]"라고 하였다.

44) 밖으로 이웃함 : 비(比☵☷)괘 육사효 효사에서 "六四, 外比之, 貞吉.[육사
   (六四)는 밖으로 이웃하니, 정(貞)하여 길(吉)하다.]"라고 하였다.

45) 나라의 빛남을 봄 : 관(觀☴☷)괘 육사효 효사에서 "六四, 觀國之光, 利用
   賓于王.[육사(六四)는 나라의 빛남을 봄이니, 왕에게 손님이 됨이 이롭
   다.]"라고 하였다.

46) 몽매함에 곤궁함 : 몽(蒙☶☵)괘 육사효 효사에서 "六四, 困蒙, 吝.[육사(六
   四)는 몽매함에 곤궁함이니 유감스럽다.]"라고 하였다.

47) 돌아옴에 혼미함 : 복(復☷☳)괘 상육효 효사에서 "上六, 迷復, 凶, 有災眚,
   用行師, 終有大敗, 以其國 君凶至于十年, 不克征.[상육(上六)은 돌아
   옴에 혼미하므로 흉하니, 재생(災眚)이 있어 군대를 동원하는 데 쓰면
   끝내 대패(大敗)하여, 나라의 군주와 더불어 흉하여 10년에 이르도록 가
   지 못할 것이다.]"라고 하였다.

48) 울부짖음 : 동인(同人☰☲)괘 구오효 효사에서 "九五, 同人, 先號咷而後
   笑, 大師克, 相遇.[구오(九五)는 남과 함께 하되 먼저는 울부짖다가 나중
   에는 웃으니, 큰 군대로 이겨야 서로 만난다.]"라고 하였다.

49) 절개가 돌과 같음 : 예(豫☳☷)괘 육이효에서 "六二, 介于石. 不終日, 貞
   吉.[육이(六二)는 절개가 돌과 같아 하루가 끝나기 전에 떠나가니, 정
   (貞)하여 길(吉)하다.]"라고 하였다.

정(中正)하지 않기 때문이다. 이는 '실정과 허위가 서로 감응하는
것'이 덕에서 말미암는다는 말이다.

時有消息盈虛之變, 位有貴賤上下之異, 德有剛柔善惡之別. 此
三者皆吉凶悔吝之根, 然其發動, 皆因彼己之交而起. 所謂彼己
之交者, 比也, 應也. 非因比應, 則無所謂'相攻'也, 無所謂'相取'
也, 無所謂'相感'也. 所謂相攻·相取·相感者, 皆以比應言之,
故下獨擧'近而不相得'以見例.

때에는 줄어듦과 불어남, 채워짐과 비워짐의 변화가 있고, 자리에
는 귀함과 천함, 위와 아래의 다름이 있으며, 덕에는 강(剛)·유(柔)
와 선·악의 구별이 있다. 이 세 가지는 모두 길흉회린의 뿌리이지
만 그것이 움직이기 시작하는 것은 모두 상대와 자신의 교류에 따
라 일어난다. 이른바 상대와 자신의 교류가 이웃함이고 호응함이
다. 이웃함과 호응함에 따르지 않는다면 이른바 '서로 공격함', '서
로 취함', '서로 감응함'은 없을 것이다. 이른바 '서로 공격함', '서로
취함', '서로 감응함'은 모두 이웃함과 호응함으로 말한 것이기 때문
에 아래에 유독 '가깝지만 서로 맞지 않는다'는 것을 들어 그 사례
를 드러내었다.

....

50) 군대를 풀 속에 숨겨둠 : 동인(同人☲)괘 구삼효 효사에서 "九三, 伏戎于
莽, 升其高陵, 三歲不興.[구삼(九三)은 군대를 풀 속에 숨겨두고 높은
구릉에 올라가서 3년이 되어도 일어나지 못한다.]"라고 하였다.
51) 위로 올려보고 기뻐함 : 예(豫☷)괘 육삼효에서 "六三, 盱豫. 悔, 遲, 有
悔.[육삼(六三)은 위로 올려보고 기뻐하므로 후회할 것이니, 후회를 더
디게 하면 후회가 있을 것이다.]"라고 하였다.

近而相得, 相愛者也, 相取者也, 以情相感者也, 善之善者也. 不
相得者而遠, 則雖惡而不能相攻也, 不近而不得相取也, 雖僞而
不與相感也, 善之次也. 宜相得者而遠, 則雖愛而不得相親也,
不近而不能相取也, 雖有情而無以相感也, 又其次也.

가까우면서 서로 맞는 것은 서로 사랑하는 것이고 서로 취하는 것
이며 실정[情]으로 서로 감응하는 것이니, 선함 가운데 선한 것이
다. 서로 맞지 않아 멀면 비록 미워하지만 서로 공격할 수 없고 가
깝지 않아 서로 취할 수 없으며, 비록 허위이지만 더불어 서로 감
응하지 못하니, 선함 가운데 그 다음이다. 마땅히 서로 맞는 것이
지만 멀면 비록 사랑하지만 서로 친밀할 수 없고 가깝지 않아서 서
로 취할 수 없으며, 비록 실정이지만 서로 감응할 것이 없으니, 또
다시 선함 가운데 그 다음이다.

惟近而不相得, 則以惡相攻, 以近相取, 以僞相感, 人事之險阻
備矣. 大者則凶, 極其惡之情者也, 同人三之'敵剛'是也. 次者則
害, 防其僞之端者也, 兌之'介疾·孚剝'是也. 輕者猶不免於悔吝,
如豫·萃之三, 雖以近而從四, 然以非同類而曰悔曰吝者此也.
易者敎人知險知阻, 故特擧此條以見例, 餘者可以三隅反也. 故
觀易者, 須先知時·位·德·比·應五字, 又須知時·位·德之當
否, 皆於比應上發動. 其義莫備於此章矣.

오직 가깝지만 서로 맞지 않으면, 미워함으로 서로 공격하고 가까
움으로 서로 취하며 허위로 서로 감응하니, 사람의 일에서 험난함
과 고난이 갖추어진다. 그것이 큰 것은 흉하여 그 미워하는 실정을
지극히 하는 자이니, 동인(同人☰)괘 구삼효의 '적이 굳세다'[52]라는

52) 적이 굳세다 : 동인(同人☰)괘 구삼효 상전에서 "象曰, '伏戎于莽, 敵剛也,

것이 이것이다. 그 다음은 해로워 그 허위의 단서를 막는 자이나, 태(兌☱)괘의 '지조를 지켜 사악함을 미워함'[53]과 '박(剝 : 양〈陽〉을 해치는 자)을 믿음'[54]이 이것이다. 가벼운 것은 여전히 후회와 유감을 모면하지 못하니, 예컨대 예(豫☷)괘와 췌(萃☷)괘의 육삼효가 비록 구사효와 가까워 좇지만 같은 부류가 아니기 때문에 '후회가 있다'[55]고 하고 '유감이 있다'[56]고 한 것이 이것이다. 역(易)은 사람들에게 험난함과 고난을 알도록 하는 것이기 때문에 특별히 이 조목을 들어 그 사례를 보여 주었으니 그 나머지는 한 귀퉁이를 들면 나머지 세 귀퉁이를 반증할 수 있을 것이다. 그러므로 역을 살펴보는 사람은 반드시 때·자리·덕·이웃함·호응함 다섯 가지를 먼저 알아야 하고, 또 반드시 때·자리·덕의 마땅함과 마땅하지 않음이 모두 이웃함과 호응함에서 움직이기 시작한다는 것을 알아야 한다. 이러한 의미가 이 장(章)보다 잘 갖추어진 것이 없다.

....

三歲不興, 安行也.'[「상전」에 말했다. '군대를 숲 속에 숨기는 것은 적이 굳세기 때문이고, 3년이 되어도 일어나지 못하니, 어찌 행하겠는가?']"라고 하였다.

53) 지조를 지켜 사악함을 미워함 : 태(兌☱)괘 구사효 효사에서 "九四, 商兌未寧, 介疾, 有喜.[구사(九四)는 기뻐함을 헤아리느라 편안하지 못하지만 지조를 지켜 사악함을 미워하니, 기쁜 일이 있을 것이다.]"라고 하였다.

54) 박(剝 : 양〈陽〉을 해치는 자)을 믿음 : 태(兌☱)괘 구오효 효사에서 "九五, 孚于剝, 有厲.[구오(九五)는 박(剝 : 양〈陽〉을 해치는 자)을 믿으면 위태로움이 있을 것이다.]"라고 하였다.

55) 후회가 있다 : 예(豫☷)괘 육삼효 효사에서 "六三, 肝豫, 悔, 遲有悔.[육삼(六三)은 올려 보고 기뻐하므로 후회할 것이니, 후회를 더디게 하면 후회가 있을 것이다.]"라고 하였다.

56) 유감이 있다 : 췌(萃☷)괘 육삼효 효사에서 "六三, 萃如嗟如. 无攸利, 往无咎, 小吝.[육삼(六三)은 모이려고 하다가 뜻을 이루지 못하여 한탄한다. 이로운 것이 없으니, 가면 허물이 없지만 조금 유감이 있다.]"라고 하였다.

> 將叛者其辭慚, 中心疑者其辭枝, 吉人之辭寡, 躁
> 人之辭多, 誣善之人其辭遊, 失其守者其辭屈.

장차 배반할 사람은 그 말이 부끄럽고, 속마음이 의심스러운 사람
은 그 말이 산만하며, 길(吉)한 사람은 말이 적고, 조급한 사람은
말이 많으며, 선을 모함하는 사람은 그 말이 오락가락하고, 그
지조를 잃은 사람은 그 말이 굴복한다.

本義

卦爻之辭, 亦猶是也.

괘사와 효사 또한 이와 같다.

此第十二章

이는 제12장이다.

集說

● 王氏申子曰 : "歉於中者必愧於外, 故'將叛者其辭慚'; 疑於中
者必泛其說, 故'中心疑者其辭枝.' 吉德之人見理直, 故其辭寡;
躁競之人急於售, 故其辭多. 誣善類者, 必深匿其跡而陰寓其忮,

故其辭遊; 失其守者, 必見義不明而內無所主, 故其辭屈."[57]

왕신자(王申子)가 말했다. "마음에 부족함이 있는 사람은 반드시 밖으로 부끄러워하기 때문에 '장차 배반할 사람은 그 말이 부끄럽고', 마음에 의심이 있는 사람은 반드시 그 말이 엎어지기 때문에 '속마음이 의심스러운 사람은 그 말이 산만하다.' 훌륭한 덕을 갖춘 사람은 이치를 보는 것이 바르기 때문에 그 말이 적고, 조급하여 다투는 사람은 설득시키는데 급급하기 때문에 그 말이 많다. 선을 모함하는 사람은 반드시 그 흔적을 깊이 숨기고 그 시기심을 몰래 감추기 때문에 그 말이 오락가락하고, 그 지조를 잃은 사람은 반드시 의리를 보는 것이 밝지 못하고 안으로 줏대가 없기 때문에 그 말이 굴복한다."

● 吳氏澄曰: "此篇之首, 泛言辭變象占四道, 而末句歸重於辭, 且以本於聖人之情. 至於卒章凡二節, 其中亦言四道, 而首末皆言象爻之辭, 末又本於易之情, 以終繫辭之傳. 蓋唯聖人之情, 能知易之情而繫易之辭也, 是爲一篇始終之脈絡云."[58]

오징(吳澄)이 말했다. "이 편(篇)의 첫머리에서는 사(辭 : 설명)·변(變)·상(象)·점(占)의 네 가지 도(道)를 넓게 말했지만, 끝 구절은 사(辭 : 설명)에 중점을 돌리고, 또 성인의 실정[情]에 근본하였다. 끝 장(章) 두 구절의 경우는 그 중간에 또한 네 가지 도(道)를 말하고 첫머리와 끝에 모두 단사와 효사를 말했으며, 끝에는 또 역(易)의 실정에 근본하여 「계사전」을 끝맺었다. 오직 성인의 실정[情]이

57) 왕신자(王申子), 『대역집설(大易緝說)』 권10.
58) 오징(吳澄), 『역찬언(易纂言)』 권8.

라야 역의 실정을 알 수 있고 역의 사(辭 : 설명)를 붙일 수 있으니,
이것이 이 「계사전」 한 편(篇)의 처음과 끝의 맥락이 될 것이다."

● 張氏振淵曰 : "此節卽人之辭以情遷者, 驗易之辭以情遷也."

장진연(張振淵)이 말했다. "이 구절은 사람의 사(辭 : 설명)로 실정
이 옮겨가는 것에 따라 역(易)의 사(辭 : 설명)로 실정이 옮겨가는
것을 증험하였다."

案

此章亦總上十一章之意而通論之. 易簡, 卽上下傳首章所謂乾
坤之理, 而聖人體之以立極者, 故此卽以乾坤爲聖人之名稱, 見
易道之本, 聖心所自具也. 易與險反, 故'知險'; 簡與阻反, 故'知
阻.' 以是說諸心, 卽以是研諸慮. 凡天下所謂吉凶·亹亹者, 固
已豫定取成於聖人之心矣. 於是仰觀變化, 俯察云爲, '知以藏
往'而通其象, '神以知來'而裕其占, 此所以作『易』而天地之功以
成, 百姓之行以濟也.

이 장(章)도 또한 위의 11개 장의 뜻을 총괄하여 그것을 통틀어 논
했다. 쉬움과 간단함은 곧 「계사전」 상전과 하전 첫 장(章)의 이른
바 건·곤의 이치이고 성인이 그것을 체득하여 표준을 세운 것이기
때문에 여기에서는 곧 건·곤으로 성인의 명칭을 삼았으니, 역(易)
의 도의 근본을 성인의 마음이 본래 갖춘 것임을 알 수 있다. 쉬움
은 험난함과 반대되기 때문에 '험난함을 알고', 간단함은 고난과 반
대되기 때문에 '고난을 안다.' 이로써 마음에 기뻐하는 것은 곧 이
로써 생각에 연구하는 것이다. 무릇 천하의 이른바 길흉과 힘써야

할 일은 본디 성인의 마음에 이미 미리 정해져 있고 취해서 이루는 것이다. 이에 변화를 우러러 관찰하고 말·행위를 살펴보아 '지혜로 지나간 것을 간직하여' 그 상(象)을 통달하며 '신(神)으로 앞으로 올 것을 알아' 그 점(占)을 넉넉하게 하니, 이것이 『역』을 지어 천지의 공로를 이루고 백성들의 행위를 구제하는 일이다.

'爻·象動乎內'者以象告, '吉·凶見乎外'者以情言, '功業見乎變者'以利言, '聖人之情見乎辭'者以情遷. 時有順逆而愛惡生焉, 位有離合而遠近判焉, 德有淑慝而情僞起焉. 此三者易之情也, 吉利凶害悔吝之辭, 所由興也. 在易則爲易之情, 聖人從而發揮之, 則吉凶之途明, 而利害之幾審, 此卽聖人之情也. 故言凡人之情著於辭而不可掩者六, 反切上章所謂'有憂患'者其辭危也.

'효(爻)와 상(象)이 안에서 움직인다'는 것은 상(象)으로 알려주는 것이고, '길(吉)과 흉(凶)이 밖에 나타난다'는 것은 실정으로 말하는 것이며, '공업(功業)이 변(變)에 나타난다'는 것은 이로움으로 말하는 것이고, '성인의 정(情)이 사(辭 : 설명)에 나타난다'는 것은 실정[情]으로 옮겨간다는 것이다. 때에 순조로움과 거스름이 있어 사랑하고 미워함이 생겨나고, 자리에 떨어짐과 붙음이 있어 멀고 가까움이 갈라지며, 덕에 맑음과 사특함이 있어 실정과 허위가 일어난다. 이 세 가지는 역의 실정이니 길함, 이로움, 흉함, 해로움, 후회, 유감이라는 말이 여기에 말미암아 일어난다. 역에서는 역의 실정이 되고, 성인이 그것을 좇아 발휘하면 길함과 흉함의 길이 밝혀지며 이로움과 해로움의 기미가 살펴질 것이니, 이것이 곧 성인의 정(情)이다. 그러므로 무릇 사람의 정(情)이 사(辭 : 설명)에 드러나 가릴 수 없는 것이 여섯 가지인데, 윗 장(章)을 반절하여[계사하 7-1]에서 이른바 '우환이 있다'는 것은 그 사(辭 : 설명)가 위태롭다는 것을 말한다.

文言傳
문언전

제16권

此篇申「彖傳」·「象傳」之意, 以盡乾·坤二卦之蘊. 而餘卦之
說, 因可以例推云.

이 편은 「단전(彖傳)」과 「상전(象傳)」의 뜻을 펼쳐 설명하여 건·곤
두 괘의 깊은 의미를 다 발휘하였다. 그 나머지 괘에 대한 설명은
이에 따라 그 사례로 미루어 말할 수 있다.

건괘 문언 1

元者, 善之長也; 亨者, 嘉之會也; 利者, 義之和
也; 貞者, 事之幹也.

원(元)은 선의 으뜸이고, 형(亨)은 아름다움의 모임이며, 이(利)는
의(義)의 화합이고, 정(貞)은 일의 근간이다.

本義

'元'者, 生物之始, 天地之德, 莫先於此. 故於時爲春, 於人則
爲仁, 而衆善之長也. '亨'者, 生物之通, 物至於此, 莫不嘉美.
故於時爲夏, 於人則爲禮, 而衆美之會也. '利'者, 生物之遂,
物各得宜, 不相妨害. 故於時爲秋, 於人則爲義, 而得其分之
和. '貞'者, 生物之成, 實理具備, 隨在各足. 故於時爲冬, 於
人則爲智, 而爲衆事之幹. 幹, 木之身, 而枝葉所依以立者也.

'원(元)'은 만물을 생겨나게 하는 시작이니, 천지의 덕이 이보다 앞

서는 것이 없다. 그러므로 계절에서는 봄이 되고 사람에게서는 인(仁)이 되어 모든 선의 으뜸이 된다. '형(亨)'은 만물을 생겨나게 하는 통함이니, 만물이 여기에 이르면 아름답지 않음이 없다. 그러므로 계절에서는 여름이 되고 사람에게서는 예(禮)가 되어 모든 아름다움의 모임이 된다. '이(利)'는 만물을 생겨나게 하는 이룸이니, 만물이 각각 마땅함을 얻어 서로 방해하지 않는다. 그러므로 계절에서는 가을이 되고 사람에게서는 의(義)가 되어 그 분수의 화합함을 얻는 것이 된다. '정(貞)'은 만물을 생겨나게 하는 완성이니, 실질적인 이치가 갖추어져 만물이 있는 곳에 따라 각각 충족한다. 그러므로 계절에서는 겨울이 되고 사람에게서는 지(智)가 되어 모든 일의 근간이 된다. 근간[幹]은 나무의 몸체로 가지와 잎이 의지하여 존재하는 것이다.

程傳

它卦,「彖」·「象」而已, 獨乾·坤更設「文言」以發明其義, 推乾之道施於人事. 元亨利貞, 乾之四德, 在人則'元'者, 衆善之首也; '亨'者, 嘉美之會也; '利'者, 和合於義也, '貞'者, 幹事之用也.

다른 괘는 「단전」과 「상전」 뿐인데, 오직 건괘와 곤괘만이 다시 「문언전(文言傳)」을 두어 그 의미를 드러내 밝혔으니, 건(乾)의 도(道)를 미루어 사람의 일에 베풀었다. 원(元)·형(亨)·이(利)·정(貞)은 건(乾)의 네 가지 덕인데, 사람에게서 '원(元)'은 모든 선의 으뜸이고, '형(亨)'은 아름다움의 모임이며, '이(利)'는 의(義)에 화합함이고, '정(貞)'은 일을 주관하는 쓰임이다.

● 『朱子語類』, 問"元者, 善之長." 曰 : "元亨利貞皆善也, 而元乃爲四者之長, 是善端初發見處也."[1]

『주자어류』에서 "원(元)은 선의 으뜸이다"라는 말에 대해 물었다. (주자가) 대답했다. "원(元)·형(亨)·이(利)·정(貞)은 모두 선인데, 원(元)이 네 가지 가운데 우두머리가 되는 것은 선의 단서가 처음 발현하는 곳이기 때문이다."

● 問"亨者嘉之會." 曰 : "且以草木言之, 發生到夏時, 好處都來湊會. 嘉, 只是好處. 會, 是期會也."[2]

『주자어류』에서 "형(亨)은 아름다움의 모임이다"라는 말에 대해 물었다.
(주자가) 대답했다. "또 초목으로 말하면, 발생하여 여름에 이르렀을 때 좋은 것이 모두 모여드는 것이다. 아름다움은 다만 좋은 것이라는 말이다. 모임은 때에 맞게 모이는 일이다."

● 又云 : "'利者, 義之和', 義, 疑於不和矣, 然處之而各得其所, 則和. 義之和處便是利."[3]

(주자가) 또 말했다. "'이(利)는 의(義)의 화합이다'에서, 의(義)는 화합하지 않는 것에 견주지만 그것을 처리함에 각각 그 마땅한 곳

---

1) 주희, 『주자어류』 권68, 99조목.
2) 주희, 『주자어류』 권68, 103조목.
3) 주희, 『주자어류』 권68, 107조목.

을 얻으면 화합한다. 의(義)가 화합한 곳이 바로 이(利)이다."

● 問 : "程子曰, '義安處便爲利', 只是當然便安否?" 曰 : "是. 正
好去解'利者, 義之和'句. 義截然而不可犯,[4] 似不和, 分別後, 萬
物各止其所, 却是和. 不和生於不義. 義則無不和, 和則無不利
矣."[5]

물었다. "정자(程子)가 '의(義)에 편안한 것이 바로 이(利)이다'[6]라
고 말한 것은 당연히 편안한 것일 뿐이지 않습니까?"
(주자가) 대답했다. "맞다. 그 말은 꼭 마침 '이(利)는 의(義)의 화합
이다'라는 구절을 풀이하였다. 의(義)는 자른 듯이 하여 침범할 수
없어 화합하지 않는 것 같지만, 분별한 뒤에는 만물이 각각 그 마
땅한 곳에 머무르니 도리어 화합한다. 화합하지 않는 것은 의롭지
못한 데서 생겨난다. 의로우면 화합하지 않음이 없고, 화합하면 이
롭지 않음이 없다."

● 又云 : "'貞者, 事之幹', 知是那默運事變底一件物事, 所以爲
事之幹."[7]

....

4) 義截然而不可犯 : 주희, 『주자어류』 권68, 114조목에는 "義初似不和,
   却和. 截然而不可犯[의는 처음에는 화합하지 않는 것 같지만 화합한다.
   자른 듯이 하여 침범할 수 없어]"라고 되어 있다.
5) 주희, 『주자어류』 권68, 114조목.
6) 의(義)에 편안한 곳이 바로 이(利)이다 : 정호·정이, 『하남정씨유서』 권
   16에서 "성인은 의(義)를 이(利)로 여기니, 의(義)에 편안한 것이 바로
   이(利)이대聖人以義爲利, 義安處便爲利.]"라고 하였다.
7) 주희, 『주자어류』 권68, 115조목.

(주자가) 또 말했다. "'정(貞)은 일의 근간이다'에서, 지(知)는 일의 변화를 묵묵히 운용하는 것이기 때문에 일의 근간이 된다."

● 又云 : "'正'字不能盡'貞'之義, 須用連'正固'說, 其義方全. 正如孟子所謂'知斯二者, 弗去, 是也', '知斯'是'正'意, '弗去'是'固'意."8)

(주자가) 또 말했다. "'정(正 : 바름)'이라는 글자는 '정(貞 : 곧음)'의 의미를 다 표현할 수 없으니, 반드시 '정고(正固 : 바르고 굳음)'라고 이어서 말해야 그 의미가 비로소 온전해진다. 마치 맹자의 이른바 '지(知)는 이 두 가지를 알아서 버리지 않는 것이 이것이다'9)라는 말과 같으니, '이것을 아는 것'은 '정(正 : 바름)'의 뜻이고, '버리지 않는 것'은 '고(固 : 굳음)'의 뜻이다."

幹問 : "又有所謂'不可貞'者, 是如何?" 曰 : "也是這意思, 只是不可以爲正而固守之."10)

황간(黃幹 : 주자 문인 겸 사위)이 물었다. "또 이른바 '정(貞 : 곧음)해서는 안 된다'11)라는 말도 있는데, 이는 어떠합니까?"

----

8) 주희, 『주자어류』 권68, 116조목.
9) 지(知)는 이 두 가지를 알아서 버리지 않는 것이 이것이다 : 『맹자』「이루 (離婁) 상」에는 "지(智)의 실질은 이 두 가지를 알아서 버리지 않는 것이 이것이다.[智之實, 知斯二者, 弗去, 是也.]"라고 하였다.
10) 주희, 『주자어류』 권68, 117조목.
11) 정(貞 : 곧음)해서는 안된다 : 『역』 고(蠱)괘 구이에서 "구이(九二)는 어머니의 일을 주관하는 것이니, 정(貞 : 곧음)해서는 안된다.[九二, 幹母

(주자가) 대답했다. "그것 또한 이러한 의미이니, 다만 바르게 하여 견고히 지키기만 해서는 안 된다는 말이다."

● 項氏安世曰 : "善也嘉也義也, 皆善之異名也. 在事之初爲善, 善之衆盛爲嘉, 衆得其宜爲義, 義所成立爲事, 此一理而四名也. 故分而爲四, 則曰'元者, 善之長也; 亨者, 嘉之會也; 利者, 義之和也; 貞者, 事之幹也.' 比而爲二, 則曰'乾元者, 始而亨者也; 利·貞者, 性情也.' 混而爲一, 則曰'乾始能以美利利天下, 不言所利, 大矣哉!' '義之和', 和, 謂能順之也. '事之幹, 幹, 謂能立之也.'"12)

항안세(項安世)가 말했다. "선함, 아름다움, 의로움은 모두 선함의 다른 명칭이다. 일의 처음에서는 선함이 되고, 선함이 많아 왕성한 것이 아름다움이 되며, 많은 것이 그 마땅함을 얻어 의로움이 되고, 의로움이 성립되는 것이 일이 되니, 이는 이치가 하나이지만 명칭이 네 가지인 것이다. 그러므로 나누어서 네 가지로 하면, '원(元)은 선의 으뜸이고, 형(亨)은 아름다움의 모임이며, 이(利)는 의(義)의 화합이고, 정(貞)은 일의 근간이다'라고 말했다. 견주어서 두 가지로 하면, '건원(乾元)은 시작하여 형통한 것이고, 이(利)와 정(貞)은 건(乾)의 성정(性情)이다'라고 말했다. 섞어서 한 가지로 하면, '건(乾)의 시작이 아름다운 이로움으로 천하를 이롭게 하기 때문에 굳이 이로운 것을 말하지 않았으니, 이로움이 크도다!'라고 말했다. '의(義)의 화합'에서 화합함은 어떤 일에 순조로울 수 있음을 말한다. '일의 근간'에서 근간은 어떤 일을 세울 수 있음을 말한다."

之蠱, 不可貞.]"라고 하였다.
12) 항안세(項安世), 『주역완사(周易玩辭)』 권1.

> 君子體仁足以長人, 嘉會足以合禮, 利物足以和
> 義, 貞固足以幹事.

군자는 인(仁)을 몸[體]으로 삼는 것이 사람들의 우두머리가 되기
에 충분하고, 모임을 아름답게 하는 것이 예(禮)에 합치하기에
충분하며, 만물을 이롭게 하는 것이 의(義)에 화합하기에 충분하
고, 바름을 굳게 지키는 것이 일에 근간이 되기에 충분하다.

本義

以仁爲體, 則無一物不在所愛之中, 故足以長人. 嘉其所會,
則無不合禮, 使物各得其所利, 則義無不和, '貞固'者, 知正之
所在而固守之, 所謂'知而弗去'者也. 故足以爲事之幹.

인(仁)으로 몸[體]을 삼으면 그 어느 것도 사랑하는 일 가운데 있지
않음이 없기 때문에 사람들의 우두머리가 되기에 충분하다. 그 모
이는 것을 아름답게 하면 예(禮)에 합치하지 않음이 없고, 만물이
각각 그 이로운 것을 얻도록 해주면 의(義)에 화합하지 않음이 없
다. '바름을 굳게 지키는 일[貞固]'은 바름이 있는 곳을 알아 굳게 지
키는 것이니, 이른바 '알아서 버리지 않는다는 것'[13]이다. 그러므로

---

13) 알아서 버리지 않는다는 것 : 『맹자』「이루(離婁) 상」에는 "지(智)의 실질
은 이 두 가지를 알아서 버리지 않는 것이 이것이다.[智之實, 知斯二者,
弗去, 是也.]"라고 하였다.

일의 근간이 되기에 충분하다.

程傳

體法於乾之仁, 乃爲君長之道, 足以長人也. 體仁, 體元也,
比而效之謂之體. 得會通之嘉, 乃合於禮也. 不合禮則非理,
豈得爲嘉? 非理安有亨乎? 和於義乃能利物, 豈有不得其宜
而能利物者乎? 貞固所以能幹事也.

건(乾)의 인(仁)을 본보기로 체득하는 것은 바로 우두머리가 되는
도(道)이니, 사람들의 우두머리가 되기에 충분하다는 것이다. 인
(仁)을 체득하는 것은 원(元)을 체득하는 일이니, 그것을 견주어 본
받는 일을 체득한다[體]라고 한다. 모여서 통하는 아름다움을 얻는
것이 바로 예(禮)에 합치한다는 말이다. 예(禮)에 합치하지 않으면
이치가 아니니, 어찌 아름다울 수 있겠는가? 이치가 아니면 어찌 형
통할 수 있겠는가? 의(義)에 화합하는 것은 바로 만물을 이롭게 할
수 있는 것이니, 어찌 그 마땅함을 얻지 못하고 만물을 이롭게 할
수 있겠는가? '바름을 굳게 지키는 일[貞固]'은 그것으로 일의 근간
이 될 수 있다.

集說

● 李氏鼎祚曰: "天運四時以生成萬物,[14] 君法五常以教化於

----

14) 天運四時以生成萬物: 이정조(李鼎祚), 『주역집해(周易集解)』 권1에는
  "夫在天成象者, '乾, 元·亨·利·貞也', 言天運四時以生成萬物.[하늘에

人.[15] 元爲善長, 故能體仁, 仁主春生, 東方木也. 通爲嘉會, 足
以合禮, 禮主夏養, 南方火也. 利爲物宜, 足以和義, 義主秋成,
西方金也. 貞爲事幹, 以配於智, 智主冬藏, 北方水也. 不言信
者, 信主土, 土居中宮, 分王四季, 水·火·金·木, 非土不載."[16]

이정조(李鼎祚)가 말했다. "하늘이 사계절을 운행하여 만물을 생성
하고, 군주가 오상(五常)을 본받아 사람들을 교화한다. 원(元)은 선
의 우두머리이기 때문에 인(仁)을 체득할 수 있으며, 인(仁)은 봄에
생겨나는 것을 주관하니 동쪽인 목(木)이다. 통(通 : 형통)은 모임을
아름답게 하니 예(禮)에 합치하기에 충분하며, 예는 여름에 기르는
것을 주관하니 남쪽인 화(火)이다. 이(利)는 만물이 마땅하게 되니
의(義)에 화합하기에 충분하며, 의는 가을의 성취를 주관하니 서쪽
인 금(金)이다. 정(貞)은 일의 근간이 되어 지(智)에 배당되며, 지는
겨울에 감추는 것을 주관하니 북쪽인 수(水)이다. 신(信)을 말하지
않은 것은 신은 토(土)를 주관하며, 토는 중궁(中宮 : 구궁 가운데
중앙의 궁)에 자리 잡아 나뉘어 사계절을 왕성하게 하니, 수(水)·
화(火)·금(金)·목(木)은 토(土)가 아니면 실리지 못한다."

● 『朱子語類』云 : "體仁, 不是將仁來爲我之體, 我之體便都是
仁也."[17]

....

서 상(象)을 이룬 것이 '건(乾)은 원·형·이·정이니', 하늘이 사계절을
운행하여 만물을 생성한다는 것을 말한다.]"라고 되어있다.
15) 君法五常以教化於人 : 이정조(李鼎祚), 『주역집해(周易集解)』 권1에는
"在地成形者, '仁·義·禮·智·信也', 言君法五常以教化於人.[땅에서
형(形)을 이룬 것이 '인·의·예·지·신이니', 군주가 오상(五常)을 본받
아서 사람들을 교화한다는 것을 말한다.]"이라고 되어있다.
16) 이정조(李鼎祚), 『주역집해(周易集解)』 권1.

『주자어류』에서 말했다. "인(仁)을 몸[體]으로 삼는 것은 인을 가지고 나의 몸으로 삼는 것이 아니라, 나의 몸이 바로 모두 인이라는 것이다."

又曰 : "『本義』云'以仁爲體'者, 猶言自家一個身體, 元來都是仁."18)

(주자가) 또 말했다. "『주역본의』에서 '인(仁)으로 몸[體]을 삼는다'는 것은 마치 자신의 신체가 원래 모두 인이라고 말함과 같다."

● 又云 : "嘉, 美也; 會, 是集齊底意思. 許多嘉美, 一時鬪湊到此, 故謂之嘉會. 嘉其所會, 便動容周旋無不中禮."19)

(주자가) 또 말했다. "가(嘉 : 아름다움)는 아름답다는 말이고, 회(會 : 모임)는 모두 모인다는 의미이다. 수많은 아름다움이 일시에 여기에 모이기 때문에 모임을 아름답게 한다고 말했다. 그 모임을 아름답게 하는 것은 곧 몸가짐과 일처리가 예(禮)에 맞지 않음이 없다는 뜻이다."

● 又云 : "看來義之爲義, 只是一個宜. 其初則甚嚴, 如'男正位乎外, 女正位乎內', 直是有內外之辨. 君尊於上, 臣恭於下, 尊卑大小, 截然不可犯, 似若不和之甚. 然能使之各得其宜, 則其

---

17) 주희, 『주자어류』 권68, 119조목.
18) 주희, 『문공역설(文公易說)』 권15.
19) 주희, 『주자어류』 권68, 128조목.

和也, 孰大於是?"20)

(주자가) 또 말했다. "살펴보건대, 의(義)가 의롭게 되는 것은 마땅함일 뿐이다. 그 처음에는 매우 엄격하니, 예컨대 '남자는 밖에서 바르게 자리 잡고, 여자는 안에서 바르게 자리 잡는다'21)라고 하는 말과 같으니, 다만 안과 밖의 분별이 있는 것일 뿐이다. 군주는 위에서 존귀하고 신하는 아래에서 공손하여, 존귀함과 비천함, 큰 것과 작은 것이 자른 듯이 침범할 수 없으니, 아주 화합하지 못하는 것 같다. 그러나 그것들에게 각각 그 마땅함을 얻도록 하면 그 화합함이 그 어떤 것이 이보다 크겠는가?"

● 又云 : "'幹'如木之幹, '事'如木之枝葉. '貞固'者, 正而固守之. 貞固在事, 是與立個骨子, 所以爲事之幹. 欲爲事而非此之貞固, 便植立不起, 自然倒了."22)

(주자가) 또 말했다. "'간(幹 : 근간)'은 나무의 줄기와 같고, 사(事 : 일)는 나무의 가지나 잎과 같다. '정고(貞固 : 바름을 굳게 지키는 일)'는 바르면서 그것을 굳게 지키는 일이다. 일에서 바름을 굳게 지키는 것은 뼈대를 세워주기 때문에 일의 근간이 된다. 일을 하면서 이러한 바름을 굳게 지키는 방법을 쓰지 않으면 근본이 바로 서

----

20) 주희, 『주자어류』 권68, 128조목.
21) 남자는 밖에서 바르게 자리 잡고, 여자는 안에서 바르게 자리 잡는다 :『역』 가인(家人☲)괘 「단전」에서 "가인(家人)은 여자는 안에서 바르게 자리 잡고 남자는 밖에서 바르게 자리 잡으니, 남녀가 바른 것이 천지의 대의(大義)이다.[家人, 女正位乎內, 男正位乎外, 男女正, 天地之大義也.]"라고 하였다.
22) 주희, 『주자어류』 권68, 128조목.

지 못하니 저절로 실패할 것이다."

問：“'貞固'二字與'體仁'·'嘉會'·'利物'似不同." 曰："屬北方者, 便
著用兩字, 方能盡之."[23]

물었다. "'정고(貞固：바름을 굳게 지키는 일)'라는 글자는 '체인(體
仁：인을 몸으로 삼음)', '가회(嘉會：모임을 아름답게 함)', '이물(利
物：만물을 이롭게 함)'과 같지 않은 것 같습니다."

(주자가) 대답했다. "북쪽에 속하는 것[24]은 두 글자를 편하게 써야
비로소 그 의미를 다 표현할 수 있다."

● 問「文言」四德一段.

「문언전」의 네 가지 덕을 논하는 단락에 대해 물었다.

曰："'元者, 善之長'以下四句, 說天德之自然. '君子體仁足以長
人'以下四句, 說人事之當然. 元是善之長, 萬物生理, 皆始於此,
衆善百行, 皆統於此, 故於時爲春, 於人爲仁. 亨是嘉之會, 嘉,
美也, 會, 猶齊也. 蓋春方生育, 至此乃無一物不暢茂. 其在人,
則'禮儀三百, 威儀三千', 事事物物, 一齊到恰好處, 所謂動容周
旋皆中禮, 故於時爲夏, 於人爲禮. 利者, 義之和, 萬物至此各遂

<hr />

23) 주희, 『문공역설(文公易說)』 권15.
24) 북쪽에 속하는 것：여기서는 원·형·이·정 가운데 정(貞)을 가리킨다.

其性, 事理至此無不得宜, 故於時爲秋, 於人爲義. 貞者, 事之
幹, 萬物至此收斂成實, 事理至此無不的正, 故於時爲冬, 於人
爲智. 此天德之自然.

(주자가) 대답했다. "'원(元)은 선의 으뜸이고' 아래의 네 구절은 하
늘의 덕이 저절로 그러함을 말했다. '군자는 인(仁)을 몸[體]으로 삼
는 것이 사람들의 우두머리가 되기에 충분하고' 아래의 네 구절은
사람의 일이 마땅히 그러해야 함을 말했다. 원(元)은 선의 으뜸으
로 만물이 생겨나는 이치가 모두 여기에서 시작되고 모든 선과 모
든 행동이 여기에 통섭되기 때문에 계절에서는 봄이고, 사람에게서
는 인(仁)이 된다. 형(亨)은 아름다움의 모임이니, 가(嘉)는 아름다
움이고 회(會)는 일제히 모이는 것과 같다. 봄에 막 생겨나 성장한
것은 여기에 이르러 바로 그 어떤 것도 무성하게 번창하지 않음이
없다. 그것이 사람에게서는 '예의(禮儀) 삼백 가지 위의(威儀) 삼천
가지에서'[25], 모든 일들이 일제히 꼭 알맞은 곳에 이른 것이니, 이
른바 몸가짐과 일처리가 모두 예에 맞기 때문에 계절에서는 여름이
고, 사람에게서는 예(禮)가 된다. 이(利)는 의(義)의 화합이니 만물
이 여기에 이르면 각각 그 성(性)을 이루고, 사물의 이치가 여기에
이르면 마땅함을 얻지 않음이 없기 때문에 계절에서는 가을이고,
사람에게서는 의(義)가 된다. 정(貞)은 일의 근간이니 만물이 여기
에 이르면 수렴하여 결실을 이루고, 사물의 이치가 여기에 이르면
정확하고 공정하지 않음이 없기 때문에 계절에서는 겨울이고, 사람
에게서는 지(智)가 된다. 이는 하늘의 덕이 저절로 그러함이다.

其在君子, 所當從事於此者. 體者, 以仁爲體, 仁爲我之骨, 我以

---

25) 예의 삼백이요 위의 삼천: 『중용』 27장.

之爲體. 仁皆從我發出, 故無物不在所愛. 所以能長人. 欲其所
會之美, 當美其所會. 蓋其厚薄・親疏・尊卑・小大相接之體, 各
有節文, 無不中節, 卽所會皆美. 所以能合於禮也. 能使事物各
得其宜, 不相妨害, 自無乖戾而各得其分之和. 知其正之所在,
固守而不去, 故足以爲事之幹. 幹, 如版築之有楨幹."26)

그것은 군자에게서 마땅히 여기에 종사해야 하는 일이다. 체(體:
몸)는 인(仁)을 몸으로 삼는 것이니, 인은 나의 뼈대가 되고 나는
그것을 몸으로 삼는다. 인은 모두 나에게서 발산해 나오기 때문에
그 어느 것도 사랑하는 일 아닌 것이 없다. 그러므로 사람들의 우
두머리가 될 수 있다. 그 모인 것이 아름다우려면 마땅히 그 모인
것을 아름답게 해야 한다. 대개 그 두터움과 얇음・친함과 소원함
・존귀함과 비천함・크고 작음이 서로 접촉하는 몸은 각각 문식에
절도가 있는데, 그 절도가 적절하지 않음이 없을 때 바로 모인 것
이 모두 아름답다는 말이다. 그러므로 예(禮)에 합치할 수 있다. 사
물들이 각각 그 마땅함을 얻게 하여 서로 방해하지 않도록 할 수
있으면 저절로 어그러짐이 없어 각각 그 분수의 화합을 얻는다. 바
름이 있는 곳을 알아 굳게 지켜 떠나가지 않기 때문에 일의 근간이
되기에 충분하다. 근간은 담을 쌓을 때 가로 세로 뼈대 나무가 있
는 것과 같다."

● 胡氏炳文曰:"體仁有以存諸中, 嘉會則美見乎外; 利物有以
方乎外, 而貞固有以守於中. 禮者仁之著, 智者義之藏. 體仁長
人, 貞固幹事, 由理以及用; 嘉會合禮, 利物和義, 則由用以及理
也."27)

....

26) 주희, 『주자어류』 권68, 129조목.

호병문(胡炳文)이 말했다. "인(仁)을 몸으로 삼는 것은 그것으로 안에 보존하고, 아름다움이 모이면 아름다움이 밖으로 나타난다. 만물을 이롭게 하는 것은 그것으로 밖을 방정하게 하고, 바름을 굳게 지키는 것은 그것으로 안을 지키는 일이다. 예(禮)는 인(仁)이 드러난 것이고 지(智)는 의(義)가 감추어진 것이다. 인을 몸으로 삼아 사람들의 우두머리가 되고 바름을 굳게 지켜 일을 주관하는 것은 이치로 말미암아 작용에 미치고, 모임을 아름답게 하여 예에 합치하고 만물을 이롭게 하여 의(義)에 화합하는 것은 작용으로 말미암아 이치에 미치는 일이다."

● 董氏眞卿曰: "朱子謂'屬北方者, 便著用兩字, 方能盡之', 幼時聞先君子之言曰, '北方天氣之終始, 有分別之義, 故北字篆文, 兩人相背. 至於四端·五臟·四獸, 屬北方者皆兩, 東·西·南三方者各一. 四時爲冬, 亦與春爲交接; 四德爲貞, 亦貞下起元; 十二辰爲亥·子, 六十四卦爲坤·復.'"[28]

동진경(董眞卿)이 말했다. "주자가 '북쪽에 속하는 것은 두 글자를 편하게 써야 비로소 그 의미를 다 표현할 수 있다'라고 했는데, 어릴 때 돌아가신 아버님께 '북쪽은 하늘의 기(氣)가 끝나고 시작되는 분별의 뜻이 있다. 그렇기 때문에 북(北)이라는 글자의 전서체는 두 사람이 서로 등을 대고 있는 모습이다. 사단(四端), 오장(五臟), 사수(四獸)[29]의 경우에도 북쪽에 속하는 것은 모두 둘이고 동쪽·

27) 호병문(胡炳文), 『주역본의통석(周易本義通釋)』 권7.
28) 동진경(董眞卿), 『주역회통(周易會通)』 권1.
29) 사수(四獸): 왕충(王充)은 『논형(論衡)』 「물세(物勢)」에서 "동족은 목(木)이고 그 별은 창룡(蒼龍)이며, 서쪽은 금(金)이고 그 별은 백호(白

서쪽·남쪽은 각각 하나씩이다. 사계절에서는 겨울이 되는데 이 또
한 봄과 서로 맞닿아 있고, 사덕(四德)에서는 정(貞)이 되는데 이
또한 정(貞) 다음에는 원(元)을 일으키며, 12신(十二辰)에는 해(亥)
·자(子)가 되고, 64괘에서는 곤(坤)괘·복(復)괘가 된다'라는 말씀
을 들었다."

● 林氏希元曰 : "君子克己復禮, 使仁充乎中而見乎外. 中之所
存, 無一念之非仁, 外之所行, 無一事之非仁, 則君子之身, 渾是
一個仁, 非體其體而體夫仁也. 體仁, 仁之至也, 故無一物不在
所愛之中, 而足以長人. 安土敦仁故能愛, 正是如此."[30]

임희원(林希元)이 말했다. "군자가 사사로운 자신을 극복하여 예
(禮)에 돌아가는 것[31]은 인(仁)이 안에 가득 차 밖으로 나타나도록
하는 일이다. 안에 보존한 것이 하나의 생각이라도 인(仁) 아님이
없고 밖으로 실천한 것이 하나의 일이라도 인(仁) 아님이 없으면,
군자의 몸은 혼연히 하나의 인(仁)이니, 그 몸을 몸으로 삼지 않고
인(仁)을 몸으로 삼는다. 인(仁)을 몸으로 삼는 것은 인(仁)의 지극
함이기 때문에 그 어떤 사물도 사랑하는 일 안에 있지 않음이 없고,
사람들의 우두머리가 되기에 충분하다. ([계사상 4-3])에서) '처한
곳에 편안하여 인(仁)에 돈독하기 때문에 사랑할 수 있다'는 말이

....

虎)이며, 남쪽은 화(火)이고 그 별은 주조(朱鳥)이며, 북쪽은 수(水)이고
그 별은 현무(玄武)이다.[東方木也, 其星蒼龍也; 西方金也, 其星白虎
也; 南方火也, 其星朱鳥也; 北方水也, 其星玄武也.]"라고 하였다.

30) 임희원(林希元), 『역경존의(易經存疑)』 권1.
31) 사사로운 자신을 극복하여 예(禮)에 돌아가는 것 : 『논어』「안연(顔淵)」
   에서 "공자가 말했다. '사사로운 자신을 극복하여 예(禮)에 돌아가는 것
   이 인(仁)을 실천하는 것이다.[子曰, '克己復禮爲仁.']"라고 하였다.

바로 이와 같은 것이다."

● 又曰:"'利者, 義之和'之'利', 乃在人天然之利; '利物足以和
義'之'利', 乃人所以求乎天然之利也. '義之和'之'和', 乃在人天然
之和; '足以和義'之'和', 乃人所以求乎天然之和也."[32]

(임희원이) 또 말했다. "'이(利)는 의(義)의 화합이다'에서의 '이(利)'
는 바로 사람에게 천부적으로 그러한 이로움이고, '만물을 이롭게
하는 것이 의(義)에 화합하기에 충분하다'에서의 '이[利]'는 바로 사
람이 천부적으로 그러한 이로움을 구하는 일이다. '의(義)의 화합이
다'에서의 '화합[利]'은 바로 사람에게 천부적으로 그러한 화합이고,
'의(義)에 화합하기에 충분하다'에서의 '화합[利]'은 바로 사람이 천
부적으로 그러한 화합을 구하는 일이다."

32) 임희원(林希元), 『역경존의(易經存疑)』 권1.

[건괘 문언 1-3]

> # 君子行此四德者, 故曰"乾, 元亨利貞."
>
> 군자는 이 네 가지 덕을 실천하는 사람이기 때문에 (건괘 괘사에서) "건(乾)은 원(元)하고 형(亨)하고 이(利)하고 정(貞)하다"라고 말했다.

本義

非君子之至健, 無以行此, 故曰"乾, 元亨利貞".

군자의 지극히 강건함이 아니면 이를 실천할 수 없기 때문에 (건괘 괘사에서) "건(乾)은 원(元)하고 형(亨)하고 이(利)하고 정(貞)하다"라고 말했다.

此第一節, 申「象傳」之意. 與『春秋傳』所載穆薑之言不異, 疑古者已有此語, 穆薑稱之, 而夫子亦有取焉. 故下文別以'子曰'表孔子之辭, 蓋傳者欲以明此章之爲古語也.

이는 제1절(節)이니, 「단전」의 뜻을 펼쳐 설명한 것이다. 이것은 『춘추전(春秋傳)』에 실린 목강(穆姜)의 말[33]과 다르지 않으니, 의

---

33) 『춘추전(春秋傳)』에 실린 목강(穆姜)의 말 : 『춘추좌전』 양공(襄公) 9년에 "목강(穆姜)이 동궁에서 죽었다. 목강(穆姜)이 처음 동궁에 가서 산가지로 점을 치게 하니 간(☶)괘의 8소음을 얻었다. 사관이 말하기를,

심컨대 옛날에 이미 이 말이 있었는데, 목강(穆姜)이 그것을 말했고 공자 또한 그것을 취한 것 같다. 그러므로 아래 글에서는 별도로 '자왈(子曰)'이라는 말을 써서 공자의 말을 표시하였으니, 이를 전하는 사람이 이 장(章)이 옛말임을 밝히려고 했기 때문일 것이다.

....

'이것은 간(艮☶)괘가 수(隨☳)괘로 간 것입니다. 수괘는 나가는 것이니 군(君)께서는 반드시 빨리 나가게 될 것입니다!'라고 했다. 목강이 말하기를, '아니다! 이것은 『주역』에서, 「수괘는 원(元)하고 형(亨)하고 이(利)하고 정(貞)해야만 허물이 없다」라고 했다. 원(元)은 몸[體]의 으뜸이고, 형(亨)은 아름다움의 모임이며, 이(利)는 의(義)의 화합이고, 정(貞)은 일의 근간이다. 인(仁)을 몸으로 삼는 것이 사람들의 우두머리가 되기에 충분하고, 모임을 아름답게 하는 것이 예(禮)에 합치하기에 충분하며, 만물을 이롭게 하는 것이 의(義)에 화합하기에 충분하고, 바름을 굳게 지키는 것이 일에 근간이 되기에 충분하다. 그렇다. 본디 속일 수 없다. 이 때문에 비록 수괘라도 허물이 없는 것이다. 지금 나는 부인으로써 난(亂)에 참여하였다. 본디 아래 자리에 있는데 인(仁)하지 못하니 원(元)이라 할 수 없고, 나라를 편안하게 하지 못했으니 형(亨)이라 할 수 없으며, 난을 일으켜 몸을 해쳤으니 이(利)라 할 수 없고, 지위를 버리고 음란했으니 정(貞)이라 할 수 없다. 이 4가지 덕을 가지고 있는 자는 수괘라도 허물이 없다. 나는 이것이 모두 없는데 어찌 수괘를 감당할 수 있겠는가? 나는 악을 취했으니 허물이 없을 수 있겠는가? 반드시 여기에서 죽지 나갈 수 없을 것이다.'라고 했다.[穆姜薨於東宮. 始往而筮之, 遇艮☶之八. 史曰, '是謂艮之隨☳. 隨, 其出也. 君必速出!' 姜曰, '亡! 是於『周易』曰,「隨, 元, 亨, 利, 貞, 無咎.」元, 體之長也. 亨, 嘉之會也. 利, 義之和也. 貞, 事之幹也. 體仁足以長人, 嘉德足以合禮, 利物足以和義, 貞固足以幹事. 然. 固不可誣也. 是以雖隨無咎. 今我婦人, 而與於亂. 固在下位, 而有不仁, 不可謂元; 不靖國家, 不可謂亨; 作而害身, 不可謂利; 棄位而姣, 不可謂貞. 有四德者, 隨而無咎. 我皆無之, 豈隨也哉? 我則取惡, 能無咎乎? 必死於此, 弗得出矣.']'라고 하였다.

行此四德, 乃合於乾也.

이 네 가지 덕을 실천하는 일이 바로 건(乾)에 합쳐지는 것이다.

集說

● 『朱子語類』, 問 : "'乾, 元亨利貞', 猶言'性, 仁義禮智.'" 曰 :
"此語甚穩當."34)

『주자어류』에서 물었다.35) "'건(乾)은 원(元)하고 형(亨)하고 이(利)
하고 정(貞)하다'라는 말은 마치 '성(性)은 인(仁)하고 의(義)하고
예(禮)하고 지(智)하다'라고 말하는 것과 같습니다."
(주자가) 대답했다. "그렇게 말하는 것이 매우 타당하다."

又曰 : "'乾, 元亨利貞', 它把'乾'字當君子."36)

(주자가) 또 말했다. "'건(乾)은 원(元)하고 형(亨)하고 이(利)하고
정(貞)하다'에서는 '건(乾)'이라는 글자를 군자에 해당시켰다."

....

34) 주희(朱熹), 『주문공문집(朱文公文集)』 권39, 「답범백숭(答範伯崇)(동
여자약·장자선〈同呂子約·蔣子先〉)」.
35) 『주자어류』에서 말했다 : 이 글은 주희, 『주자어류』가 아닌 『주문공
문집』 권39, 「답범백숭(答範伯崇)(동여자약·장자선〈同呂子約·蔣子
先〉)」에 있다.
36) 주희, 『주자어류』 권68, 130조목.

● 蔡氏淸曰：“‘元亨利貞’四字, 在文王只爲占辭, 至孔子「彖傳」, 乃有四德之說. 然其所謂四德者, 又有不同. 天之四德, 自其生成萬物者言也; 聖人之四德, 自其統治一世者言也. 至此所謂四德, 又只就君子一身所行而言也. 一身所行者其體也, 統治一世者其用也. 四德無乎不在也, 又見‘乾’字所該者廣也.”[37]

채청(蔡淸)이 말했다. “‘원형이정’이라는 네 글자는 문왕에게서는 다만 점사였을 뿐인데, 공자의 「단전」에 이르러 비로소 사덕(四德)이라는 말이 있게 되었다. 그러나 그 이른바 사덕이라는 말에 또 다른 점이 있었다. 하늘의 사덕은 하늘이 만물을 생성하는 것으로부터 말하였고, 성인의 사덕은 성인이 한 시대를 통치하는 것으로부터 말한 것이었다. 여기에 이르러 이른바 사덕이라는 말은 또 군자가 몸소 실천하는 것으로 말했을 뿐이다. 몸소 실천하는 것은 그 본체이고, 한 시대를 통치하는 것은 그 작용이다. 사덕은 그 어디에도 있지 않은 곳이 없으니, 또 ‘건(乾)’이라는 글자가 포괄하고 있는 뜻이 넓음을 알 수 있다.”

---

37) 채청(蔡淸), 『역경몽인(易經蒙引)』 권1중(中).

건괘 문언 2

初九曰, '潛龍勿用', 何謂也? 子曰:"龍德而隱者
也, 不易乎世, 不成乎名, 遯世無悶. 不見是而無
悶, 樂則行之, 憂則違之, 確乎其不可拔, 潛龍也."

초구(初九)에서 '잠겨 있는 용(龍)은 쓰지 말라'라고 한 것은 무엇을
말하는가? 공자가 말했다. "용(龍)의 덕을 가지고 은둔한 자이니, 세
상에 따라 변하지 않고 명성을 이루려 하지 않아, 세상을 피해 숨어
도 번민하지 않는다. 세상 사람들에게 인정받지 못해도 번민하지
않아, 즐거워할 만한 세상이면 도(道)를 실천하고 근심스러운 세상
이면 떠나가니, 뜻이 확고하여 동요하게 할 수 없는 것이 잠겨 있는
용(龍)이다."

本義

'龍德', 聖人之德也. 在下故隱. '易', 謂變其所守. 大抵乾卦六
爻,「文言」皆以聖人明之, 有隱顯而無淺深也.

'용(龍)의 덕'은 성인의 덕이다. 아래에 있기 때문에 은둔한 것이다. '변한다[易]'는 말은 그 지키는 것을 변화시키는 일을 말한다. 대체로 건괘(乾卦)의 육효(六爻)에 대해 「문언전(文言傳)」은 모두 성인의 측면으로 밝혔으니, 숨기고 드러냄은 있지만 깊고 얕음은 없다.

程傳

自此以下言乾之用, 用九之道也. 初九陽之微, 龍德之潛隱, 乃聖賢之在側陋也. 守其道, 不隨世而變, 晦其行, 不求知於時, 自信自樂, 見可而動, 知難而避, 其守堅不可奪, 潛龍之德也.

여기서부터 아래는 건(乾)의 쓰임을 말했으니, 구(九 : 陽)를 쓰는 방법이다. 초구(初九)는 양(陽)이 미약하여 용(龍)의 덕이 잠기고 숨은 것이니, 성현이 미천한 곳에 처해있다. 그 도(道)를 지켜 세속에 따라 변하지 않고, 그 행동을 감추어 그 시기에 알려지기를 구하지 않으며, 스스로 믿고 스스로 즐거워하여 괜찮다고 생각하면 움직이고 어려움을 알면 피하니, 그 지킴이 견고하여 빼앗을 수 없는 것이 잠겨 있는 용(龍)의 덕이다.

集說

● 孔氏穎達曰 : "心以爲樂, 己則行之; 心以爲憂, 己則違之. 身雖逐物推移, 心志守道, 確乎堅實其不可拔.""[1]

공영달(孔穎達)이 말했다. "마음으로 즐거우면 스스로 그것을 실천

하고 마음으로 근심스러우면 스스로 그것을 떠나간다. 몸은 비록
외물을 쫓아 옮겨가지만 마음의 뜻은 도(道)를 지켜 확고히 견실하
여 동요하게 할 수 없다."

● 游氏酢曰："龍德而隱, 故不易乎世; 不易乎世者, 用舍在我,
故遯世無悶; 不成乎名者, 非譽不在物, 故不見是而無悶."[2]

유초(游酢)[3]가 말했다. "용(龍)의 덕을 가지고 은둔했기 때문에 세
상에 따라 변하지 않는다. 세상에 따라 변하지 않는 사람은 나아가
고 물러나는 것이 자신에게 달려 있기 때문에 세상을 피해 숨어도

----

1) 공영달 소(孔穎達 疏), 『주역주소(周易註疏)』 권1.
2) 유초(游酢), 『유치산집(游廌山集)』 권2.
3) 유초(游酢, 1053~1123) : 자는 정부(定夫)・자통(子通)이고, 호는 치산
   (廌山)・광평(廣平)이며, 시호는 문숙(文肅)이다. 건양(建陽 : 현 복건성
   건영) 사람이다. 북송 때 경학가이다. 1083년에 진사가 되어 태학박사
   (太學博士), 감찰어사(監察御使) 등을 지냈다. 형 유순(游醇)과 함께 학
   문과 행실로 알려져서 당시 지부구현(知扶溝縣)으로 있던 정호(程顥)의
   부름을 받아 학사(學事)를 맡게 되었고, 그때부터 정호 형제를 사사하였
   다. 사량좌(謝良佐), 양시(楊時), 여대림(呂大臨)과 함께 '정문사선생(程
   門四先生)'으로 일컬어졌다. 도를 천지 만물 속에 있는 보편적 존재로
   인식하여 자연의 도가 바로 인륜의 이치라고 주장하였다. 또 『주역』을
   중시하여 그 책 속에 우주 만물의 이치가 포함되어 있다고 보았다. 만년
   에 선(禪)에 몰입하여 유가가 불가를 배척할 것이 아니라 서로 보완적인
   관계가 되어야 한다고 주장하여, 후대 학자인 호굉(胡宏)으로부터 '정자
   문하의 죄인'이라고 혹평을 받기도 하였다. 저술로 『역설(易說)』, 『중용
   의(中庸義)』, 『논어맹자잡해(論語孟子雜解)』, 『시이남의(詩二南義)』
   등이 있었지만 모두 잃어버렸고, 남은 글을 모아 후세 사람이 엮은 『유치
   산집(游廌山集)』이 남아 있다.

번민하지 않는다. 명성을 이루려 하지 않는 사람은 비난과 명예가 대상에 달려 있지 않기 때문에 세상 사람들에게 인정을 받지 못해도 번민하지 않는다."

● 吳氏澄曰 : "'樂則行之', 釋上文'無悶'二句. '憂則違之', 釋上文'不易'·'不成'二句. 樂者, 謂無悶也; 行之, 謂爲之也. 憂者, 謂非其所樂也; 違之, 謂不爲也. 不求見於世, 不求知於人者, 此其所樂也, 則爲之; 易乎世, 成乎名者, 此非其所樂也, 則不爲."[4]

오징(吳澄)이 말했다. "'즐거워할 만한 세상이면 도(道)를 실천한다'라는 것은 앞글의 '세상을 피해 숨어도 번민하지 않는다'와 '세상 사람들에게 인정받지 못해도 번민하지 않는다'는 두 구절을 풀이하였다. '즐거워할 만한 세상이면 도(道)를 실천한다'라는 것은 앞글의 '세상에 따라 변하지 않는다'와 '명성을 이루려 하지 않는다'는 두 구절을 풀이하였다. 즐거워할 만한 세상은 번민하지 않는다를 말하고, 도를 실천한다는 그것을 실행한다는 것을 말한다. 근심스러운 세상은 즐거워할 만한 것이 아님을 말하고, 그것을 떠나간다는 것은 도를 실행하지 않음을 말한다. 세상에 드러나기를 구하지 않고 사람들에게 알려지기를 구하지 않는 사람은 이에 즐거워할 만한 것이면 실행하고, 세상에 따라 변하고 명성을 이루려 하는 사람은 이에 즐거워할 만한 것이 아니면 실행하지 않는다."

● 蔣氏悌生曰 : "行道而濟時者, 聖人之本心, 故曰'樂則行之'; 不用而隱逐者, 非聖人所願欲也, 故曰'憂則違之.' 雖然其進其

---

4) 오징(吳澄), 『역찬언(易纂言)』 권8.

退莫不求至理之所在,　未嘗枉道以徇人也,　故曰'確乎其不可拔.'"5)

장제생(蔣悌生)이 말했다. "도를 실천하여 시대를 구원하는 것은 성인의 본심이기 때문에 '즐거워할 만한 세상이면 도(道)를 실천한다'라고 했다. 쓰이지 못해 은둔하는 것은 성인이 바라는 뜻이 아니기 때문에 '근심스러운 세상이면 떠나간다'라고 했다. 비록 그러하지만 그 진퇴가 지극한 이치가 있는 곳을 추구하지 않음이 없어, 도(道)를 굽혀 사람들을 쫓은 적이 없기 때문에 '뜻이 확고하여 동요하게 할 수 없다'라고 하였다."

● 蔡氏淸曰 : "'遯世無悶'二句, 尤重於'不易乎世'二句. '樂則行之'三句, 更重於'遯世無悶'二句, 此三句明其無意必也. 論龍德之隱, 必至是而後盡."6)

채청(蔡淸)이 말했다. "'세상을 피해 숨어도 번민하지 않고, 세상 사람들에게 인정을 받지 못해도 번민하지 않는다'는 두 구절은 '세상에 따라 변하지 않고, 명성을 이루려 하지 않는다'는 두 구절보다 더욱 중요하다. '즐거워할 만한 세상이면 도(道)를 실천하고 근심스러운 세상이면 떠나가니, 뜻이 확고하여 동요하게 할 수 없다'는 세 구절은 '세상을 피해 숨어도 번민하지 않고, 세상 사람들에게 인정을 받지 못해도 번민하지 않는다'는 두 구절보다 더더욱 중요하니, 이 세 구절은 그것이 의도하고 기필함이 없음을 밝혔다. 용(龍)의 덕을 가지고 은둔한 자를 논할 때는 반드시 여기에 이른 뒤에 다할 수 있다."

....

5) 장제생(蔣悌生), 『오경려측(五經蠡測)』 권1.
6) 　채청(蔡淸), 『역경몽인(易經蒙引)』 권1중(中).

吳氏蔣氏兩說不同, 而皆可通.

오징(吳澄)과 장제생(蔣悌生) 두 사람의 주장은 같지 않지만 모두
통할 수 있다.

九二曰, '見龍在田, 利見大人.' 何謂也? 子曰 : "龍德而正中者也, 庸言之信, 庸行之謹. 閑邪存其誠, 善世而不伐, 德博而化.『易』曰, '見龍在田, 利見大人.' 君德也."

구이(九二)에서 '나타난 용이 밭에 있으니 대인을 봄이 이롭다'라고 한 것은 무엇을 말하는가? 공자가 말했다. "용(龍)의 덕으로 정중(正中)한 사람이니, 평상시의 말이 믿을만하고 평상시의 행동이 신중하다. 사악한 것을 막고 성실함[誠]을 보존하며, 세상을 선하게 하고도 자신의 공로를 자랑하지 않으며, 덕이 넓어 교화한다.『역(易)』에서 '나타난 용이 밭에 있으니 대인을 봄이 이롭다'고 하였으니, 이는 군주의 덕이다."

本義

'正中', 不潛而未躍之時也. 常言亦信, 常行亦謹, 盛德之至也, '閑邪存其誠', '無斁亦保'之意. 言'君德也'者, 釋大人之爲九二也.

'정중(正中)'은 잠겨 있지도 않고 위로 뛰어오르지도 않은 때이다. 평상시의 말도 믿을 만하고 평상시의 행동도 신중함은 융성한 덕이 지극한 것이다. '사악한 것을 막고 성실함[誠]을 보존한다'는 것은 '싫어함이 없을 때도 보존한다'7)는 뜻이다. '군주의 덕이다'이라고 말한 것은 대인이 구이(九二)가 됨을 풀이하였다.

以龍德而處正中者也. 在卦之正中, 爲得正中之義. 庸信庸
謹, 造次必於是也. 旣處無過之地, 則唯在閑邪, 邪旣閑, 則
誠存矣. '善世而不伐', 不有其善也; '德博而化', 正己而物正
也, 皆大人之事, 雖非君位, 君之德也.

용(龍)의 덕으로 정중(正中)에 처한 사람이다. 괘의 바르고 가운데
자리에 있어서 정중(正中)의 의미를 얻게 되었다. 평상시의 말이 믿
을 만 하고 평상시의 행동이 신중하다는 것은 황급할 때도 반드시
이렇게 한다는 뜻이다. 이미 잘못이 없는 곳에 처했으면 오직 사악
한 것을 막는 것에 달려있을 뿐이니, 사악한 것을 막고 나면 성실함
이 보존된다. '세상을 선하게 하고도 자신의 공로를 자랑하지 않는
다'는 말은 그 선을 소유하지 않는 것이고, '덕이 넓어 교화한다'는
말은 자기를 바르게 함에 만물이 바르게 된다는 것이다. 이는 모두
대인의 일이니, 비록 군주의 지위는 아니지만 군주의 덕이 된다.

集說

● 孔氏穎達曰 : "'庸', 常也. 常言之信實, 常行之謹愼. 防閑邪
惡, 自存誠實, 爲善於世, 而不自伐其功. 德能廣博, 而變化於世
俗. 初爻則全隱遯避世, 二爻則漸見德行以化於俗也."[8]

------

7) 싫어함이 없을 때에도 보존한다 : 『시(詩)』 「대아(大雅)・문왕지십(文王
之什)」에서 "온화하게 궁중에 있고 엄숙하게 사당에 있으며, 드러나지
않은 곳에도 임한 듯이 하고 싫어함이 없을 때에도 또한 보존한다.[雝雝
在宮, 肅肅在廟; 不顯亦臨, 無射亦保.]"라고 하였다.

공영달(孔穎達)이 말했다. "'용(庸 : 평상)'은 평상시이다. 평상시의 말이 진실하여 믿을만하고 평상시의 행동이 신중하여 삼간다. 사악한 것을 막고 스스로 성실함을 보존하며, 세상을 선하게 하고도 스스로 그 공로를 자랑하지 않는다. 덕을 널리 넓혀나가면 세속을 변화시킬 수 있다. 초효는 완전히 은둔하여 세상을 도피하는 일이고, 제2효는 점점 덕행을 드러내어 세속을 교화시키는 일이다."

● 『朱子語類』云 : "庸言・庸行, 盛德之至. 到這裏猶自閑邪存誠,9) 便是無射亦保, 雖無厭斁, 亦當保也. 保者, 持守之意."10)

『주자어류』에서 말했다. "평상시의 말과 평상시의 행동이 융성한 덕으로 지극하다. 여기에 이르러 또한 스스로 사악한 것을 막고 성실함[誠]을 보존하는 것은 바로 싫어함이 없을 때도 보존하는 것이니, 비록 싫어함이 없더라도 또한 마땅히 보존해야 한다. 보존한다는 것은 잡아서 지킨다는 뜻이다."

● 又云 : "'利見大人, 君德也', 兩處說'君德', 卻是要發明大人卽是九二."11)

---

8) 공영달 소(孔穎達 疏), 『주역주소(周易註疏)』 권1.
9) 到這裏猶自閑邪存誠 : 주희, 『주자어류』 권69, 4조목에는 "到這裏不消得恁地, 猶自閑邪存誠[여기에 이르러 그렇게 할 필요가 없지만 오히려 스스로 사악한 것을 막고 성실함[誠]을 보존하는 것은]"이라고 되어 있다.
10) 주희, 『주자어류』 권69, 4조목.
11) 주희, 『주자어류』 권69, 8조목.

(『주자어류』에서) 또 말했다. "'대인을 봄이 이롭다는 것은 군주의 덕이다'라고 하여, (「문언전」의) 두 곳에서 '군주의 덕'을 말했는데,12) 또한 대인(大人)이 바로 구이(九二)임을 밝히려고 한 것이다."

● 陸氏九淵曰 : "言行之信謹, 二之所以成己者也; 善世而不伐, 二之所以成物者也; 彼其所謂信謹者, 乃其所以不伐者也. 閑邪存其誠, 誠之存諸己者也; 德博而化, 德之及乎物者也; 彼其所以閑而存者, 乃其所以博而化者也."13)

육구연(陸九淵)이 말했다. "말과 행동이 믿을만하고 신중한 것은 구이(九二)가 그것으로 자신을 이루는 일이며, 세상을 선하게 하고도 자랑하지 않는 것은 구이가 그것으로 만물을 이루는 일이니, 그가 이른바 믿을만하고 신중하다는 것은 바로 그것으로 자랑하지 않는다는 말이다. 사악함을 막고 성실함[誠]을 보존하는 일은 성실함이 자신에게 보존되는 것이며, 덕이 넓어 교화하는 일은 덕이 만물에 미치는 것이니, 그가 막고 보존하는 까닭은 바로 넓어서 교화하는 근거이다."

● 李氏舜臣曰 : "乾畫━, 實則誠; 坤畫--, 虛則生敬. 故乾九二言誠, 坤六二言敬. 誠·敬二字始於包犧心畫, 而實天地自然之理也."

----

12) 두 곳에서 '군주의 덕'을 말했는데 : 이곳 외에 [건괘 문언 6-2]에서 '군주의 덕'이라고 말했다.
13) 육구연(陸九淵), 『상산집(象山集)』 외집(外集) 권1.

이순신(李舜臣)14)이 말했다. "건괘의 획은 '━'이고 알차있어 성실함[誠]이고, 곤괘의 획은 '╍'이고 비어 있어 경(敬)을 낳는다. 그러므로 건괘의 구이에서는 성실함[誠]을 말했고, 곤괘의 육이에서는 경(敬)을 말했다. 성실함[誠]과 경(敬)은 복희씨가 마음속으로 그린데서 비롯되었지만, 실제로는 천지자연의 이치이다."

● 項氏安世曰 : "稱'中正'者, 二事也, 二·五爲中, 陰陽當位爲正; 稱'正中'者, 一事也,15) 但取其正得中位, 非以當位言也."16)

항안세(項安世)가 말했다. "'중정(中正)'이라고 일컫는 것은 두 가지 일이니, 제2효와 제5효가 내·외괘의 중앙이고 제2효 음과 제5효 양으로 마땅한 자리에 자리 잡아 바른 것이다. '정중(正中)'이라고 일컫는 것은 한 가지 일이니, 다만 그것이 바르고 가운데 자리를 얻은 것을 취하지 마땅한 자리로 말하는 것이 아니다."

● 又曰 : "以在下卦, 又非陽位, 故不爲中位而爲中德. 「文言」兩

----

14) 이순신(李舜臣) : 송(宋)대 선정(仙井) 사람으로 자는 자사(子思)이고 호는 융산(隆山)이다. 건도(乾道) 2년(1166)에 진사에 급제하여 벼슬은 성도부교수(成都府教授)를 역임하였다. 『역』 연구에 전념하였는데, 특히 주자에게 수학한 적이 있는 풍의(馮椅)와 친밀히 교류하였다고 한다. 저술로는 『역본전(易本傳)』 32권이 있었다고 하는데 전해지지 않고, 풍의(馮椅)의 『후제역학(厚齊易學)』에 그의 글이 소개되고 있다.

15) 一事也 : 항안세(項安世), 『주역완사(周易玩辭)』 권1에는 이 구절 뒤에 "猶言兌正秋·坎正北方.[마치 (「설괘전」제5장에서) 태(兌)괘는 꼭 가을이고, 감(坎)괘는 꼭 북쪽인 것과 같다.]"라는 말이 더 있다.

16) 항안세(項安世), 『주역완사(周易玩辭)』 권1.

稱'君德', 明非君位也, 此又稱'龍德'之中, 明非龍位之中也."17)

항안세(項安世)가 말했다. "하괘에 있으면서 또 양(陽)의 자리가 아니기 때문에 '중(中 : 알맞음)'의 자리가 되지 못하고 '중(中 : 알맞음)'의 덕이 된다. 「문언전」에서 두 번 '군주의 덕'을 일컬었지만 분명히 군주의 자리가 아니고, 여기에서 또 '용의 덕'의 '중(中 : 알맞음)'을 일컬었지만 분명히 용의 자리의 '중(中 : 알맞음)'이 아니다."

● 馮氏椅曰 : "『易』者理學之宗, 而乾·坤二卦, 又易學之宗也. 子思·孟子言'誠者天之道', 先儒謂誠·敬者聖學之源, 皆出於此.18)"19)

풍의(馮椅)가 말했다. "『역』은 리학의 근본이고 건괘와 곤괘는 또 역학의 근본이다. 자사와 맹자가 '성실함[誠]은 하늘의 도이다'라고 말했고,20) 선배 유학자들이 성실함[誠]과 경(敬)이 성인이 학문하는 근원이라고 말한 것은 모두 여기에서 나온다."

....

17) 항안세(項安世), 『주역완사(周易玩辭)』 권1.
18) 先儒謂誠敬者, 聖學之源, 皆出於此 : 풍의(馮椅), 『후재역학(厚齋易學)』 권48, 「역외전(易外傳)」 제16에는 "而先儒亦每言誠·敬, 其源實出於此[선대 유학자들이 또한 매번 성실함[誠]과 경(敬)을 말한 것도 그 연원은 실로 여기에서 나온다.]"라고 되어 있다.
19) 풍의(馮椅), 『후재역학(厚齋易學)』 권48, 「역외전(易外傳)」 제16.
20) 자사와 맹자가 '성실함[誠]은 하늘의 도이다'라고 말했고 : 자사는 『중용』 제20장에서, 맹자는 『맹자』 「이루(離婁)하」에서 '성실함[誠]은 하늘의 도이다'라고 말했다.

● 何氏楷曰: "道止於中, 中寓於庸. 庸者常也, 平無奇之名. 言
必有物, 無苟高也, 唯其信無擇言矣. 行必有則, 無苟難也, 唯其
謹無擇行矣. 信·謹, 誠也, 天德也, 一實焉而已."21)

하해(何楷)가 말했다. "도(道)는 '중(中 : 알맞음)'에 그치고 '중(中 :
알맞음)'은 '용(庸 : 평상)'에 머무른다. '용(庸 : 평상)'은 평상시이
니, 평범하여 기이함이 없음을 이른다. 말에는 반드시 그 대상이
있어 구차하게 고원한 것이 없으니, 오직 그 말이 믿을 만하여 말
을 가려할 필요가 없다. 행동에는 반드시 원칙이 있어 구차하게 어
려워하는 것이 없으니, 오직 그 행동이 신중하여 행동을 가려 할
필요가 없다. 믿을 만하고 신중한 것은 성실함[誠]이고 하늘의 덕이
니, 한결 같이 실질됨일 뿐이다."

21) 하해(何楷), 『고주역정고(古周易訂詁)』 권1.

九三曰, '君子終日乾乾, 夕惕若, 厲, 無咎', 何謂也? 子曰 : "君子進德修業. 忠・信, 所以進德也; 修辭立其誠, 所以居業也. 知至至之, 可與幾也; 知終終之, 可與存義也. 是故居上位而不驕, 在下位而不憂. 故乾乾因其時而惕, 雖危無咎矣."

구삼(九三)에서 '군자가 종일토록 힘쓰고 힘써 저녁까지 두려워하니, 위태롭지만 허물이 없다'라고 한 것은 무엇을 말하는가? 공자가 말했다. "군자는 덕을 향상시키고 공업(功業)을 닦는다. 충(忠)과 신(信)은 그것으로 덕을 향상시키고, 말을 함에 그 성실함[誠]을 세우는 일은 그것으로 공업을 차지한다. 이를 데를 알아 거기에 이르니 더불어 기미를 알 수 있고, 끝마칠 데를 알아 거기에서 끝마치니 더불어 의(義)를 보존할 수 있다. 이 때문에 윗자리에 있어도 교만하지 않고 아랫자리에 있어도 근심하지 않는다. 그러므로 힘쓰고 힘써 그 때에 따라 두려워하니, 비록 위태롭지만 허물이 없다."

本義

'忠・信', 主於心者無一念之不誠也. '修辭', 見於事者無一言之不實也. 雖有忠信之心, 然非修辭立誠, 則無以居之. '知至至之', 進德之事; '知終終之', 居業之事. 所以終日乾乾而夕猶惕若者, 以此故也, 可上可下, 不驕不憂, 所謂'無咎'也.

'충(忠)과 신(信)'이 마음에 주인이 되는 것은 한 가지 생각이라도 성실하지 않음이 없어서이다. '말을 함'은 일에 나타나는 것이 한 마디 말이라도 실질되지 않음이 없다. 비록 충(忠)과 신(信)의 마음이 있더라도 말을 함에 성실함을 세우지 않으면 거기에 머무를 수 없다. '이를 데를 알아 거기에 이르는 것'은 덕을 향상시키는 일이고, '끝마칠 데를 알아 거기에서 끝마치는 것'은 공업을 차지하는 일이다. 그러므로 종일토록 힘쓰고 힘써 저녁까지 여전히 두려워하는 것은 이 때문이다. 위로 오를 수도 있고 아래로 내려올 수도 있으며 교만하지 않고 근심하지 않으니, 이른바 '허물이 없다'는 것이다.

程傳

三居下之上, 而君德已著, 將何爲哉? 唯進德修業而已. 內積忠·信, 所以進德也; 擇言篤志, 所以居業也. '知至至之', 致知也. 求知所至而後至之, 知之在先, 故可與幾, 所謂'始條理者, 知之事也.' '知終終之', 力行也. 旣知所終, 則力進而終之, 守之在後, 故可與存義, 所謂'終條理者, 聖之事也.' 此學之始終也. 君子之學如是, 故知處上下之道而無驕憂, 不懈而知懼, 雖在危地而無咎也.

구삼(九三)은 하괘(下卦)의 위에 자리 잡아 군주의 덕이 이미 드러났는데, 장차 무엇을 하겠는가? 오직 덕을 향상시키고 공업(功業)을 닦을 뿐이다. 안으로 충(忠)과 신(信)을 쌓는 일은 그것으로 덕을 향상시키고, 말을 가려서 하고 뜻을 돈독히 하는 일은 그것으로 공업을 차지한다. '이를 데를 알아 거기에 이르는 것'은 앎을 극진히 하는 작업이다. 이를 곳을 알기를 구한 뒤에 거기에 이르러 그것을 아는 일이 먼저 있기 때문에 더불어 기미를 아는 것이니, 이른바 '조리(條理)를 시작함은 지(智)의 일'이라는 것이다. '끝마칠 데를 알아 거기에서 끝마침'은 힘써 실행하는 것이다. 이미 끝마칠 곳을 알았으면 힘써 향상시켜 그것을 끝마쳐, 이를 지키는 일이 뒤에 있기 때문에 더불어 의(義)를 보존하니, 이른바 '조리(條理)를 끝마침은 성(聖)의 일'[22]이라는 것이다. 이는 학문의 시작과 끝이다. 군자의 학문은 이와 같기 때문에 위와 아래에 처하는 도리를 알아 교만하거나 근심하지 않으며, 게을리 하지 않고 두려워할 줄 아니, 비록 위태로운 지경에 있어도 허물이 없다.

集說

● 孔氏穎達曰 : "九三所以終日乾乾者, 欲進益道德, 修營功業, 故終日乾乾匪懈也. 進德則知至, 將進也; 修業則知終, 存義也."[23]

---

22) 조리(條理)를 시작함은 지(智)의 일 … 조리(條理)를 끝마침은 성(聖)의 일 : 『맹자』「만장(萬章)하」에서 "공자를 집대성(集大成)이라 이르는 것이니, 집대성(集大成)이란 금(金)으로 소리를 퍼뜨리고, 옥(玉)으로 거두는 것이다. 금(金)으로 소리를 퍼뜨린다는 것은 조리(條理)를 시작함이고, 옥(玉)으로 거둔다는 것은 조리(條理)를 끝마침이다. 조리(條理)를 시작하는 것은 지(智)의 일이고, 조리(條理)를 끝마치는 것은 성(聖)의 일이다.[孔子之謂集大成, 集大成也者, 金聲而玉振之也. 金聲也者, 始條理也; 玉振之也者, 終條理也. 始條理者, 智之事也; 終條理者, 聖之事也.]"라고 하였다.
23) 공영달 소(孔穎達 疏), 『주역주소(周易註疏)』 권1.

공영달(孔穎達)이 말했다. "구삼이 종일토록 힘쓰고 힘쓰는 까닭은 도덕을 더욱 향상시키고 공업을 닦아 추구하려고 하기 때문에 종일 토록 힘쓰고 힘써 게으르지 않는다. 덕을 향상시키면 이를 데를 아니 장차 향상되고, 공업을 닦으면 끝마칠 데를 아니 의(義)를 보존하다."

● 程子曰 : "'修辭立其誠', 不可不予細理會. 言能修省言辭, 便是要立誠. 若只是修飾言辭爲心, 只是爲僞也. 修其言辭,24) 正爲立己之誠意."25)

정자(程子 : 程顥·程頤)가 말했다. "'말을 함에 그 성실함[誠]을 세운다'는 것은 자세하게 이해하지 않을 수 없다. 말을 함에 그 언사를 닦아 반성할 수 있음은 바로 성실함[誠]을 세우려는 것이다. 언사를 수식하는 것만을 생각한다면 단지 허위를 행하는 것일 뿐이다. 만약 그 언사를 닦으면 바로 자신을 세우는 성의(誠意)가 된다."

● 呂氏大臨曰 : "忠信·進德, 如有諸己, 又知所以充實之也. 修辭立其誠, 正名是事, 行其實以稱之也. 所立卓爾而欲從之, 知至至之也, 於德有先見之明也. 人不堪其憂, 而不改其樂, 知終終之也, 於分有當安之義也."

여대림(呂大臨)이 말했다. "충(忠)·신(信)과 덕을 향상시키는 일은

....

24) 修其言辭 : 정호·정이, 『하남정씨유서(河南程氏遺書)』 권17에는 '若修其言辭[만약 그 언사를 닦으면]'라고 되어 있다.
25) 정호·정이, 『하남정씨유서(河南程氏遺書)』 권17.

자기 몸에 가지고 있고 또 그것을 충실하게 하는 까닭을 아는 것과 같다.26) 말을 함에 그 성실함[誠]을 세우는 것은 바로 이 일을 일컬으니, 그 실질을 행하여 그에 걸맞아지는 것이다. 세운 바가 탁연하여 그것을 따르려고 함은 이를 데를 알아 거기에 이르는 일이니, 덕에 선견지명이 있는 것이다. 사람들이 그 근심을 견뎌내지 못하지만 그 즐거움을 고치지 않는 것은 끝마칠 데를 알아 거기에서 끝마치는 일이니, 직분에 마땅히 편안해야 할 의(義)를 가지고 있는 것이다."

● 『朱子語類』云 : "'德'是就心上說, '業'是就事上說, '忠·信'是自家心中誠實, '修辭立其誠', 是說處有眞實底道理."27)

『주자어류』에서 말했다. "'덕'은 마음으로 말한 것이고, '업'은 일에서 말한 것이며, '충(忠)·신(信)'은 자기 마음속의 성실이고, '말을 함에 그 성실함[誠]을 세운다'는 것은 말을 할 때 진실한 도리가 있다는 뜻이다."

● 又云 : "忠信只是實, 若無實, 如何會進? 如播種相似, 須是實有種子下在泥中, 方會日見發生. 若把個空殼下在裏面, 如何會發生? 道理須是實見得.28) 若徒將耳聽過, 將口說過, 濟甚事?

---

26) 마치 자기 몸에 가지고 있고 또 그것을 충실하게 하는 까닭을 아는 것과 같다 : 『맹자』「진심(盡心)하」에서 "선(善)을 자기 몸에 가지고 있는 사람을 신인(信人)이라 하고, 충실하게 하는 사람을 미인(美人)이라 하며, 충실하여 빛남이 있는 사람을 대인(大人)이라 한다.[有諸己之謂信, 充實之謂美, 充實而有光輝之謂大.]"라고 하였다.
27) 주희, 『주자어류』권69, 12조목.

忠信所以爲實者, 且如孝, 須實是孝, 方始那孝之德日進一日;
如弟, 須實是弟, 方始那弟之德日進一日. 若不實, 卻自無根了,
如何會進?

또 (『주자어류』에서) 말했다. "충(忠)과 신(信)은 실질적인 것이니,
실질됨이 없다면 어떻게 향상시킬 수 있겠는가? 씨앗을 뿌리는 것
과 비슷하니, 반드시 실제로 씨앗을 땅속에 심어야 비로소 나날이
자라나는 것을 볼 수 있다. 빈 껍질을 땅속에 심으면 어떻게 자라
날 수 있겠는가? 도리는 반드시 실질적으로 이해해야 한다. 한갓
귀로 듣기만 하고 입으로 말하기만 하면 무슨 일을 이루겠는가? 충
(忠)과 신(信)이 실질적이게 되는 까닭은, 예컨대 효(孝)는 반드시
실질적으로 효도를 해야 비로소 그 효의 덕이 나날이 향상됨이 있
고, 예컨대 우애는 반드시 실질적으로 우애롭게 해야 비로소 우애
의 덕이 나날이 향상됨이 있다. 실질적이지 못하면 또한 본래 근본
이 없는데 어떻게 향상시킬 수 있겠는가?

'立其誠', 誠依舊便是上面忠信. '修辭'是言語照管得到, 那裏面
亦須照管得到. '進德'是自覺得意思日强似一日, 日振作似一日,
不是外面事, 只是自見得意思不同."29)

'그 성실함[誠]을 세운다'는 것에서, 성실함은 여전히 위의 충(忠)과
신(信)이다. '말을 닦는다'는 것은 언어를 잘 가려서 한다는 뜻이니,
그 내면도 또한 반드시 잘 살펴야 한다. '덕을 향상시킨다'는 말은

----

28) 道理須是實見得 : 주희, 『주자어류』 권69, 54조목에는 "卽是空道理, 須
是實見得.[이와 같이 공허한 도리는 반드시 실질로 이해해야 한다.]"라고
되어 있다.
29) 주희, 『주자어류』 권69, 54조목.

자각하는 의미가 나날이 강해지고 나날이 진작되는 것이니, 외면의 일이 아니고 다만 스스로 이해하는 의미와도 같지 않다."

● 問 : "‘立誠’不就制行上說, 而特指‘修辭’, 何也?" 曰 : "人不誠處, 多在言語上."[30]

물었다. "‘성실함[誠]을 세운다’는 행동을 제재하는 데서 말하는 것이 아니라 다만 ‘말을 닦는다’는 것을 가리키는데, 무엇 때문입니까?"
(주자가) 대답했다. "사람이 성실하지 못한 것은 대부분 언어에 있기 때문이다."

又曰 : "人多將言語作沒緊要, 容易說出來, 若一一要實, 這工夫自是大. ‘忠信進德’, 便是見得‘修辭立城’底許多道理, ‘修辭立誠’,[31] 便要立得這忠信, 若口不擇言, 逢事便說, 只這忠信亦被汨沒動盪, 立不住了."[32]

(주자가) 또 말했다. "사람들이 대부분 언어를 긴요하게 사용하지 못하여 쉽사리 말을 하는데, 만약 한 마디 한 마디를 실질적이도록 하면 이러한 공부는 본래 큰 것이다. ‘충(忠)과 신(信)으로 덕을 향

---

30) 주희, 『주자어류』 권69, 52조목.
31) 修辭立誠 : 주희, 『주자어류』 권95, 119조목에는 "修省言辭[언사를 닦아서 살펴본다]"라고 되어 있다.
32) 人多將言語作沒緊要 … 這工夫自是大 : 주희, 『주자어류』 권69, 21조목./ ‘忠信進德’, 便是見得‘修辭立城’底許多道理 : 주희, 『주자어류』 권69, 57조목./ ‘修辭立誠’ … 立不住了 : 주희, 『주자어류』 권95, 119조목.

상시키는 일'은 바로 '말을 함에 성실햄誠l을 세우는 일'의 수많은
도리를 이해하는 것이다. '말을 함에 성실햄誠l을 세우는 일'은 바
로 이 충(忠)과 신(信)을 세우려는 것이니, 만약 말을 가려서 하지
못하여 일을 마주칠 때 곧바로 말을 한다면, 이 충(忠)과 신(信)은
또한 한 가지 일에 빠져 불안정하게 될 뿐 세울 수 없다."

● 又云 : "伊川解'修辭立誠'作'擇言篤志', 說得來寬. 不如明道
說云, '修其言辭, 正爲立己之誠意.'"33)

(주자가) 또 말했다. "이천(伊川 : 程頤)이 '말을 함에 성실햄誠l을
세우는 일'을 풀이하여 '말을 가려서 하고 뜻을 돈독하게 한다'라고
한 것은34) 그 설명이 느슨하다. 명도(明道 : 程顥)가 '그 언사를 닦
는 일은 바로 자기의 성의를 세우는 일이다'라고 말한 것만35) 못하
다."

● 又云 : "'忠信'·'修辭', 且大綱說所以'進德修業'之道. '知至'·
'知終', 則又詳其始終工夫之序如此. '忠信', 心也; '修業', 事也.
然蘊於心者所以見於事, 修於事者所以養其心, 此聖人之學, 所
以爲內外兩進, 而非判然二事也.

---

33) 주희, 『주자어류』 권69, 43조목.
34) 이천(伊川 : 程頤)이 '말을 함에 성실햄誠l을 세우는 일'을 풀이하여 '말
을 가려서 하고 뜻을 돈독하게 한다'라고 한 것은 : 『이천역전(伊川易
傳)』 권1.
35) 명도(明道 : 程顥)가 '그 언사를 닦는 일은 바로 자기의 성의를 세우는
일이다'라고 말한 것만 : 『하남정씨유서』 권1.

(주자가) 또 말했다. "'충(忠)과 신(信)'·'말을 닦는 것'은 또한 '덕을 향상시키고 업을 닦는' 까닭으로서의 도를 대강 말하였다. '이를 데를 아는 것'과 '끝마칠 데를 아는 것'은 또 그 시작하고 끝나는 공부의 순서가 이와 같음을 상세하게 말하였다. '충(忠)과 신(信)'은 마음이고, '업을 닦는 것'은 일이다. 그러나 마음에 쌓은 것은 일에 나타나고 일에서 닦은 것은 그 마음을 길러주니, 이것이 성인의 학문이 안팎을 함께 향상시켜 뚜렷하게 두 가지 일이 아니게 되는 까닭이다.

'知至', 則知其道之所止; '至之', 乃行矣而驗其所知也. '知終', 則見其道之極致; '終之', 乃力行而期至於所歸宿之地也. 知而行·行而知, 二者交相警發, 而其道日益光明. '終日乾乾', 又安有一息之間哉?"[36]

'이를 데를 알면' 그 도가 머무는 곳을 알고, '거기에 이르는 것'은 바로 실천하여 그 앎을 증험하는 일이다. '끝마칠 데를 알면' 그 도의 극치를 보고, '거기에서 끝마치는 것'은 바로 힘써 실천하여 바라는 대로 귀착할 곳에 이르는 것이다. 알아서 실천하고 실천하여 아는 것, 이 둘은 서로 간에 조심스럽게 발휘하여, 그 도는 나날이 더욱 광명을 더한다. '종일토록 힘쓰고 힘쓰는 것'이 또 어찌 한 순간이라도 틈이 있겠는가?

● 又云 : "'知至至之'者, 言此心所知者, 心眞個到那所知田地.

---

36) 주희, 『주문공문집』 권39, 「답범백숭, 동여자약·장자선(答範伯崇, 同呂子約·蔣子先)」.

雖行未到, 而心已到, 故其精微幾密, 一齊在此, 故曰'可與幾.'
'知終終之'者, 旣知到極處, 便力行到極處. 此眞實見於行事, 故
天下義理都無走失, 故曰'可與存義.'"37)

(주자가) 또 말했다. "'이를 데를 알아 거기에 이른다'는 이 마음이
아는 것이 참으로 그 아는 경지에 도달한 것을 말한다. 비록 행동
이 도달하지 못했지만 마음이 이미 도달했으므로 그 정밀하고 기밀
함이 모두 여기에 있기 때문에 '더불어 기미를 알 수 있다'라고 하
였다. '끝마칠 데를 알아 거기에서 끝마친다'는 이미 지극한 곳에
도달하는 것을 알았으니 힘써 실천하여 지극한 곳에 도달하는 것이
다. 이는 진실됨이 행동과 일에 나타났으므로 천하의 의리가 모두
상실됨이 없기 때문에 '더불어 의(義)를 보존할 수 있다'라고 하였
다."

● 又云 : "'進'字貼著那'幾'字, '至'字又貼著那'進'字, '居'字貼著那
'存'字, '終'字又貼著那'居'字. '幾'是心上說,38) '義'是那業上底道
理."39)

(주자가) 또 말했다. "'향상시킨다'는 말은 '기미'에 붙어 있고, '이른
다'는 말은 또 '향상시킨다'는 말에 붙어 있으며, '차지한다'는 말은
'보존한다'는 말에 붙어 있고, '끝마친다'는 말은 또 '차지한다'는 말
에 붙어 있다. '기미'는 마음으로 말한 것이고, '의(義)'는 그 업의
도리이다."

....

37) 주희,『주자어류』권69, 67조목.
38) '幾'是心上說 : 주희,『주자어류』권69, 61조목에는 "'德'是心上說['덕'은
    마음으로 말한 것이고]"라고 되어 있다.
39) 주희,『주자어류』권69, 61조목.

● 又云 : "'忠信進德'與'知至至之, 可與幾也', 這幾句都是去底字; '修辭立誠'與'知終終之, 可與存義', 都是住底字. '進德'是日日新, '居業'是日日如此."[40]

(주자가) 또 말했다. "'충(忠)과 신(信)으로 덕을 향상시키는 것'과 '이를 데를 알아 거기에 이르니 더불어 기미를 알 수 있다'라는 구절들은 모두 해나간다는 뜻이다. '말을 함에 그 성실함[誠]을 세우는 것'과 '마칠 데를 알아 거기에서 끝마치니 더불어 의(義)를 보존할 수 있다'라는 구절들은 모두 머무른다는 뜻이다. '덕을 향상시킨다'는 것은 나날이 새롭다는 뜻이고, '업을 차지한다'는 것은 나날이 이와 같다는 말이다."

● 問'修業'·'居業'之別? 曰 : "二者只是一意. 居, 守也. 逐日修作是修, 常常如此是守."[41]

'업을 닦는 것'과 '업을 차지하는 것'의 차별에 대해 물었다.
(주자가) 대답했다. "둘은 한 가지 뜻일 뿐이다. 차지한다는 것은 지키는 일이다. 매일 닦아가는 것은 닦는 일이고, 늘 이와 같이 하는 것은 지키는 일이다."

● 又云 : "'忠信進德, 修辭立誠', 與'敬以直內, 義以方外', 分屬乾·坤, 蓋取健順二體. 忠信·立誠,[42] 自有剛健主立之體; 敬·

---

40) 주희, 『주자어류』 권69, 56조목.
41) 주희, 『주자어류』 권69, 27조목.
42) 忠信立誠 : 주희, 『주자어류』 권69, 34조목에는 "修辭立誠[말을 함에 그 성실함[誠]을 세우는 것]"이라고 되어 있다.

義, 便有靜順之體. 進·修便是個篤實, 敬·義便是箇虛靜, 故曰
陽實陰虛."[43]

(주자가) 또 말했다. "'충(忠)과 신(信)으로 덕을 향상시키고 말을
함에 그 성실함[誠]을 세운다'는 구절과 '경(敬)으로 안을 곧게 하고
의(義)로 밖을 반듯하게 한다'는 구절을 건과 곤에 나누어 소속시키
는 것은 대개 굳건함과 순응함의 두 가지 특성[體]을 취해서이다.
충(忠)·신(信)과 성(誠)을 세우는 것은 본래 강건하여 세우기를 주
로 하는 특성을 지니고 있고, 경(敬)과 의(義)는 고요하여 순응하는
특성을 지니고 있다. 향상시키고 닦는 것은 돈독하게 실질적인 일
이고, 경(敬)과 의(義)는 비어서 고요한 것이기 때문에 양(陽)은 차
있고 음(陰)은 비었다고 한다."

● 俞氏琰曰 : "德與忠信, 皆主於心者也 ; 業與辭, 皆見於事者
也. 事已成謂之業. '修業'者, 業未成則修而成之也 ; '居業', 業已
成則居而守之也. 辭, 言辭也. 修, 謂修省, 非修飾也. 誠, 卽忠
·信也. '立其誠', 謂立其誠意, 而不爲私意所汩撓也. 若但以修
飾言辭爲心, 則僞矣. 君子'閑邪存其誠', 則無一念之不正也 ; '修
辭立其誠', 則無一言之不實也."[44]

유염(俞琰)이 말했다. "덕과 충(忠)·신(信)은 모두 마음을 위주로
한 것이고, 업과 말은 모두 일에 드러나는 것이다. 일이 이미 이루
어진 것을 업이라고 한다. '업을 닦는다'는 것은 업이 아직 이루어
지지 않았으니 그것을 닦아 이루는 일이고, '업을 차지한다'는 것은

---

43) 주희, 『주자어류』 권69, 34조목.
44) 유염(俞琰), 『주역집설(周易集說)』 권26.

업이 이미 이루어졌으니 그것을 차지하여 지키는 일이다. 말은 언사이다. 닦는다는 것은 닦아 살피는 일이지 수식하는 것이 아니다. 성실함은 곧 충(忠)·신(信)이다. '그 성실함[誠]을 세우는 것'은 그 성실한 뜻을 세워 사사로운 뜻에 빠져 어지럽게 되지 않음을 말한다. 언사를 수식하는 것으로 마음으로 삼는다면 허위일 뿐이다. 군자가 '사악한 것을 막고 성실함[誠]을 보존하면' 그 어떤 생각도 바르지 않음이 없고, '말을 함에 그 성실함[誠]을 세우면' 그 어떤 말도 실질되지 않음이 없다."

● 蔣氏悌生曰 : "'乾乾因其時而惕', '時'字正解爻辭'終日'之義, 見聖人省察之心, 無少間斷也."45)

장제생(蔣悌生)이 말했다. "'힘쓰고 힘써 그 때에 따라 두려워한다'에서 '때'는 바로 효사(爻辭) '종일'의 의미를 풀이한 것이니, 성인이 성찰하는 마음이 조금도 끊임이 없음을 보여준다."

● 蔡氏淸曰 : "'忠信所以進德也.' 每應一件事, 俱著一個心爲之主, 唯心之所主者一於誠, 則德之在內者進矣. 而其於事也, 又處置恰好, 如其所言, 則是誠有所歸宿安頓處, 是之謂'立誠', 而業之見於外者修矣."46)

채청(蔡淸)이 말했다. "'충(忠)과 신(信)은 덕을 향상시키는 근거이다.' 매번 어떤 일에 대응할 때마다 그 일에 마음을 다잡아 위주가 되게 하고, 오직 마음이 위주로 하는 것이 성실함으로 일관하면, 안

45) 장제생(蔣悌生), 『오경려측(五經蠡測)』 권1.
46) 채청(蔡淸), 『역경몽인(易經蒙引)』 권1중(中).

에 있는 덕이 향상될 것이다. 그리고 그 일에 대해 또 아주 잘 처리하여 그가 말한 것과 같으면, 성실함이 귀착하여 안치될 곳이 있으니, 이를 '성실함[誠]을 세운다'라고 말하며 밖으로 드러난 업도 닦여질 것이다."

● 又曰 : "誠, 卽忠信也. '忠信', 就初間存主上說; '修辭立誠', 就後來事到就緒上說. 二者總是'敬以直內, 義以方外.' '忠信', 直內之事; '修辭', 方外之事."[47]

(채청이) 또 말했다. "성(誠)은 바로 충(忠)·신(信)이다. '충(忠)·신(信)'은 처음에는 주체를 보존하는 측면에서 말하였고, '말을 함에 그 성실함[誠]을 세우는 것'은 뒤에 일이 이르렀을 때 그 단서에서 말한 것이다. 이 둘은 결국 '경(敬)으로 안을 곧게 하고 의(義)로 밖을 반듯하게 한다'는 뜻이다. '충(忠)·신(信)'은 안을 곧게 하는 일이고, '말을 닦는 것'은 밖의 일을 반듯하게 하는 일이다."

● 又曰 : "閑邪之外, 再無存誠工夫, 故承之曰'存其誠'; 修辭之外, 再無立誠工夫, 故承之曰'立其誠.' 誠卽忠·信. 向也誠存於心, 而今則見於事, 而誠有立矣."[48]

(채청이) 또 말했다. "사악한 것을 막는 것 이외에 다시 성(誠)을 보존하는 공부가 없기 때문에 그것을 이어 '그 성실함[誠]을 보존한다'고 말했다. 말을 닦는 것 이외에 다시 성실함을 세우는 공부가 없기 때문에 그것을 이어 '그 성실함을 세운다'고 말했다. 성실함은

---

47) 채청(蔡淸), 『역경몽인(易經蒙引)』 권1중(中).
48) 채청(蔡淸), 『역경몽인(易經蒙引)』 권1중(中).

곧 충(忠)·신(信)이다. 이전에 성실함이 마음에 보존되어 있다가 이제는 일에 드러나 성실함이 세워지는 것이다."

● 又曰 : "『中庸章句』云, '反諸身不誠, 謂反求諸身, 而其所存所發, 有未實也.[49]' 所存之實, 卽主忠信也; 所發之實, 卽修辭立其誠也. 合進德修業, 總是『中庸』之誠身, 『大學』之誠意·正心·修身."[50]

(채청이) 또 말했다. "『중용장구(中庸章句)』에서 '자기 몸에 돌이켜 보아 성실하지 못하다는, 자기 몸에 돌이켜 찾아봄에 보존한 것과 발현한 것이 실질되지 않음이 있음을 말한다.' 보존한 것의 실질됨은 곧 충(忠)과 신(信)을 위주로 하고[51] 발현한 것의 실질됨은 말을 함에 그 성실함[誠]을 세우는 것이다. 덕을 향상시키고 업을 닦는 것은 결국 『중용』의 몸을 성실하게 하는 일이고[52], 『대학』의 뜻을

49) 有未實也 : 주희, 『중용장구(中庸章句)』 제20장에는 "未能眞實而無妄也.[진실되고 망령됨이 없을 수 없다.]"라고 되어 있다.

50) 채청(蔡淸), 『역경몽인(易經蒙引)』 권1중(中).

51) 충(忠)과 신(信)을 위주로 하고 : 『논어』 「학이(學而)」에서 "공자가 말했다. '군자가 중후하지 않으면 위엄이 없으니, 학문도 견고하지 못하다. 충(忠)과 신(信)을 위주로 하며, 자기보다 못한 사람을 친구로 삼지 말고, 허물이 있으면 고치기를 꺼려하지 말아야 한다.'[子曰 : '君子不重則不威, 學則不固. 主忠信, 無友不如己者, 過則勿憚改.]"라고 하였다.

52) 『중용』의 몸을 성실하게 하는 일이고 : 『중용』 제20장에서 "아랫자리에 있으면서 윗사람에게 신임을 얻지 못하면 백성을 다스리지 못할 것이다. 윗사람에게 신임을 얻는 것에 방법이 있으니, 친구에게 믿음을 받지 못하면 윗사람에게 신임을 얻지 못할 것이다. 친구에게 믿음을 받는 것에 방법이 있으니, 부모에게 순응하지 못하면 친구에게 믿음을 받지 못할 것이다. 부모에게 순응하는 것에 방법이 있으니, 자기 몸에 돌이켜보아

성실하게 하고 마음을 바로잡으며 몸을 닦는 것이다.⁵³⁾"

● 又曰 : "九三居下之上, 是亦有位其上者, 則九三爲在下位矣; 亦有位在下者, 則九三又爲居上位矣. 若於初·二, 必不兼言居上位; 若於九五, 必不兼言在下位, 此亦當知."⁵⁴⁾

(채청이) 또 말했다. "구삼은 하괘의 위에 자리 잡은 것인데, 이는 또한 그 위에 자리 잡은 것이 있으니 구삼은 아랫자리에 있는 것이 되고, 또 그 아래에 자리 잡은 것이 있으니 구삼은 또 윗자리에 있는 것이 된다. 초효와 제2효에 대해서라면 굳이 윗자리에 자리 잡은 것을 함께 말하지 못하고, 구오에 대해서라면 굳이 아랫자리에

성실하지 못하면 부모에게 순응하지 못할 것이다. 몸을 성실히 함에 방법이 있으니, 선(善)을 밝게 알지 못하면 몸을 성실히 하지 못할 것이다. [在下位不獲乎上, 民不可得而治矣; 獲乎上有道 : 不信乎朋友, 不獲乎上矣; 信乎朋友有道 : 不順乎親, 不信乎朋友矣; 順乎親有道 : 反諸身不誠, 不順乎親矣; 誠身有道 : 不明乎善, 不誠乎身矣.]"라고 하였다.

53) 『대학』의 뜻을 성실하게 하고 마음을 바로잡으며 몸을 닦는 것이다 : 『대학』 경(經)1장에서 "옛날에 밝은 덕을 천하에 밝히려고 하는 자는 먼저 그 나라를 다스리고, 그 나라를 다스리려고 하는 자는 먼저 그 집안을 가지런히 하며, 그 집안을 가지런히 하려고 하는 자는 먼저 그 몸을 닦고, 그 몸을 닦으려고 하는 자는 먼저 그 마음을 바르게 하며, 그 마음을 바르게 하려는 자는 먼저 그 뜻을 성실하게 하고, 그 뜻을 성실하게 하려고 하는 자는 먼저 그 지식을 지극히 하였으니, 지식을 지극히 하는 것은 사물의 이치를 궁구하는 것에 있다.[古之欲明明德於天下者, 先治其國; 欲治其國者, 先齊其家; 欲齊其家者, 先修其身; 欲修其身者, 先正其心; 欲正其心者, 先誠其意; 欲誠其意者, 先致其知; 致知在格物.]"라고 하였다.
54) 채청(蔡淸), 『역경몽인(易經蒙引)』 권1중(中).

자리 잡은 것을 함께 말하지 못하니, 이러한 점도 또한 마땅히 알아야 된다."

● 林氏希元曰: "忠信, 是此心眞實, 如孝則眞實是孝, 弟則眞實是弟. 實心爲善, 則善心日以充長, 善念日以彰著, 此之謂'進德.' 實心爲善乃誠也. 若辭不修, 語孝弟俱是空言無實事, 則此誠終於消散, 不聚集矣, 何由立, 又何績業可居? 故工夫又在修治言辭上. 先行其言而後從之, 言必有物. 凡吐口言語皆是實事, 無一句虛妄, 乃'修辭'也. 修辭則行成, 孝成個孝, 弟成個弟. 吾心之誠, 集聚而不消散, 故曰'立其誠.' 誠立則業修而可居, 非立誠之外, 又有居業工夫也."[55]

임희원(林希元)이 말했다. "충(忠)과 신(信)은 이 마음이 진실한 것이니, 만약 효도라면 진실로 효도하는 것이고, 우애라면 진실로 우애하는 것이다. 진실된 마음으로 선(善)을 실천하면 선한 마음은 날로 충만하여 자라나고 선한 생각은 날로 두드러지게 드러나니, 이를 일러 '덕을 향상시킨다'라고 한다. 진실된 마음으로 선을 실천하는 것이 바로 성실함[誠]이다. 만약 말이 닦여지지 않아 효도와 우애에 대해 말하지만 모두 빈말이고 실질적인 일이 없다면, 이는 성실함이 끝내 사라져 흩어지고 모이지 못한 것이니, 무엇을 통해 성실함을 세우고 또 어떻게 업을 쌓아 차지할 수 있겠는가? 그러므로 공부는 또 언사를 닦는 데 있다. 먼저 그 말을 실천한 뒤에 그것을 따르니, 말에는 반드시 대상이 있다. 무릇 입을 열어 말한 것이 모두 실질적인 일이어서, 그 어느 한 마디도 허망함이 없는 것이 바로 '말을 닦는다'는 뜻이다. 말을 닦으면 실천이 이루어지니, 효

---

55) 임희원(林希元), 『역경존의(易經存疑)』 권1.

도는 구체적인 효도를 이루고 우애는 구체적인 우애를 이룬다. 내 마음의 성실함이 모여 사라져 흩어지지 않기 때문에 '그 성실함을 세운다'라고 했다. 성실함이 세워지면 업이 닦여져 차지할 수 있으니, 성실함을 세우는 것 이외에 또 업을 차지하는 공부가 있는 것이 아니다."

● 又曰 : "'忠信, 所以進德', 是忠信所以至之也. 何也? 凡有所進, 將必有所至. 忠信以至之, 則善心日長, 神智日開, 道之壺奧, 理之玄妙, 爲吾所當至者. 一時雖未能遽至, 固已先得之矣, 故'可與幾.'

(임희원이) 또 말했다. "'충(忠)과 신(信)은 덕을 향상시키는 근거이다'라는 것은 충과 신이 그것으로 거기에 이르러서이다. 무엇 때문인가? 향상되는 것은 장차 반드시 이르는 곳이 있기 때문이다. 충과 신으로 거기에 이르면, 선한 마음이 날로 자라나고 신령한 지혜가 날로 열려 도(道)의 오묘함과 리(理)의 현묘함이 내가 마땅히 이르게 될 곳이 된다. 한 때에 갑자기 이르게 될 수 없더라도 본디이미 먼저 그것을 얻었기 때문에 '더불어 기미를 알 수 있다'라고 했다.

'修辭立其誠, 所以居業', 是修辭立誠, 所以終之也. 何也? 居是居止, 終是終身居止而不移, 居之所以終之也. 修辭立誠以終之, 則踐履篤實, 持守堅固, 事理之宜, 吾所當守者, 可與存之而不失矣. 義者, 事理之宜, 吾所當守者也."[56]

....

56) 임희원(林希元), 『역경존의(易經存疑)』 권1.

'말을 함에 그 성실함[誠]을 세우는 것은 업을 차지하는 근거이다'는 말을 닦고 성실함을 세우는 일이 그것으로 끝마친다는 뜻이다. 무엇 때문인가? 차지한다는 것은 차지하여 머무르는 일이고, 끝마친다는 것은 죽을 때까지 차지하여 머물러서 옮기지 않는 일이니, 그것을 차지하여 그것으로 끝마치는 것이다. 말을 닦고 성실함을 세워 그것을 끝마치면, 실천한 것이 독실하고 잡아 지킨 것이 견고하여 일의 이치가 마땅함은 내가 마땅히 지킬 것이 되니, 더불어 그것을 보존하여 잃지 않을 수 있다. 의(義)는 일의 이치가 마땅함이니 내가 마땅히 지켜야 될 일이다."

● 鄭氏維嶽曰 : "不曰所以修業, 而曰'所以居業', 蓋修辭立誠, 卽是修矣, 旣修則有可居矣. 猶之屋然, 修者方在營構, 旣成則可居也."

정유악(鄭維嶽)이 말했다. "그것으로 업을 닦는다고 하지 않고 '그것으로 업을 차지한다'고 한 것은, 말을 닦고 성실함을 세우는 것은 닦는 일이고, 이미 닦고 나면 차지할 수 있는 것이 있기 때문이다. 이는 마치 집을 짓는 것과 같으니, 닦는 일은 집짓기를 운영하는 것이고 이미 완성하고 나면 차지할 수 있다."

● 楊氏啓新曰 : "心之存諸中者, 純乎忠信而不妄, 則心無外馳, 而得於己者, 日進而不已. 言之見於事者, 致其修省而有實, 則事皆實理, 而體諸身者, 安安而不遷."

양계신(楊啓新)[57]이 말했다. "마음이 그 속에 보존한 것은 순전히 충(忠)과 신(信)이어서 망령되지 않으면, 마음은 밖으로 내닫지 않고 자신에게서 얻은 것은 날로 향상되어 그치지 않는다. 말이 일에 나타난 것을 극진히 닦고 살펴 실질됨이 있으면, 일은 모두 실질적인 이치이고 몸에 체득한 것도 편안하고 편안하여 옮겨가지 않는다."

---

57) 양계신(楊啓新) : 자는 문원(文源)이다.

九四曰, ‘或躍在淵, 無咎’, 何謂也? 子曰 : “上下無常, 非爲邪也; 進退無恒, 非離群也. 君子進德修業, 欲及時也. 故無咎.”

구사(九四)에서 ‘혹은 뛰어오르거나 연못에 있으니 허물이 없다’라고 한 것은 무엇을 말하는가? 공자가 말했다. “올라가고 내려감에 일정함이 없는 것이 간사함이 되지 않으며, 나아가고 물러감에 항상됨이 없는 것이 같은 무리를 떠남이 아니다. 군자가 덕을 향상시키고 업을 닦는 일은 때에 맞게 하려는 것이다. 그러므로 허물이 없다.”

本義

內卦以德·學言, 外卦以時·位言. “進德修業”, 九三備矣, 此則欲其及時而進也.

내괘(內卦)는 덕과 학문으로 말하고, 외괘(外卦)는 때와 자리로 말했다. 덕을 향상시키고 업을 닦는 일은 구삼효(九三爻)가 갖추었고, 이 효는 때에 맞게 나아가려고 하는 것이다.

程傳

或躍或處, 上下無常; 或進或退, 去就從宜; 非爲邪枉, 非離群類. 進德修業, 欲及時耳. 時行時止, 不可恒也, 故云‘或.’

深淵者, 龍之所安也. 在淵, 謂躍就所安. 淵在深而言躍, 但取進就所安之義. '或', 疑辭, 隨時而未可必也. 君子之順時, 猶影之隨形, 可離非道也.

혹은 뛰어오르고 혹은 머물러 있어 올라가고 내려감에 일정함이 없고, 혹은 나아가고 혹은 물러나 거취가 마땅함을 따르는 일은 간사하거나 왜곡된 것이 아니고, 같은 무리를 떠나는 것이 아니다. 덕을 향상시키고 업을 닦는 일은 때에 맞게 하려는 것일 뿐이다. 때에 따라 움직이고 때에 따라 멈추어 항상될 수 없으므로 '혹은'이라고 말했다. 깊은 연못은 용(龍)이 편안히 있는 곳이다. 연못에 있다는 것은 용이 뛰어올라 편안한 곳으로 나아감을 말한다. 연못은 깊은 곳에 있는데 뛰어오른다고 말한 것은 단지 편안한 곳으로 나아가는 뜻을 취한 것이다. '혹은'은 의문사이니, 때에 따라서 하고 반드시 어떻게 한다는 것이 아니다. 군자가 때를 따르는 것은 그림자가 형체를 따르는 것과 같으니, 떠날 수 있으면 도(道)가 아니다.

集說

● 項氏安世曰 : "進退 · 上下, 不敢自必, 相時而動, 所謂自誠也.[58] 大抵上下之交, 皆危疑之地, 故三厲而四猶疑之."[59]

항안세(項安世)가 말했다. "나아가고 물러남, 올라가고 내려감을 감히 스스로 반드시 그렇게 하지 않고 때를 보아 움직이는 것은 이른

58) 所謂自誠也 : 항안세(項安世), 『주역완사(周易玩辭)』 권1에는 "所謂自試也.[이른바 스스로 시험하는 것이다.]"라고 되어 있다.
59) 항안세(項安世), 『주역완사(周易玩辭)』 권1.

바 스스로 성실한 것이다. 대개 올라가고 내려가면서 교류하는 것
은 모두 위험하고 의심스러운 경우이기 때문에 구삼은 위태롭고,
구사는 또한 의심한다."

● 俞氏琰曰："上與進, 釋躍字; 下與退, 釋在淵之義. 無常無恒,
釋或之義. 非爲邪, 非離群, 欲及時, 以申進無咎之義."60)

유염(俞琰)이 말했다. "올라감과 나아감은 뛰어오른다는 말을 풀이
한 것이고, 내려감과 물러남은 연못에 있다는 의미를 풀이한 것이
다. 일정함이 없고 항상되지 않음은 '혹은'이라는 의미를 풀이한 것
이다. 간사함이 되지 않고, 같은 무리를 떠남이 아니며, 때에 맞게
하려는 것으로 허물이 없는 데로 나아가는 의미를 거듭 설명하였
다."

● 林氏希元曰："可上而不上; 疑於以隱爲高; 可進而不進, 疑
於遯世離群. 及時之時, 上進之時也. 欲及時, 是應非爲邪離群
句. 無咎, 得時也."61)

임희원(林希元)이 말했다. "올라갈 수 있지만 올라가지 않는 것은
은미한 것을 높은 것으로 의심하고, 나아갈 수 있지만 나아가지 않
는 것은 세속에서 은둔하여 같은 무리를 떠나는 것을 의심한 것이
다. 때에 맞는대[及時]고 할 때의 때[時]는 올라가고 나아갈 때이다.
때에 맞게 하려는 것은 간사함이 되지 않고 같은 무리를 떠남이 아
니라는 구절과 호응한다. 허물이 없다는 때를 얻었다는 말이다."

---

60) 유염(俞琰), 『주역집설(周易集說)』 권26.
61) 임희원(林希元), 『역경존의(易經存疑)』 권1.

> 九五曰, '飛龍在天, 利見大人', 何謂也? 子曰 : "同
> 聲相應, 同氣相求. 水流濕, 火就燥, 雲從龍, 風從
> 虎, 聖人作而萬物覩. 本乎天者親上, 本乎地者親
> 下, 則各從其類也."

구오(九五)에서 '날아다니는 용(龍)이 하늘에 있으니, 대인을 만나봄
이 이롭다'라고 한 것은 무엇을 말하는가? 공자가 말했다. "같은 소리
는 서로 호응하고 같은 기(氣)는 서로 구한다. 물은 축축한 곳으로
흐르고 불은 건조한 곳으로 나아가며, 구름은 용(龍)을 따르고 바람
은 호랑이를 따르니, 성인이 나옴에 만물이 우러러본다. 하늘에 근본
한 것은 위를 친하게 여기고 땅에 근본한 것은 아래를 친하게 여기
니, 각각 그 부류를 따른다."

本義

作, 起也; 物, 猶人也. 覩, 釋利見之意也. 本乎天者, 謂動物;
本乎地者, 謂植物, 物各從其類. 聖人, 人類之首也, 故興起
於上, 則人皆見之.

나옴[作]은 일어남[起]이고, 만물[物]은 사람[人]과 같다. 우러러봄[覩]
은 만나봄이 이롭다는 뜻을 풀이한 것이다. 하늘에 근본한 것은 동
물을 말하고 땅에 근본한 것은 식물을 말하니, 만물은 각각 그 부류
를 따른다. 성인은 인류의 우두머리이기 때문에 위에서 흥기하면
사람들이 모두 그를 본다.

人之與聖人, 類也. 五以龍德升尊位, 人之類莫不歸仰, 況同
德乎? 上應於下, 下從於上, 同聲相應, 同氣相求也, 流濕就
燥, 從龍從虎, 皆以氣類. 故聖人作而萬物皆覩. 上旣見下,
下亦見上. 物, 人也. 古語云人物·物論, 謂人也. 『易』中'利見
大人', 其言則同, 義則有異. 如訟之利見大人, 謂宜見大德·
中正之人, 則其辨明, 言在見前. 乾之二五, 則聖人旣出, 上
下相見, 共成其事, 所利者見大人也, 言在見後. 本乎天者,
如日月星辰; 本乎地者, 如蟲獸草木. 陰陽各從其類, 人物莫
不然也.

사람은 성인과 같은 부류이다. 구오(九五)가 용(龍)의 덕으로 존귀
한 지위에 오르니, 사람의 부류가 귀의하여 우러러보지 않음이 없
는데 하물며 덕이 같은 사람은 어떻겠는가? 위는 아래에 호응하고
아래는 위를 따르니, 같은 소리가 서로 호응하고 같은 기(氣)가 서
로 구하는 것이다. 축축한 곳으로 흐르고 건조한 곳으로 나아가며
용을 따르고 호랑이를 따르는 것은 모두 기(氣)가 같은 부류이기 때
문이다. 그러므로 성인이 나옴에 만물이 모두 우러러본다. 윗사람
이 이미 아랫사람을 만나보았으니 아랫사람도 또한 윗사람을 만나
본다. 물(物)은 사람이다. 옛말에 인물(人物)이라 하고 물론(物論)
이라 하였는데, 여기에서의 물(物)은 사람을 말한다. 『역』에서 '대
인을 만나봄이 이롭다'라고 한 것은 그 말은 같지만 의미는 서로 다
르다. 예컨대 송괘(訟卦)의 '대인을 만나봄이 이롭다'는 것은 마땅
히 큰 덕(德)과 중정(中正)한 사람을 만나보아야 그 분변이 명백하
다는 것을 이르니, 말이 만나보기 전에 있는 것이다. 건괘(乾卦)의
구이(九二)와 구오(九五)는 성인이 이미 나옴에 윗사람과 아랫사람

이 서로 만나보아 함께 그 일을 이루는 것으로, 이로움이 대인을 만나보는 데 있으니, 말이 만나본 뒤에 있는 것이다. 하늘에 근본한 것은 해와 달, 별과 같고, 땅에 근본한 것은 벌레와 짐승, 초목과 같다. 음(陰)과 양(陽)이 각각 그 부류를 따르니 사람과 만물도 그렇지 않음이 없다.

集說

● 孔氏穎達曰 : "因大人與衆物感應, 故廣陳衆物相感應, 以明聖人之作而萬物瞻覩, 以結之也."[62]

공영달(孔穎達)이 말했다. "대인과 많은 사물들이 감응하기 때문에 널리 많은 사물들이 서로 감응하는 것을 늘어놓아, 성인이 나옴에 만물이 우러러본다는 것을 밝혀서 끝맺었다."

● 又曰 : "『周禮』「大宗伯」有'天產'·'地產', 「大司徒」云'動物'·'植物.' 本受氣於天者是動物, 天體運動, 含靈之物亦運動, 是親附於上也. 本受氣於地者, 是植物. 地體凝滯, 植物亦不移動, 是親附於下也."[63]

또 (공영달(孔穎達)이) 말했다. "『주례(周禮)』「대종백(大宗伯)」에는 '하늘이 낳은 것[天產]'과 '땅이 낳은 것[地產]'이라는 말이 있고[64],

---

62) 공영달 소(孔穎達 疏), 『주역주소(周易註疏)』 권1.
63) 공영달 소(孔穎達 疏), 『주역주소(周易註疏)』 권1.
64) 『주례(周禮)』「대종백(大宗伯)」에는 '하늘이 낳은 것[天產]'과 '땅이 낳은 것[地產]'이라는 말이 있고 : 『주례(周禮)』「춘관(春官)·대종백(大宗伯)」

「대사도(大司徒)」에는 '동물'과 '식물'이라고 말했다.[65] 본래 하늘에서 기(氣)를 받은 것이 동물이다. 천체는 운동하고 그 영험함을 머금은 것도 또한 운동하니, 위에 직접 붙어 있는 것이다. 본래 땅에서 기를 받은 것이 식물이다. 땅의 몸체는 응결하여 막혀 있고 거기에 세워져 있는 것도 또한 이동하지 않으니, 아래에 직접 붙어 있는 것이다."

● 『朱於語類』云 : "天下所患無君, 不患無臣. 有如是君, 必有如是臣. 雖使而今無, 少間也必有出來. '雲從龍, 風從虎', 只怕不是眞個龍虎. 若是眞個龍虎, 必生風致雲也."[66]

『주자어류』에서 말했다. "천하의 근심거리는 군주가 없는 것이니, 신하가 없는 것을 근심하지 않는다. 이와 같은 군주가 있으면 반드시 이와 같은 신하가 있다. 지금은 없더라도 조금 있으면 반드시 나온다. '구름은 용(龍)을 따르고 바람은 호랑이를 따른다'는 말은 아마도 진짜 용과 호랑이는 아닐 것이다. 만약 진짜 용과 호랑이라면 반드시 바람을 일으키고 구름을 부를 것이다."

....

에서 "以天産作陰德, 以中禮防之; 以地産作陽德, 以和樂防之.[하늘이 낳은 것은 음(陰)의 덕으로 만들었기 때문에 적절한 예로써 그 지나침을 막고, 땅이 낳은 것은 양(陽)의 덕으로 만들었기 때문에 화락으로써 그 지나침을 막는다.]"라고 하였다.

65) 「대사도(大司徒)」에는 '동물'과 '식물'이라고 말했다 : 『주례(周禮)』「지관 (地官)·대사도(大司徒)」에서 "다섯 곳의 땅에서 생겨나는 것을 변별하여, 하나는 산림으로, 거기의 동물은 털이 있고, 식물은 어두운 색을 띤다.[辨五地之物生 : 一曰山林, 其動物宜毛物, 其植物宜早物.]"라고 하였다.

66) 주희, 『주자어류』권69, 76조목.

● 又云 : "'本乎天者親上', 凡動物首向上, 是親乎上, 人類是也. '本乎地者親下', 凡植物本向下, 是親乎下, 草木是也. 禽獸首多橫生, 所以無智. 此本康節說."[67]

(주자가) 또 말했다. "'하늘에 근본한 것은 위를 친하게 여긴다'는 것은, 무릇 동물은 머리가 위를 향하니 위를 친하게 여기는 것이고 인류가 그러하다. '땅에 근본한 것은 아래를 친하게 여긴다'는 것은, 무릇 식물은 뿌리를 아래로 향하니 아래를 친하게 여기는 것이고 초목이 그러하다. 짐승은 머리가 대부분 가로로 되어 있기 때문에 지혜가 없다. 이것은 본래 강절(康節 : 邵雍)의 주장이다."

● 項氏安世曰 : "聖人先得我心之同然者, 故爲'同聲 · 同氣'之義. 聖人之於人亦類也, 故爲'各從其類'之義."[68]

항안세(項安世)가 말했다. "성인은 내 마음이 서로 같은 것을 먼저 얻은 사람이기 때문에 '같은 소리'와 '같은 기(氣)'를 지닌 의미가 된다. 성인은 사람들과 또한 같은 부류이기 때문에 '각각 그 부류를 따른다'는 의미가 된다."

---

67) 주희, 『주자어류』 권4, 33조목.
68) 항안세(項安世), 『주역완사(周易玩辭)』 권1.

上九曰, '亢龍有悔', 何謂也? 予曰 : "貴而無位,
高而無民, 賢人在下位而無輔. 是以動而有悔
也."

상구(上九)에서 '끝까지 올라간 용(龍)이니 후회가 있다'라고 한
것은 무엇을 말하는가? 공자가 말했다. "존귀하지만 지위가 없고
높은 자리에 있지만 백성이 없으며 현명한 사람이 아랫자리에
있지만 보좌함이 없다. 이 때문에 움직이면 후회가 있다."

本義

賢人在下位, 謂九五以下. 無輔, 以上九過高志滿, 不來輔助
之也.

현명한 사람이 아랫자리에 있다는 것은 구오(九五) 이하를 말한다.
보좌함이 없다는 것은 상구(上九)가 지나치게 높고 뜻이 가득차니,
와서 그를 보좌하지 않는다는 말이다.

此第二節申「象傳」之意.

이는 제2절(節)이니, 「상전(象傳)」의 뜻을 펼친 것이다.

九居上而不當尊位, 是以無民無輔, 動則有悔也.

상구(上九)는 윗자리에 자리 잡았지만 존귀한 지위에 합당하지 않다. 이 때문에 백성이 없고 보좌하는 사람이 없으니, 움직이면 후회가 있다.

集說

● 谷氏家杰曰 : "以有位謂之貴, 以有民謂之高, 以有輔謂之賢人在下位. 其貴而又無位, 高而又無民, 賢人在下位而又無輔者何? 俱以亢失之也. 故動而有悔."

곡가걸(谷家杰)이 말했다. "지위가 있는 것을 존귀하다고 하고, 백성이 있는 것을 높은 자리라고 하며, 보좌함이 있는 것을 현명한 사람이 아랫자리에 있다고 한다. 그 존귀한 데도 또 지위가 없고, 높은 자리에 있는 데도 또 백성이 없으며, 현명한 사람이 아랫자리에 있는 데도 또 보좌함이 없는 것은 무엇 때문인가? 모두 끝까지 올라가 그것들을 잃었기 때문이다. 그러므로 움직이면 후회가 있다."

건괘 문언 3

[건괘 문언 3-1]

潛龍勿用, 下也.

잠겨 있는 용(龍)은 쓰지 말라는 것은 아래에 있기 때문이다.

程傳

此以下言乾之時. 勿用, 以在下未可用也.

이 아래는 건(乾)의 때를 말했다. 쓰지 말라는 것은 아래에 있어 쓸
수 없기 때문이다.

見龍在田, 時舍也.

나타난 용(龍)이 밭에 있다는 것은 때가 버렸다는 말이다.

本義

言未爲時用也.

그 때의 쓰임이 되지 못한 것을 말한다.

程傳

隨時而止也.

때에 따라 멈추는 것이다.

終日乾乾, 行事也.

종일토록 힘쓰고 힘쓴다는 말은 일을 실행하는 것이다.

程傳

進德修業也.

덕(德)을 향상시키고 업(業)을 닦는 일이다.

集說

● 林氏希元曰 : "事, 所當爲之事也. 前章之'進德修業'是也. 終日乾乾, 日行其當爲之事而不止息也."[1]

임희원(林希元)이 말했다. "일은 마땅히 해야 하는 일이다. 앞 장의 '덕을 향상시키고 업을 닦는다'는 말이 이것이다. 종일토록 힘쓰고 힘쓴다는 말은 나날이 마땅히 해야 할 일을 하여 그치지 않는 것이다."

---

1) 임희원(林希元), 『역경존의(易經存疑)』 권1.

> ## 或躍在淵, 自試也.
>
> 혹은 뛰어오르거나 연못에 있다는 것은 스스로 시험하는 일이다.

本義

未遽有爲, 姑試其可.

갑작스럽게 일할 수는 없고 우선 그렇게 하는 것이 괜찮은지 시험하는 일이다.

程傳

隨時自用也.

때에 따라 스스로 쓰는 것이다.

集說

● 趙氏汝楳曰 : "凡飛者必先躍, 所以作其飛沖之勢. 今鳥雛習飛, 必跳躍於巢, 以自試其羽翰. 四之躍亦猶是也. 此以試釋躍."[2]

조여매(趙汝楳)3)가 말했다. "날짐승은 반드시 먼저 뛰어오르기를
하여 그것으로 날아오르는 기세로 삼는다. 지금 새 새끼가 날기연
습하는 것은 반드시 둥지에서 도약하여 그것으로 자신의 날개를 시
험한다. 구사의 도약 또한 이와 마찬가지이다. 이는 시험한다는 것
으로 뛰어오른다는 말을 풀이하였다."

● 俞氏琰曰 : "試釋躍字, 與『中庸』日省月試之試同. 君子謹失
時之戒, 而自試其所學, 蓋欲自知其淺深也."4)

유염(俞琰)이 말했다. "시험한다는 뛰어오른다는 말을 풀이한 것이
니, 『중용』의 '날로 살펴보고 달로 시험한다'5)라고 할 때의 시험한
다는 것과 같다. 군자는 때를 놓치는 경계를 삼가서 배운 것을 스
스로 시험하니, 그 배운 것의 깊고 얕음을 스스로 알려고 하기 때
문이다."

....
2) 조여매(趙汝楳), 『주역집문(周易輯聞)』 권1상.
3) 조여매(趙汝楳) : 조여매(趙汝楳)는 남송(南宋) 시대 학자로서 상왕원분
   (商王元份) 7세손이고 자정전대학사(資政殿大學士) 선상(善湘)의 아들
   이다. 이종(理宗) 대에는 호부시랑(戶部侍郎)까지 올랐다. 『주역집문(周
   易輯聞)』 6권이 있다. 『송사(宋史)』「조선상전(趙善湘傳)」에 따르면 조
   선상이 『역』에 대해 말한 책에는 『약설(約說)』 8권, 『혹문(或問)』 4권,
   『지요(指要)』 4권, 『속문(續問)』 8권 등이 있는데 이 『역』을 연구한 것이
   가장 오래되었다고 하니, 조여매는 가학(家學)을 이어서 이 『주역집문』
   을 지었을 것이다.
4) 유염(俞琰), 『주역집설(周易集說)』 권26.
5) 『중용』의 '날로 살펴보고 달로 시험한다' : 『중용』 제20장에서 "날로 살펴
   보고 달로 시험하여 일에 알맞게 녹봉을 주는 것은 백관을 권면하는 것
   이다[省月試, 餼稟稱事, 所以勸百工也.]"라고 하였다.

● 谷氏家杰曰 : "人見者淺, 自見者眞, 必自家試之而後可決也."

곡가걸(谷家杰)이 말했다. "남이 보는 것은 얕고 스스로 보는 것은 참되니, 반드시 스스로 시험한 뒤에 결정할 수 있다."

> 飛龍在天, 上治也.
> 날아다니는 용(龍)이 하늘에 있다는 말은 윗사람이 다스리는 것이다.

本義

居上以治下.

위에 자리 잡아 아래를 다스리는 일이다.

程傳

得位而行, 上之治也.

지위를 얻어 행하는 것은 윗사람의 다스림이다.

集說

● 蘇氏濬曰 : "上治, 猶言盛治. 五帝三王, 皆治之上者也."

소준(蘇濬)이 말했다. "윗사람의 다스림은 융성한 다스림이라고 말하는 것과 같다. 삼황오제(三皇五帝)는 모두 다스림이 윗사람다운 것이다."

[건괘 문언 3-6]

亢龍有悔, 窮之災也.

끝까지 올라간 용(龍)이니 후회가 있다라는 것은 궁극에 이른 재앙이다.

窮極而災至也.

궁극에 도달하여 재앙이 이른 것이다.

乾元用九, 天下治也.

건(乾)의 큼이 구(九:陽)를 쓴다는 말은 천하가 다스려지는 것이
다.

本義

言'乾元用九', 見與它卦不同, 君道剛而能柔, 天下無不治矣.

'건(乾)의 큼이 구(九)를 쓴다'라고 말한 것은 다른 괘와 같지 않음
을 나타낸 것이니, 군주의 도(道)가 굳세면서 부드러울 수 있으면
천하가 다스려지지 않음이 없다는 뜻이다.

此第三節, 再申前意.

이는 제3절이니, 앞의 뜻을 다시 펼친 것이다.

程傳

用九之道, 天與聖人同, 得其用則天下治也.

구(九)를 쓰는 방법은 하늘과 성인이 같으니, 그 씀을 얻으면 천하
가 다스려진다.

● 『朱子語類』, 問"乾元用九, 天下治也." 曰 : "九是天德, 健中便自有順, 用之則天下治. 如下文'乃見天則','則', 便是天德."6)

『주자어류』에서 "건(乾)의 큼이 구(九 : 陽)를 쓴다는 말은 천하가 다스려지는 것이다"라는 말에 대해 물었다.

(주자가) 대답했다. "구(九)는 하늘의 덕이니, 굳건함이 알맞으면 저절로 순조로움이 있고, 그것을 쓰면 천하가 다스려진다. 예컨대 아래 글([건괘 문언 4-7])에서 '이에 하늘의 법칙을 볼 수 있다'라고 할 때의 '법칙'도 바로 하늘의 덕이다."

---

6) 주희, 『주자어류』 권69, 80조목.

건괘 문언 4

[건괘 문언 4-1]

潛龍勿用, 陽氣潛藏.

잠겨 있는 용(龍)은 쓰지 말라는 것은 양(陽)의 기(氣)가 잠기고
감추어져있기 때문이다.

程傳

此以下言乾之義. 方陽微潛藏之時, 君子亦當晦隱, 未可用也.

이 아래는 건(乾)의 의미를 말했다. 이제 양(陽)이 미약하여 잠기고
감추어져 있을 때, 군자는 또한 은둔해야지 써서는 안 된다.

集說

● 陸氏銓曰 : "微陽潛藏, 愈養則愈厚, 輕用則發洩無餘矣."

육전(陸銓)이 말했다. "미약한 양(陽)이 잠기고 감추어져 있는 것은
기르면 기를수록 더욱 두터워지지만, 함부로 쓰면 발산하여 남음이
없을 것이다."

[건괘 문언 4-2]

見龍在田, 天下文明.

나타난 용(龍)이 밭에 있다는 말은 천하가 문명하게 된다는 뜻이다.

本義

雖不在上位, 然天下已被其化.

비록 윗자리에 있지 않지만 천하가 이미 그 교화를 입는다.

程傳

龍德見於地上, 則天下見其文明而化之.

용(龍)의 덕이 지상에 나타나면 천하가 그 문명의 교화를 입는다.

集說

● 蘇氏軾曰 : "以言行化物, 故曰'文明.'"[1]

소식(蘇軾)이 말했다. "언행으로 만물을 교화시키기 때문에 '천하가 문명하게 된다'고 했다."

----

1) 소식(蘇軾), 『동파역전(東坡易傳)』 권1.

終日乾乾, 與時偕行.

종일토록 힘쓰고 힘쓴다는 말은 때에 따라 함께 행하는 것이다.

本義

時當然也.

때가 마땅히 그러하다.

程傳

隨時而進也.

때에 따라 나아가는 것이다.

案

‘與時偕行’, 卽上‘乾乾因其時’之義, 言終日之間, 無時不乾乾.

‘때에 따라 함께 행한다’는 것은 바로 위([건괘 문언 2-3])의 ‘힘쓰고 힘써 그 때에 따른다’는 의미이니, 종일토록 그 어느 때도 힘쓰고 힘쓰지 않음이 없음을 말한다.

[건괘 문언 4-4]

> 或躍在淵, 乾道乃革.
>
> 혹 뛰어오르거나 연못에 있다는 말은 건도(乾道)가 이에 변혁하는
> 것이다.

本義

離下而上, 變革之時.

아랫자리를 떠나 윗자리로 오르니, 변혁의 때이다.

程傳

離下位而升上位, 上下革矣.

아랫자리를 떠나 윗자리로 오르니 위 아래가 변혁된다.

集說

● 趙氏汝楳曰：“三爲下, 至四革而爲上. 卦革則道亦革. 此專
釋上下卦之交.”2)

......

2) 조여매(趙汝楳), 『주역집문(周易輯聞)』 권1상.

조여매(趙汝楳)가 말했다. "제3효는 하괘이고, 제4효에 이르러 변혁하여 상괘가 된다. 괘가 변혁하면 도(道) 또한 변혁한다. 이는 오로지 상괘와 하괘의 교류를 풀이한 것이다."

● 俞氏琰曰 : "革者變也. 下乾以終, 上乾方始, 猶天道更端之時也."3)

유염(俞琰)이 말했다. "변혁은 변하는 것이다. 하괘가 건(乾☰)으로 끝나고 상괘의 건(乾☰)이 막 시작하는 것은 마치 천도(天道)가 단서를 바꾸는 때와 같다."

● 林氏希元曰 : "此'道'字輕看, 猶云陽道·陰道. 九四離下體而入上體, 是乾道改革之時也, 故或躍而未果. 爻下『本義』'改革之際', 正是取此. 人都不察, 妄爲之說."4)

임희원(林希元)이 말했다. "여기의 '도(道)'라는 글자는 가볍게 보아야 하니, 마치 양의 도, 음의 도라고 말하는 것과 같다. 구사는 하체를 떠나 상체에 들어가는 것이니 이는 건도(乾道)가 개혁하는 때이다. 그러므로 혹은 뛰어오르지만 아직 결실을 맺지 못한다. 구사효 아래에 주자가 『주역본의』에서 '개혁할 때'라고 한 것이 바로 이 점을 취하였다. 다른 사람들은 모두 살피지 못하여 제멋대로 말했다."

---

3) 유염(俞琰), 『주역집설(周易集說)』 권26.
4) 임희원(林希元), 『역경존의(易經存疑)』 권1.

飛龍在天, 乃位乎天德.

날아다니는 용(龍)이 하늘에 있다는 말은 마침내 하늘의 덕에 자리 잡았다는 뜻이다.

本義

天德, 卽天位也. 蓋唯有是德, 乃宜居是位, 故以名之.

하늘의 덕은 바로 천자의 자리이다. 오직 이 덕이 있어야 이 지위에 자리잡을 수 있기 때문에 그렇게 이름지었다.

程傳

正位乎上, 位當天德矣.

위에서 바르게 자리잡으니 지위가 하늘의 덕에 상당한다.

集說

● 張氏振淵曰 : "雖有其位, 苟無其德, 可謂之位乎? 天位而已. 飛龍在天, 乃位乎天德."

장진연(張振淵)이 말했다. "그 지위를 가지고 있더라도 그 덕이 없으면 지위라고 할 수 있겠는가? 천자의 자리일 뿐이다. 날아다니는 용(龍)이 하늘에 있어야 하늘의 덕에 자리 잡을 수 있다."

亢龍有悔, 與時偕極.

끝까지 올라간 용(龍)이니 후회가 있다는 말은 때에 따라 함께 궁극에 이른 것이다.

程傳

時旣極, 則處時者亦極矣.

때가 이미 궁극에 이르면 그 때에 처하는 사람도 또한 궁극에 이른다.

集說

● 朱氏震曰 : "消息盈虛, 與時偕行, 則無悔. 偕極則窮, 故有悔也."[5]

주진(朱震)이 말했다. "줄어듦과 불어남, 채워짐과 비워짐을 때에 따라 함께 행하면 후회가 없다. 함께 궁극에 이르면 곤궁할 것이니 후회가 있다."

● 林氏栗曰 : "此節上下卦相應. 初·四爲始, 初潛藏, 四乃革

---

5) 주진(朱震), 『한상역전(漢上易傳)』 권1.

矣. 革潛爲躍也. 二·五爲中, 二文明, 五乃天德矣. 言德, 稱其
位也. 三·上爲終, 三與時偕行, 上偕極矣."

임률(林栗)[6]이 말했다. "이 절(節)의 상괘와 하괘는 서로 호응한다.
초효와 제4효는 시작이니, 초효는 잠기고 감추어져 있고 제4효는
변혁한다. 잠겨있는 것이 변혁하여 뛰어오른다. 제2효와 제5효는
중앙이니, 제2효는 문명하게 되고 제5효는 하늘의 덕이다. 덕을 말
한 것은 그 지위를 일컫는다. 제3효와 상효는 끝이니, 제3효는 때
에 따라 모두 행하고 상효는 함께 궁극에 이른다."

---

6) 임률(林栗) : 자는 황중(黃中)·관부(寬夫)이고, 시호는 간숙(簡肅)이다.
   송대 복청(福淸 : 현 복건성 소속) 사람으로 1142년 진사에 급제했고 병
   부시랑(兵部侍郎)에 이르렀다. 1188년 6월 주희를 탐방하여 『역』과 「서
   명」을 토론하였는데 의견이 일치하지 않았다. 이를 계기로 주희는 학문
   이 천박한데도 고관대작을 탐내고 병부랑의 벼슬에 부임하지 않으려한
   다고 탄핵하였다. 태상박사(太上博士)인 섭적(葉適)이 그것을 바로 잡
   을 것을 상소하여 결국 도리어 임율이 처벌되었다. 임율의 저술로 『주역
   해전집해(周易解傳集解)』 등이 있다.

乾元用九, 乃見天則.

건(乾)의 큼이 구(九:陽)를 쓴다는 것은 이에 하늘의 법칙을 볼 수 있다.

本義

剛而能柔, 天之法也.

굳세면서 부드러울 수 있는 것은 하늘의 법칙이다.

此第四節, 又申前意.

이는 제4절(節)이니, 앞의 뜻을 또 펼친 것이다.

程傳

用九之道, 天之則也. 天之法則, 謂天道也. 或問:"乾之六爻, 皆聖人之事乎?" 曰:"盡其道者聖人也. 得失則吉凶存焉, 豈 特乾哉? 諸卦皆然也."

구(九)를 쓰는 방법은 하늘의 법칙이다. 하늘의 법칙은 천도(天道) 를 말한다. 어떤 사람이 물었다. "건괘(乾卦)의 6개 효는 모두 성인 의 일인가?" 대답했다. "그 도를 모두 실현하는 사람은 성인이다.

얻거나 잃음이 있으면 길흉이 거기에 있으니, 어찌 유독 건괘(乾卦)
만 그렇겠는가? 모든 괘가 다 그러하다."

集說

● 蘇氏軾曰 : "天以無首爲則."[7]

소식(蘇軾)이 말했다. "하늘은 머리가 없는 것이 법칙이 된다."

● 吳氏澄曰 : "剛柔適中, 天之則也. 則者, 理之有限節, 而無過
無不及者也."[8]

오징(吳澄)이 말했다. "굳셈과 부드러움이 알맞음에 나아간 것이
하늘의 법칙이다. 법칙은 이치에 표준이 있는 것이어서 지나침도
없고 미치지 못함도 없는 것이다."

● 張氏振淵曰 : "不曰乾爻用九, 而曰乾元用九, 統六爻而歸之
元也. 亢而用變, 正是貞之極而歸於元. 乾之所爲終始相因而無
首也, 故曰乾元用九, 可見乾道變化之則."

장진연(張振淵)이 말했다. "건괘의 효가 구(九)를 쓴다고 말하지 않
고 건(乾)의 큼이 구(九 : 陽)를 쓴다고 말한 것은 6개 효를 통틀어
서 원(元 : 큼)에 귀결시켜서이다. 끝까지 올라가 변(變)을 쓰는 것

---

7) 소식(蘇軾), 『동파역전(東坡易傳)』 권1.
8) 오징(吳澄), 『역찬언(易纂言)』 권9.

은 바로 정(貞)이 궁극에 이르러 원(元)에 귀결되어서이다. 건(乾)
이 하는 일은 처음과 끝이 서로 이어져 머리가 없는 것이기 때문에
건(乾)의 큼이 구(九 : 陽)를 쓴다고 말했으니, 건(乾)의 도가 변화
하는 법칙을 알 수 있다."

● 谷氏家杰曰 : "則者, 有準而不過之意. 用九者, 有變而無常
之意. 天道不是變換, 焉能使春夏秋冬, 各有其限? 聖人不是變
換, 焉能使仁義禮智, 各有其節? 用九, 正天之準則不過處, 故曰
'乃見.'"

곡가걸(谷家杰)이 말했다. "법칙은 표준이 있어 지나침이 없다는
뜻이다. 구(九 : 陽)를 쓴다는 것은 변화가 있어 항상됨이 없다는 뜻
이다. 천도(天道)가 변환하는 것이 아니라면 어찌 봄·여름·가을·
겨울이 각각 그 기한이 있도록 할 수 있겠는가? 성인이 변환하는
사람이 아니라면 어찌 인의예지가 각각 그 절도가 있도록 할 수 있
겠는가? 구(九 : 陽)를 쓴다는 것은 바로 하늘의 준칙이 지나치지
않는 곳이니, '이에 볼 수 있다'고 말했다."

[건괘 문언 5-1]

> 乾元者, 始而亨者也.

건(乾)의 큼은 시작하여 형통하는 것이다.

本義

始則必亨, 理勢然也.

시작하면 반드시 형통하는 것은 이치와 형세가 그러하다는 말이다.

程傳

又反復詳說, 以盡其義. 旣始則必亨, 不亨則息矣.

또 반복하여 상세히 말해서 그 뜻을 다 발휘하였다. 이미 시작했으면 반드시 형통하니, 형통하지 않으면 그칠 것이다.

利貞者, 性情也.

이(利)와 정(貞)은 건(乾)의 성정(性情)이다.

本義

收斂歸藏, 乃見性情之實.

수렴하고 돌아가 감추는 것에서 성정(性情)의 실질을 볼 수 있다.

程傳

乾之性情也. 旣始而亨, 非利貞其能不息乎?

이정(利貞)은 건(乾)의 성정(性情)이다. 이미 시작하여 형통했으니, 이(利)와 정(貞)이 아니면 그것이 그치지 않을 수 있겠는가?

集說

● 『朱子語類』, 問"利貞者, 性情也." 曰 : "此性情如言本體, 元亨是發用處, 利貞是收斂歸本體處. 如春時發生, 到夏長茂條達, 至秋結子, 有個收斂攝聚底意思. 但未堅實, 至冬方成. 在秋雖是已實, 漸欲脫去其本之時, 然受氣未足, 便種不生, 故須到冬方成. 人只到秋冬, 疑若不見生意, 不知都已收斂在內."[1]

『주자어류』에서 "이(利)와 정(貞)은 건(乾)의 성정(性情)이다"라는 말에 대해 물었다.

(주자가) 대답했다. "여기에서의 성정(性情)은 마치 본체를 말하는 것과 같다. 원·형(元·亨)은 일어나 작용하는 곳이고 이·정(利·貞)은 수렴하여 본체로 돌아가는 곳이다. 예컨대 봄에 발생하여 여름에 이르러 무성하게 성장하여 창달하고 가을에 이르러 결실을 맺으니 수렴하여 모으는 뜻이 있다. 그러나 아직 견실하지 못하니, 겨울에 이르러야 비로소 완성된다. 가을은 비록 결실을 맺어 점점 그 본 모습을 벗어버리는 때이지만, 받은 기(氣)가 아직 충분하지 못하여 종자가 생겨나지 못하기 때문에 반드시 겨울에 이르러야 비로소 완성된다. 사람들은 가을 겨울에 이르러 생의(生意 : 생기)를 볼 수 없는 것처럼 생각하지만, 이미 그 안에 수렴되어 있음을 전혀 모르는 것일 뿐이다."

● 胡氏炳文曰 : "性情只是一'健'字. 健者乾之性, 而情其著見者也. 且性情並言肪於此. 釋「象」曰'性命', 此則曰'性情'. 言性而不言命, 非知性之本; 言性而不言情, 非知性之用也."[2]

호병문(胡炳文)이 말했다. "성정(性情)은 하나의 '건(健)'자일 뿐이다. 건(健)은 건(乾)의 성(性)이고, 정(情)은 그것이 드러난 상황이다. 또한 성정을 함께 말한 것은 여기에서 처음이다. 「단전」을 풀이할 때는 '성명(性命)'이라 했고, 여기에서는 '성정(性情)'이라고 했다. 성을 말하고 명을 말하지 않는 것은 성의 근본을 아는 것이 아

---

1) 『문공역설(文公易說)』 권16. / 問"利貞者, 性情也." … 但未堅實, 至冬方成 : 주희, 『주자어류』 권69, 86조목.
2) 호병문(胡炳文), 『주역본의통석(周易本義通釋)』 권7.

니고, 성을 말하고 정을 말하지 않는 것은 성의 작용을 아는 것이
아니다."

● 俞氏琰曰 : "性言其靜也, 情言其動也. 物之動極而至於收斂
而歸藏, 則復其本體之象, 又將爲來春動而發用之地, 故曰'利貞
者, 性情也.' 元起於貞, 貞下蓋有元繼焉; 動生於靜, 靜中蓋有
動存焉. 貞而元, 靜而動, 終而復始, 則生生之道不窮. 若但言性
而不言情, 則止乎貞·純乎靜而已矣. 不見貞下起元·靜中有動
之意, 而非生生不窮之道也."3)

유염(俞琰)이 말했다. "성(性)은 그 고요함을 말하고, 정(情)은 그
움직임을 말한 것이다. 사물의 움직임이 지극하여 수렴해 돌아가
감추는 것에 이르면, 그 본체의 모습을 회복하고 또 장차 봄이 와
서 움직여 일어나 작용하는 곳이 되기 때문에 '이(利)와 정(貞)은
건(乾)의 성정(性情)이다'라고 말했다. 원(元)이 정(貞)에서 일어나
는 것은 정(貞) 아래에 원(元)이 그것을 계승함이 있기 때문이고,
움직임이 고요함에서 생겨나는 것은 고요함 가운데 움직임이 거기
에 보존되어 있기 때문이다. 정(貞)에서 원(元)이 되고 고요함에서
움직임이 되며 끝에서 다시 시작하니, 낳고 낳는 도(道)가 끝나지
않는다. 만약 성(性)만을 말하고 정(情)을 말하지 않으면 정(貞)에
서 그치고 순전히 고요함일 뿐이다. 정(貞)아래에 원(元)이 일어나
고 고요함 가운데 움직임이 있다는 뜻을 알지 못하면 낳고 낳는 것
이 끝나지 않는 도(道)가 아니다."

----

3) 유염(俞琰), 『주역집설(周易集說)』 권26.

▋乾始能以美利利天下, 不言所利, 大矣哉!

▋건(乾)의 시작이 아름다운 이로움으로 천하를 이롭게 할 수 있지
▋만 그 이로움을 말하지 않았으니, 성대하도다!

本義

始者, 元而亨也; 利天下者, 利也; 不言所利者, 貞也. 或曰'坤
利牝馬, 則言所利矣.'

시작한다는 것은 원(元)에서 형(亨)이 되는 것이고, 천하를 이롭게
한다는 것은 이(利)이며, 이로움을 말하지 않은 것은 정(貞)이다.
어떤 사람이 '곤괘(坤卦)에서는 암말의 정(貞)이 이롭다는 것은 그
이로움을 말한 것이다'라고 말했다.

程傳

乾始之道, 能使庶類生成, 天下蒙其美利, 而不言所利者, 蓋
無所不利, 非可指名也. 故贊其利之大曰'大矣哉!'

건(乾)의 시작의 도(道)는 여러 부류들이 생성하여 천하가 그 아름
다운 이로움을 받도록 할 수 있지만 그 이로움을 말하지 않는 것은,
이롭지 않은 것이 없어 가리켜 이름 붙일 수 있는 것이기 아니기

때문이다. 그러므로 그 이로움의 성대함을 찬미하여 '성대하도다!'
라고 말했다.

集說

● 程子曰 : "亨毒化育, 皆利也. 不有其功, 常久而不已者, 貞也,
『詩』曰, '維天之命, 於穆不已'者, 貞也."[4]

정자(程子 : 程顥·程頤)가 말했다. "성숙시키고 화육하는 것은 모두
이(利)이다. 그 공로를 가지지 않고 늘 오래도록 끊이지 않는 것은
정(貞)이다. 『시경』에서 '하늘의 명령은 심원하여 그치지 않는다'[5]
고 한 것은 정(貞)이다."

● 『朱子語類』云 : "明道說得好. 不有其功, 言化育之無跡處爲貞."[6]

『주자어류』에서 말했다. "명도(明道 : 程顥)가 말한 것이 좋다. 그
공로를 가지지 않음은 화육이 자취가 없어서이다라는 뜻이 정(貞)
이라는 것을 말한다."

● 項氏安世曰 : "物既始則必亨, 亨則必利. 利之極必復於元,
貞者元之復也. 故四德總以一言曰'乾元', 又曰'乾始', 而四德在
其中矣. 以八卦言之, 震其元也, 故爲出. 巽則既出而將相見也,

---

4) 정호·정이, 『하남정씨유서(河南程氏遺書)』권11.
5) 하늘의 명령은 심원하여 그치지 않는다 : 『시경』「주송·청묘지십(周頌·
   淸廟之什)」.
6) 주희, 『주자어류』권140, 123조목.

故爲齊. 離則其亨也, 故爲相見. 坤則旣相見而將利之也, 故爲
役. 兌則其利也, 故爲悅. 乾則旣悅而將入於貞也, 故爲戰. 坎
則其貞也, 故爲勞. 艮自貞而將出爲元也, 故爲萬物之所終始.
合而言之曰太極, 而八卦備矣, 其乾之謂乎!"7)

항안세(項安世)가 말했다. "만물이 이미 시작했으면 반드시 형통
[亨]하고 형통하면 반드시 이롭다[利]. 이로움이 지극하면 반드시 원
(元)으로 돌아오니 정(貞)은 원(元)이 돌아온 것이다. 그러므로 원
·형·이·정 4가지 덕을 한 마디 말로 총괄하여 말하면 '건(乾)의
큼'이라 하고 또 '건(乾)의 시작'이라고 하니, 4가지 덕이 그 가운데
있다. 8괘로 말하면 진(震☳)괘는 그것이 원(元)이기 때문에 나오
는 것이 된다. 손(巽☴)괘는 이미 나와 장차 서로 볼 것이기 때문에
가지런함이 된다. 리(離☲)괘는 형(亨)이기 때문에 서로 볼 것이 된
다. 곤(坤☷)괘는 이미 서로 보아 장차 그것을 이롭게 여길 것이기
때문에 일을 다 함이 된다. 태(兌☱)괘는 그것이 이롭기 때문에 기
뻐함이 된다. 건(乾☰)괘는 이미 기뻐하여 장차 정(貞)에 들어갈 것
이기 때문에 싸움이 된다. 감(坎☵)괘는 그것이 정(貞)이기 때문에
수고로움이 된다. 간(艮☶)괘는 정(貞)에서 나와 장차 원(元)이 될
것이기 때문에 만물의 처음과 끝이 된다. 합쳐서 태극이라고 말하
며, 8괘에서 갖춘 것은 건(乾)괘라고 말할 수 있으리라!"

● 俞氏琰曰: "'乾始', 卽'乾元'也. 元乃生物之始也. 美卽亨也,
亨乃衆美之會也."8)

유염(俞琰)이 말했다. "'건(乾)의 시작'은 바로 '건(乾)의 큼'이다. 원

---

7) 항안세(項安世), 『주역완사(周易玩辭)』 권1.
8) 유염(俞琰), 『주역집설(周易集說)』 권26.

(元)은 만물을 낳는 시작이다. 아름다움은 바로 형통함이니, 형통
함은 모든 아름다움이 모인 것이다."

● 林氏希元曰: "上旣卽物之生長收藏以釋四德, 此則歸其功於
乾始而贊其大, 卽「象傳」統天之說也. 謂乾雖四德之流行, 要一
元之所統, 何也? 乾旣始物, 由是而亨, 就能以美利遍利乎天下,
又收斂於內, 不言其所利, 是皆乾始之所爲也. 不其大與, 蓋萬
物歸根復命之時, 造化生物之功, 不復可見. 韓琦詩云, '須臾慰
滿三農望, 斂卻神功寂若無', 亦是此意."9)

임희원(林希元)이 말했다. "위에서 이미 만물의 생겨남·성장·거두
어들임·감춤으로 원·형·이·정 4가지 덕을 풀이했고, 여기에서는
건(乾)의 시작에 그 공로를 돌려 그 성대함을 찬미했으니, 곧 「단전」
의 천도(天道)를 통괄한다는 말이다. 건(乾)이 비록 4가지 덕의 유행
이지만 요점은 하나의 원(元)이 통괄하는 바라고 했는데, 무엇 때문
인가? 건(乾)은 이미 만물을 시작하지만 이것으로 말미암아 형통하
고, 바로 아름다운 이로움으로 천하를 두루 이롭게 할 수 있으며,
또 안으로 수렴하지만 그 이로움을 말하지 않으니, 이는 모두 건(乾)
의 시작이 그렇게 하는 것이다. 그것을 성대함이라고 하지 않는 것은
만물이 근본으로 돌아가 천명을 회복할 때 조화(造化)하여 만물을
낳는 공로를 다시 볼 수 없기 때문이다. 한기(韓琦)의 시(詩)에서
'잠깐 동안의 위로는 농부가 바라는 것이고, 수렴하는 신비한 공로는
적막하기가 없는 것 같다'10)라고 읊은 것도 또한 이러한 뜻이다."

---

9) 임희원(林希元), 『역경존의(易經存疑)』 권1.
10) 잠깐 동안의 위로는 농부가 바라는 것이고, 수렴하는 신비한 공로는 적
    막하기가 없는 것 같다 : 한기(韓琦), 『안양집(安陽集)』 권18.

[건괘 문언 5-4]

大哉, 乾乎! 剛健中正, 純粹精也.

위대하다, 건(乾)이여! 강건(剛健)하고 중정(中正)함이 순수(純粹)
하여 정(精)하다.

本義

剛, 以體言; 健, 兼用言; 中者, 其行無過不及; 正者, 其立不
偏. 四者乾之德也. 純者, 不雜於陰柔; 粹者, 不雜於邪惡. 蓋
剛健中正之至極, 而精者又純粹之至極也. 或疑乾剛無柔, 不
得言中正者, 不然也. 天地之間, 本一氣之流行而有動靜爾.
以其流行之統體而言, 則但謂之乾而無所不包矣; 以其動靜
分之, 然後有陰陽剛柔之別也.

강(剛)은 본체로 말한 것이고, 건(健)은 작용을 겸해서 말한 것이며,
중(中)은 그 행위가 지나치거나 미치지 못함이 없는 것이고, 정(正)
은 그 확립함이 치우치지 않는 것이다. 이 강(剛)·건(健)·중(中)·
정(正) 네 가지는 건(乾)의 덕이다. 순(純)은 음(陰)의 부드러움[柔]
이 섞이지 않았다는 것이고, 수(粹)는 사악(邪惡)이 섞이지 않았다
는 것이다. 대개 강건(剛健)하고 중정(中正)함이 지극하지만, 정
(精)은 또 순수함이 지극한 것이다. 어떤 사람은 건(乾)은 굳세어
부드러움이 없으니 중(中)·정(正)을 말할 수 없다고 의심하지만,
이는 그렇지 않다. 천지의 사이에는 본래 하나의 기(氣)가 유행하여

움직임과 고요함이 있을 뿐이다. 그 유행의 전체를 가지고 말하면, 건(乾)이라고만 해도 그 어느 것도 포함하지 않는 것이 없고, 움직임과 고요함으로 나눈 뒤에야 음(陰)과 양(陽), 굳셈과 부드러움의 구별이 있다.

集説

● 喬氏中和曰 : "剛者元也, 健者亨也, 中者利也, 正者貞也. 元亨利貞, 實以體之, 剛健中正也. 一爻之情, 六爻之情也."

교중화(喬中和)가 말했다. "강(剛)은 원(元)이고, 건(健)은 형(亨)이며, 중(中)은 이(利)이고 정(正)은 정(貞)이다. 원형이정을 실질적인 것으로 체인하면 강(剛)·건(健)·중(中)·정(正)이다. 한 효의 정(情)이 6개 효의 정이다."

[건괘 문언 5-5]

六爻發揮, 旁通情也.

6개 효(爻)로 발휘한 것은 정(情)을 두루 통달한다.

本義

旁通, 猶言曲盡.

두루 통달함은 곡진하다고 말하는 것과 같다.

集說

● 胡氏炳文曰 : "曲盡其義者在六爻,　而備全其德者在九五一爻. '時乘六龍'以下, 則爲九五而言也."[11]

호병문(胡炳文)이 말했다. "그 의미를 곡진히 한 것이 6개 효에 있지만 그 덕을 온전히 갖춘 것은 구오(九五) 한 효에 있다. 아래의 구절 '때에 따라 여섯 용(龍)을 타고'라는 구절 이하는 구오효를 위해 말한 것이다."

● 蔡氏淸曰 : "'六爻發揮', 只是起下文'時乘六龍'之意. 蓋上文

---

11) 호병문(胡炳文), 『주역본의통석(周易本義通釋)』 권7.

每條俱是乾字發端, 一則曰'乾元', 二則曰'乾始', 三則曰'大哉乾乎!' 至此則更端曰'六爻發揮', 可見只是爲'時乘六龍'設矣, 卽「象傳」'六位時成'也."[12]

채청(蔡淸)이 말했다. "'6개 효(爻)로 발휘한다'는 아래 글 '때에 따라 여섯 용(龍)을 타고'라는 구절의 뜻을 일으키는 것일 뿐이다. 위의 글들은 매 조목마다 모두 건(乾)자에서 발단한 것이니, 하나는 '건의 큼'이고, 둘은 '건의 시작'이며, 셋은 '위대하다, 건(乾)이여!'이다. 여기에 이르러 그 단서를 바꾸어 '6개 효(爻)로 발휘한다'는 것은 다만 '때에 따라 여섯 용(龍)을 타고'라는 구절을 위해 준비한 것임을 알 수 있으니, 곧 「단전」의 '여섯 자리가 각각의 때로 이룬다'라는 뜻이다."

---

12) 채청(蔡淸), 『역경몽인(易經蒙引)』 권1중(中).

> **時乘六龍, 以禦天也, 雲行雨施, 天下平也.**
> 때에 따라 여섯 용(龍)을 타고 하늘의 운행을 제어하니, 구름이
> 흘러가고 비가 내려 천하가 화평하다

本義

言聖人時乘六龍以禦天, 則如天之雲行雨施, 而天下平也.

성인이 때에 따라 여섯 용(龍)을 타고 하늘의 운행을 제어한다는 것
은 마치 하늘에 구름이 흘러가고 비가 내려 천하가 화평한 것과 같
음을 말한다.

此第五節, 復申首章之意.

이는 제5절(節)이니, 머릿 장(章)의 뜻을 다시 펼친 것이다.

程傳

'大哉!', 贊乾道之大也. 以剛·健·中·正·純·粹六者, 形容
乾道. 精, 謂六者之精極. 以六爻發揮旁通, 盡其情義. 乘六
爻之時, 以當天運, 則天之功用著矣. 故見雲行雨施, 陰陽溥
暢, 天下和平之道也.

'위대하다!'라는 말은 건도(乾道)의 큼을 찬미하였다. 강(剛)·건(健)·중(中)·정(正)·순(純)·수(粹) 여섯 가지로 건도(乾道)를 형용하였다. 정(精)은 이 여섯 가지가 정밀함이 지극하다는 것을 말한다. 여섯 효로 발휘하여 두루 통달한다는 것으로 그 정(情)의 의미를 다 발휘하였다. 여섯 효의 때를 타서 하늘의 운행을 담당하면 하늘의 공용(功用)이 드러난다. 그러므로 구름이 흘러가고 비가 내리는 것을 보니, 음(陰)과 양(陽)이 두루 펼쳐져 천하가 화평한 도(道)이다.

集說

● 張氏淸子曰 : "「象」言'雲行雨施', 而以'品物流形'繼之, 則雲雨爲乾之雲雨. 此言'雲行雨施', 而以'天下平'繼之, 則聖人之功卽乾, 而雲雨乃聖人之德澤也."

장청자(張淸子)[13]가 말했다. "「단전」에서 '구름이 흘러가고 비가 내린다'고 말하고 '모든 부류의 것들이 형체를 완성한다'라는 말로 그것을 이었으니, 구름과 비는 건(乾)의 구름과 비이다. 여기서는 '구름이 흘러가고 비가 내린다'고 말하고 '천하가 화평하다'라는 말로 그것을 이었으니, 구름과 비는 바로 성인의 은덕이다."

案

貞·元爲體, 亨·利爲用. 然卽體卽用, 不相離也; 卽用卽體, 未嘗二也. 故復釋之曰, '乾元者, 始也.' 然卽始而亨之理已具, 不

---

13) 장청자(張淸子) : 希獻

待亨而後知其亨也. 利·貞者, 成也. 事之成者, 得其性情之正
而已, 而豈在外哉?

정(貞)·원(元)은 본체이고, 형(亨)·이(利)는 작용이다. 그러나 본
체에 직면하여 작용에 나아가면 서로 떨어지지 않고, 작용에 직면
하여 본체에 나아가면 둘인 적이 없다. 그러므로 다시 그것을 풀이
하여 '건(乾)의 큼은 시작이다'라고 했다. 그러나 시작에서 형통하
는 이치가 이미 갖추었으니, 형통하기를 기다린 뒤에 그것이 형통
함을 아는 것이 아니다. 이(利)·정(貞)은 이루는 것이다. 일이 이
루어짐은 그 성정(性情)의 바름을 얻는 것일 뿐이니 그 이루어짐이
어찌 바깥에 있겠는가?

蓋一心之發, 散爲萬用之施, 而萬理之宜, 歸於一性之德, 故其
始而必亨也. 是'乾始能以美利利天下'也. 及其終也, 利及天下,
而所性無加焉, 又何利之可言? 此乾元所以統天, 而其德所以爲
大也.

마음이 일어나 흩어져 온갖 작용을 베풀고, 온갖 이치의 마땅함은
성(性)의 덕에 돌아가기 때문에 그 시작에 반드시 형통한다. 이것
이 '건(乾)의 시작이 아름다운 이로움으로 천하를 이롭게 할 수 있
다'는 뜻이다. 그 끝에 이르러 이로움이 천하에 미쳐 성(性)으로 삼
는 것에 더 보탤 것이 없으니 또 무슨 이로움을 말할 수 있겠는가?
이것이 건(乾)의 큼이 하늘을 통괄하는 근거이고 그 덕이 위대한
근거이다.

由此觀之, 乾之德: 於其元亨也, 見其動直而剛焉, 不息而健焉;
於其利貞也, 見其裁制而中焉, 確守而正焉; 於其一元之妙, 心

普萬物而無心也, 見其不累於功利之雜駁而純粹, 不滯於聲臭之粗而至精焉.

이로 본다면, 건(乾)의 덕은 다음과 같다. 그 원(元)·형(亨)에서는 그 움직임이 곧고 굳세며 쉬지 않고 굳건함을 볼 수 있다. 그 이(利)·정(貞)에서는 그 재제함이 적절하고 견고하게 지키는 것이 바름을 볼 수 있다. 하나의 원(元)이 오묘하여 마음이 만물에 두루하되 사사로운 마음이 없는 것에서는 그 공리(功利)의 잡박함에 얽매지 않고 순수하며, 소리와 냄새의 거침에 구애되지 않고 지극히 정밀함을 볼 수 있다.

天道如此, 王道亦然. 王者之道, 其發之也剛, 其行之也健, 其裁之也中, 其處之也正. 要以體天地生生之心, 能使仁覆天下而莫知爲之者. 如精金美玉而無疵, 如太虛浮雲而無迹, 非如霸者小補之功, 驩虞之效也.

천도(天道)가 이와 같으니 왕도(王道) 또한 그러하다. 왕의 도는 그 펼치는 것이 굳세고, 그 행하는 것이 굳건하며, 그 마름질하는 것이 적절하고, 그 처하는 것이 바르다. 요컨대 천지가 낳고 낳는 마음을 체인하여 인(仁)이 천하를 덮도록 하여 그렇게 하는 것을 알 수 없으니, 마치 정밀한 금과 아름다운 옥에 흠이 없는 것과 같고, 태허(太虛)와 뜬 구름에 자취가 없는 것과 같으며, 패자(霸者)의 작은 보탬이 되는 공로가 백성들을 즐겁게 하는 효험[14]과는 같지 않다.

---

14) 패자(霸者)의 작은 보탬이 되는 공로가 백성들을 즐겁게 하는 효험 : 『맹자』「진심(盡心) 상」에서 "맹자가 말했다. '패자(霸者)의 백성들은 즐거워하고, 왕자(王者)의 백성들은 크게 만족해한다.'[孟子曰 : '霸者之民, 驩虞如也 ; 王者之民, 皞皞如也.']"라고 하였다.

卦唯九五全備斯德, 故六爻發揮, 固所以旁通乎乾之情矣. 而唯九五則兼統衆爻之德, 以處崇高之位, 其象爲'飛龍在天'者, 蓋如乘六龍以禦天也. 龍而在天, 有不興雲致雨, 而使下土平康者乎? 夫當其膏澤溥施, 卽乾之美利利天下也. 及乎蕩蕩平平, 大化無跡, 又非乾之不言所利者與? 夫子之發明天德 · 王道, 於是爲至.

괘에서 오직 구오(九五)만이 이 덕을 온전하게 갖추었기 때문에 6개 효(爻)로 발휘한 것은 본디 그것으로 건(乾)의 정(情)을 두루 통달한다. 오직 구오만이 여러 효의 덕을 아울러 총괄하여 숭고한 지위에 처했으니, 그 모습이 '날아다니는 용(龍)이 하늘에 있다'고 함은 마치 여섯 용을 타고 하늘의 운행을 제어하는 것과 같기 때문이다. 용이 하늘에서 구름을 일으키지 않고 비를 뿌리지 않으면서 아래의 땅이 평안하도록 할 수 있겠는가? 그 은택이 널리 베풀어질 때는 바로 건(乾)의 아름다운 이로움으로 천하를 이롭게 한다. 두루 넓게 치우치지 않으면서 큰 조화(造化)가 자취가 없는 지경에 이르면 또 건(乾)이 이로움을 말하지 않는 것이 아니겠는가? 공자가 하늘의 덕과 왕도를 드러내 밝힌 것이 여기에 이르러 지극하다.

건괘 문언 6

[건괘 문언 6-1]

> 君子以成德爲行, 日可見之行也. 潛之爲言也, 隱
> 而未見, 行而未成. 是以君子弗用也.

군자는 이루어진 덕으로 행동하니, 나날이 볼 수 있는 행동이다.
(초구효에서) 잠겨 있다고 한 말은 숨어서 나타나지 않고 행동이
아직 이루어지지 않은 것이다. 이 때문에 군자가 쓰지 않는다.

本義

成德, 已成之德也, 初九固成德, 但其行未可見爾.

'이루어진 덕[成德]'은 이미 이루어진 덕이다. 초구(初九)는 본디 이
루어진 덕이지만 그 행동을 아직 볼 수 없을 뿐이다.

程傳

德之成, 其事可見者行也. 德成而後可施於用. 初方潛隱未

見, 其行未成. 未成, 未著也, 是以君子弗用也.

덕이 이루어짐에 그 일을 볼 수 있는 것은 행동에서이다. 덕이 이루어진 뒤에 쓰임에 베풀 수 있다. 초구(初九)는 잠겨 있고 숨어서 아직 나타나지 않았으며, 그 행동도 이루어지지 않았다. 이루어지지 않은 것은 드러나지 않는다. 이 때문에 군자가 쓰지 않는 것이다.

集說

● 『朱子語類』云 : "德者, 行之本. '君子以成德爲行', 言德則行在其中矣.[1] 德者得之於心, 行出來方見, 這便是行.[2]"

『주자어류』에서 말했다. "덕은 행위의 근본이다. '군자는 이루어진 덕으로 행동한다'라고 한 것에서 덕을 말했으니, 행위는 그 가운데 있다. 덕은 마음에 얻은 것이고, 행위로 나타나야 비로소 볼 수 있으니, 이것이 바로 행동이다."

問 : "'行而未成', 如何?" 曰 : "只是事業未就.[3]"

물었다. "'행동이 아직 이루어지지 않은 것'은 어떠합니까?" (주자가) 대답했다. "사업을 아직 성취하지 못했을 뿐이다."

....

1) 德者, 行之本. '君子以成德爲行', 言德則行在其中矣 : 주희, 『주자어류』 권69, 94조목.
2) 德者得之於心, 行出來方見, 這便是行 : 주희, 『주자어류』 권69, 17조목.
3) 問 : "行而未成如何?" 曰 : "只是事業未就." : 주희, 『주자어류』 권69, 95조목.

● 吳氏澄曰: "'隱而未見'者, 潛之象; '行而未成', 是以欲其弗用也."

오징(吳澄)이 말했다. "'숨어서 나타나지 않은 것'은 잠겨 있는 모습이고, '행동이 아직 이루어지지 않은 것'은 그것을 쓰지 않으려는 것이다."

● 蔡氏淸曰: "言君子之所以爲行者, 以成德爲行也. 夫旣以成德爲行, 初九德已成矣, 則日可以見之行也. 夫旣可以見之行矣, 而又何以曰'勿用'? 蓋初九時乎潛也. 潛之爲言也, 隱而未見. 隱而未見, 則行猶未成. 是以君子亦當如之而勿用也."[4]

채청(蔡淸)이 말했다. "군자가 그것으로 행동의 근거로 삼는 것은 이루어진 덕으로 행동함을 말한다. 이미 이루어진 덕으로 행동했으니, 초구의 덕은 이미 이루어졌고, 나날이 행동하는 것을 볼 수 있다. 이미 행동하는 것을 볼 수 있는데 또 무엇 때문에 '쓰지 말라'고 했는가? 초구효는 잠겨 있을 때이기 때문이다. 잠겨 있다고 말한 것은 숨어서 나타나지 않은 것이다. 숨어서 나타나지 않으면 행동 또한 이루어지지 못한다. 이 때문에 군자는 당연히 그렇게 여겨 쓰지 않는 것이다."

---

4) 채청(蔡淸), 『역경몽인(易經蒙引)』 권1중(中).

> 君子學以聚之, 問以辨之, 寬以居之, 仁以行之.
> 『易』曰 : '見龍在田, 利見大人.' 君德也.
>
> 군자는 배워서 지식을 모으고 물어서 변별하며 너그러움으로 거
> 처하고 인(仁)으로 행동한다. 『역』에서 '나타난 용(龍)이 밭에 있으
> 니 대인을 만나봄이 이롭다'고 한 것은 군자의 덕이다.

本義

蓋由四者以成大人之德. 再言君德, 以深明九二之爲大人也.

배움·질문·너그러움·인(仁) 이 네 가지를 통해 대인(大人)의 덕을
이룬다. 다시 군자의 덕이라고 말한 것은 구이(九二)가 대인이 됨을
깊이 밝힌 것이다.

程傳

聖人在下, 雖已顯而未得位, 則進德修業而已. 學聚·問辨,
進德也; 寬居·仁行, 修業也. 君德已著, 利見大人, 而進以行
之耳. 進居其位者, 舜·禹也; 進行其道者, 伊·傅也.

성인이 아랫자리에 있어 비록 이미 드러났지만 아직 지위를 얻지
못했으면 덕을 향상시키고 업(業)을 닦을 뿐이다. 배워서 지식을 모

으고 물어서 변별하는 것은 덕을 향상시키는 일이고, 너그러움으로 거처하고 인(仁)으로 행동하는 것은 업(業)을 닦는 일이다. 군주의 덕이 이미 드러났으면 대인을 만나보는 것이 이로우니, 나아가 군주의 덕을 실행할 뿐이다. 나아가 그 지위에 자리 잡은 사람은 순임금과 우임금이고, 나아가 그 도(道)를 행한 사람은 이윤과 부열(傳說)이다.

集說

● 『朱子語類』云 : "'學以聚之, 問以辨之.' 旣探討得當, 且放頓寬大田地, 待觸類自然有會合處. 故曰'寬以居之.'"5)

『주자어류』에서 말했다. "'배워서 지식을 모으고 물어서 변별한다'고 했는데, 이미 탐구한 것이 합당하지만 또 관대한 마음 상태에 놓아두어 접촉하는 것들마다 저절로 부합하도록 기다려야 한다. 그러므로 '너그러움으로 거처한다'라고 했다."

● 吳氏澄曰 : "理具於心, 而散於事物. 事物之理, 有一未明, 則心之所具, 有一未盡. 必博學周知, 俾萬理皆聚而無所闕遺. 故曰'學以聚之.' 辨, 剖決也. 旣聚矣, 必問於先知先覺之人, 以剖決其是否. 故曰'問以辨之.' 寬, 猶曾子所謂弘, 張子所謂大心也. 居, 謂居業之居. 問旣辨矣, 必有弘廣之量, 以藏畜其所得. 故曰'寬以居之.' 仁者, 心德之全, 天理之公也. 旣有以居之矣, 心德渾全, 存存不失, 應事接物, 皆踐其所知, 而所行無非天理

---

5) 주희, 『주자어류』 권3, 8조목.

之公. 故曰'仁以行之.'"6)

오징(吳澄)이 말했다. "이치는 마음에 갖추어져 있고 사물에 흩어져 있다. 사물의 이치에 대해 한 가지 분명하지 않은 것이 있으면 마음에 갖춘 것도 한 가지 발휘하지 못한 것이 있다. 반드시 널리 배우고 두루 알아 온갖 이치가 모두 모여 빠트리거나 남긴 것이 없도록 해야 한다. 그러므로 '배워서 지식을 모은다'라고 했다. 변별한다[辨]는 것은 결단한다는 뜻이다. 이미 모였으면 반드시 선지자와 선각자에게 물어 그것이 옳은지 그른지를 결단해야 한다. 그러므로 '물어서 변별한다'라고 했다. 너그럽다[寬]는 말은 마치 증자가 이른바 넓다[弘]는 것7)과 장자(張子 : 張載)의 이른바 큰 마음과 같다. 거처함은 업을 이루어 거처함을 말한다. 물어서 변별했으면 반드시 널리 넓히고 헤아려 그 얻은 것을 깊숙이 감춘다. 그러므로 '너그러움에 거처한다'고 했다. 인(仁)은 마음의 덕이 온전함이고 천리의 공변됨이다. 이미 거처하게 되었다면, 마음의 덕이 섞여 온전하고 보존되어 잃지 않으므로 일에 호응하고 물건을 접하여 모두 그 아는 바를 실천하여 천리의 공변되지 않음이 없음을 행한다. 그러므로 '인으로 행동한다'라고 하였다.

● 又曰 : "學聚之, 以知其理; 仁行之, 以行其事; 問辨之, 以審別所當行於學聚之後; 寬居之, 以存貯所已知於仁行之先. 寬之

6) 오징(吳澄), 『역찬언(易纂言)』 권9.
7) 증자가 이른바 넓다[弘]는 것 : 『논어』 「태백(泰伯)」에서 "증자(曾子)가 말했다. '선비는 도량이 넓고 뜻이 굳세지 않으면 안 된다. 책임이 무겁고 길이 멀기 때문이다.'[曾子曰 : '不可以不弘毅. 任重而道遠.']라고 하였다.

所居, 卽學之所聚者; 仁之所行, 卽問之所辨者."8)

오징(吳澄)이 말했다. "배워서 모으는 것으로 그 이치를 알고, 인(仁)으로 행동하는 것으로 그 일을 실천하며, 물어서 변별하는 것으로 배워서 모은 뒤에 마땅히 행동할 것을 자세히 변별하고, 너그러움으로 거처함으로 인(仁)으로 행동하기에 앞서 이미 안 것을 저장한다. 너그러움으로 거처한 것은 바로 배움이 모인 것이고 인(仁)으로 행동한 것은 바로 물어서 변별한 것이다."

● 林氏希元曰 : "學聚·問辨, 是知工夫. 寬居, 是把義理放在胸中, 詳玩深味, 使透徹貫串, 乃居安資深時也. 故亦屬之行."9)

임희원(林希元)이 말했다. "배워서 지식을 모으는 것과 물어서 변별하는 것은 앎[知]에 대한 공부이다. 너그러움으로 거처하는 것은 의리를 가슴속에 놓아두고 자세하고 깊이 완미하여 투철하게 꿰뚫도록 하는 것이니, 바로 거처함이 편안하여 축적함이 깊을 때이다.10) 그러므로 또한 실천[行]에 속한다."

....

8) 오징(吳澄), 『역찬언(易纂言)』 권9.
9) 임희원(林希元), 『역경존의(易經存疑)』 권1.
10) 거처함이 편안하여 축적함이 깊을 때이다 : 『맹자』 「이루(離婁) 하」에서 "맹자가 말했다. '군자가 깊이 나아가기를 도(道)로 하는 것은 스스로 그것을 터득하려고 하는 것이다. 스스로 터득하면 거처함이 편안하고, 거처함에 편안하면 축적함이 깊으며, 축적함이 깊으면 좌우에서 취하여 씀에 그 근원을 만나게 된다. 그러므로 군자는 스스로 터득하려고 한다.[孟子曰 : '君子深造之以道, 欲其自得之也. 自得之則居之安, 居之安則資之深, 資之深則取之左右, 逢其原. 故君子欲其自得之也.']"라고 하였다.

> 九三重剛而不中, 上不在天, 下天在田. 故乾乾
> 因其時而惕, 雖危無咎矣.

구삼(九三)은 굳셈이 겹치고 가운데 있지 않아 위로는 하늘에 있지
않고 아래로는 밭에 있지 않다. 그러므로 힘쓰고 힘써 때에 따라
두려워하면 비록 위태롭지만 허물이 없을 것이다.

本義

重剛, 謂陽爻陽位.

굳셈이 겹친다는 것은 양효(陽爻)가 양(陽)의 자리에 있음을 말한다.

程傳

三重剛, 剛之盛也. 過中而居下之上, 上未至於天, 而下已離
於田, 危懼之地也. 因時順處, 乾乾兢惕以防危, 故雖危而不
至於咎. 君子順時兢惕, 所以能泰也.

구삼(九三)은 굳셈이 겹치니 굳셈이 왕성한 것이다. 가운데 자리를
지나 하괘(下卦)의 위에 자리 잡아, 위로는 아직 하늘에 이르지 못
하였고 아래로는 이미 밭에서 떠났으니, 위태롭고 두려운 곳이다.
때에 따라 처한 곳에 순응하여 힘쓰고 힘써 조심하고 두려워하여

위험을 대비하기 때문에, 비록 위태롭지만 허물에 이르지 않는다. 군자가 때에 따라 조심하고 두려워함은 그것으로 편안할 수 있기 때문이다.

集說

● 虞氏翻曰 : “以乾接乾, 故‘重剛’; 位非二·五, 故‘不中’也.”[11]

우번(虞翻)이 말했다. “건(乾)으로 건(乾)에 접해 있기 때문에 ‘굳셈이 겹친다’고 하였으며, 자리가 제2효나 제5효가 아니기 때문에 ‘가운데 있지 않다’고 하였다.”

● 孔氏穎達曰 : “‘上不在天’, 謂非五位; ‘下不在田’, 謂非二位也. 居危之地, 以乾乾夕惕戒懼不息, 得無咎也.”[12]

공영달(孔穎達)이 말했다. “‘위로는 하늘에 있지 않다’는 제5효의 자리가 아니라는 것을 말하고, ‘아래로는 밭에 있지 않다’는 제2효의 자리가 아니라는 것을 말한다. 위태로운 곳에 거처하지만, 힘쓰고 힘써 저녁까지 두려워하면서 경계하기를 그치지 않으니 허물이 없을 수 있다.”

● 吳氏澄曰 : “九三居下乾之終, 接上乾之始; 九四居上乾之始,

---

11) 이정조(李鼎祚), 『주역집해(周易集解)』 권1에 우번(虞翻)의 말로 기재되어 있다.
12) 공영달 소(孔穎達 疏), 『주역주소(周易註疏)』 권1.

接下乾之終. 當重乾上下之際, 故皆曰‘重剛.’"13)

오징(吳澄)이 말했다. "구삼(九三)은 아래 건(乾☰)괘의 끝에 자리
잡아 위 건(乾☰)괘의 시작에 접해 있고, 구사(九四)는 위 건괘의
시작에 자리 잡아 아래 건괘의 끝에 접해 있다. 아래위로 건괘가
겹쳐 있는 때이므로 모두 ‘굳셈이 겹쳐 있다’고 말했다."

---

13) 오징(吳澄), 『역찬언(易纂言)』 권9.

九四重剛而不中, 上不在天, 下不在田, 中不在人,
故‘或’之. 或之者, 疑之也, 故無咎.

구사(九四)는 굳셈이 겹치고 가운데 있지 않아 위로는 하늘에 있지
않고, 아래로는 밭에 있지 않으며, 가운데로는 사람에 있지 않기
때문에 ‘혹(或)’이라고 하였다. 혹(或)이라는 것은 의심하는 일이므로
허물이 없다.

本義

九四非重剛, 重字疑衍. 在人謂三, 或者, 隨時而未定也.

구사(九四)는 굳셈이 겹치는 것이 아니니, 겹친다는 말은 연문(衍
文)인 것 같다. 사람에 있다는 것은 제3효를 말한다. 혹(或)이라는
것은 때에 따르고 결정되지 않았다는 뜻이다.

程傳

四不在天, 不在田而出人之上矣, 危地也. 疑者, 未決之辭.
處非可必也, 或進或退, 唯所安耳. 所以無咎也.

구사(九四)는 하늘에도 있지 않고 밭에도 있지 않으면서 사람의 위
로 나왔으니, 위험한 곳이다. 의심한다는 것은 아직 결단하지 않았
다는 말이다. 처함이 반드시 그러하리라고 생각하는 것이 아니라,

혹 나아가고 혹 물러가서 오직 편안한 대로 할 뿐이다. 그러므로 허물이 없다.

● 孔氏穎達曰 : "三之與四, 俱爲人道, 人下近於地, 上遠於天. 九三近二, 正是人道. 九四則上近於天, 下遠於地, 非人所處, 故特云'中不在人.' '或之者, 疑之也', 此夫子釋經或字. 經稱或, 是疑惑之辭. 欲進欲退, 猶豫不定, 故疑之也. 九三位卑近下, 向上爲難, 危惕憂深. 九四則陽德漸勝, 去五彌近, 前進稍易, 故但疑惑, 憂則淺也."[14]

공영달(孔穎達)이 말했다. "제3효와 제4효는 모두 인도(人道)가 되는데, 사람은 아래로 땅에 가깝고 위로 하늘과는 멀다. 구삼(九三)은 구이(九二)에 가까우니 바로 인도이다. 구사(九四)는 위로 하늘에 가깝고 아래로 땅에서 멀어 사람이 처할 곳이 아니기 때문에 특히 '가운데로는 사람에 있지 않다'라고 말했다. '혹(或)이라는 것은 의심하는 뜻이다'는 공자가 경전의 혹(或)이라는 글자를 풀이한 것이다. 경전에서 혹(或)이라고 일컬은 것은 의혹을 뜻하는 말이다. 나아가려고도 하고 물러나려고도 하여 머뭇거리며 확정하지 않기 때문에 의심한다는 것이다. 구삼은 지위가 낮고 아래에 가까워 위로 올라가기 어렵기 때문에 위험에 두려워하고 근심이 깊다. 구사는 양(陽)의 덕이 점점 뛰어나 구오(九五)와의 거리도 점점 가깝고 앞으로 나아가기가 조금 쉽기 때문에 의혹할 뿐 근심은 적다."

------

14) 공영달 소(孔穎達 疏), 『주역주소(周易註疏)』 권1.

● 李氏鼎祚曰 : "三居下卦之上, 四居上卦之下, 俱非得中, 故曰'重剛而不中'也."[15]

이정조(李鼎祚)가 말했다. "구삼은 하괘의 위에 자리 잡고 구사는 상괘의 아래에 자리 잡아 모두 가운데 자리를 얻지 않았기 때문에 '굳셈이 겹치지만 가운데 있지 않다'고 하였다."

● 張氏振淵曰 : "或之者, 據其跡; 疑之者, 指其心. 疑非狐疑之疑, 只是詳審耳."

장진연(張振淵)이 말했다. "혹(或)이라는 것은 그 자취에 의거하고 의심한다는 것은 그 마음을 가리킨다. 의심한다는 것은 여우의 의심과 같은 의심이 아니라 자세히 살피는 일일 뿐이다."

15) 이정조(李鼎祚), 『주역집해(周易集解)』 권1.

夫大人者, 與天地合其德, 與日月合其明, 與四時
合其序, 與鬼神合其吉凶. 先天而天弗違, 後天而
奉天時. 天且弗違, 而況於人乎? 況於鬼神乎?

무릇 대인(大人)은 천지와 그 덕을 합하고 일월과 그 밝음을 합하며
사계절과 그 차례를 합하고 귀신과 그 길흉을 합한다. 하늘보다 먼저
해도 하늘이 어기지 않으며 하늘보다 뒤에 해도 하늘의 때를 받든다.
하늘도 어기지 않는데 하물며 사람에게는 어떻겠으며, 귀신에게는
어떻겠는가?

本義

大人, 卽釋爻辭所利見之大人也, 有是德而當其位, 乃可當
之. 人與天地·鬼神, 本無二理, 特蔽於有我之私. 是以牿於
形體, 而不能相通. 大人無私, 以道爲體, 曾何彼此先後之可
言哉? 先天不違, 謂意之所爲, 默與道契. 後天奉天, 謂知理
如是, 奉而行之. 回紇謂郭子儀曰: "卜者言此行當見一大人
而還, 其占蓋與此合." 若子儀者, 雖未及乎夫子之所論, 然其
至公無我, 亦可謂當時之大人矣.

대인은 바로 효사에서 만나 봄이 이로운 대인을 해석한 것이니, 이
덕이 있고 그 지위를 담당하고 있어야 그것을 감당할 수 있다. 사람
은 천지·귀신과 본래 두 이치가 없지만, 자아가 있다는 사사로움에

가려져 있을 뿐이다. 이 때문에 형체에 질곡되어 서로 소통할 수 없다. 대인은 사사로움이 없어 도(道)로 본체를 삼으니, 어찌 피차(彼此)와 선후(先後)를 말할 수 있겠는가? 하늘보다 먼저 해도 하늘이 어기지 않는다는 말은 의도하는 것이 묵묵히 도(道)와 합치함을 뜻한다. 하늘보다 뒤에 해도 하늘의 때를 받든다는 일은 이치가 이와 같다는 것을 알아 받들어 실천함을 뜻한다. 회흘(回紇)이 곽자의(郭子儀)[16]에게 "점치는 자가 말하기를, 이번 행차에 대인을 만나보고 돌아올 것이라고 말했는데, 그 점(占)이 이와 부합했다."라고 말했다. 곽자의와 같은 사람은 비록 공자가 논한 대인에는 미치지 못하지만 지극히 공정하고 사사로운 자아가 없었으니, 또한 당시의 대인이라 일컬을 수 있다.

程傳

大人與天地·日月·四時·鬼神合者, 合乎道也. 天地者, 道也; 鬼神者, 造化之跡也. 聖人先於天而天同之, 後於天而能順天者, 合於道而已. 合於道, 則人與鬼神豈能違也?

---

16) 곽자의(郭子儀) : 화주(華州) 정현(鄭縣) 사람으로 자는 자의(子儀), 별명은 곽령공(郭令公), 곽분양(郭汾陽)이다. 당(唐)나라 때 명장(名將)으로 어려서부터 무예가 출중하여 종군(從軍)하여 공을 쌓아 구원태수(九原太守)가 되었다. 하지만 중앙에서 중용 받지 못하고 있다가 안사(安史)의 난(亂)이 폭발한 후 삭방절도사(朔方節度使)가 되어 군대를 이끌고 하북(河北), 하동(河東)을 수복하여 병부상서(兵部尚書), 동중문하평장사(同中書門下平章事)가 되었다. 757년 광평왕(廣平王) 이숙(李俶)과 더불어 서경(西京) 장안(長安), 동도(東都) 낙양(洛陽)을 수복했다. 그 공으로 사도(司徒)가 되고, 대국공(代國公)에 봉해졌다.

대인이 천지·일월·사계절·귀신과 합하는 것은 도(道)에 합하는 것이다. 천지는 도이고 귀신은 조화의 자취이다. 성인은 하늘보다 먼저 해도 하늘이 그와 같이 하고, 하늘보다 뒤에 해도 하늘에 순응하는 것은 도에 부합하는 일일 뿐이다. 도에 부합하면 사람과 귀신이 어찌 어길 수 있겠는가?

集說

● 孔氏穎達曰: "'與天地合其德', 謂覆載也; '與日月合其明', 謂照臨也; '與四時合其序'者, 若賞以春夏, 刑以秋冬之類也; '與鬼神合其占凶'者, 若福善禍淫也. 若在天時之先行事, 天乃在後不違, 是天合大人也; 若在天時之後行事, 能奉順上天, 是大人合天也. 尊而遠者尚不違, 況小而近者可違乎?"[17]

공영달(孔穎達)이 말했다. "'천지와 그 덕을 합한다'는 덮어주고 실어주는 것을 말한다. '일월과 그 밝음을 합한다'는 비춰주는 것을 말한다. '사계절과 그 차례를 합한다'는 마치 봄 여름에 상을 주고 가을 겨울에 형벌을 내린다는 따위와 같다. '귀신과 그 길흉을 합한다'는 마치 선한 자에게는 복을 주고 음란한 자에게는 재앙을 내린다는 것과 같다. 만약 하늘의 때에 앞서 일을 행하면 하늘은 이에 뒤에서 어기지 않으니, 이는 하늘이 대인과 합하는 것이다. 만약 하늘의 때의 뒤에 일을 행하면 하늘을 받들어 순응할 수 있으니, 이는 대인이 하늘에 합하는 것이다. 존귀하고 고원한 것도 또한 어기지 않는데 하물며 작고 비근한 것이 어길 수 있겠는가?"

---

17) 공영달 소(孔穎達 疏), 『주역주소(周易註疏)』 권1.

● 程子曰 : "若不一本, 則安能先天而天弗違, 後天而奉天時."[18]

정자(程子 : 程顥·程頤)가 말했다. "근본을 하나로 하지 않는다면 어찌 하늘보다 먼저 해도 하늘이 어기지 않으며 하늘보다 뒤에 해도 하늘의 때를 받들 수 있겠는가?"

● 又曰 : "天且不違, 況於鬼神乎? 鬼神言其功用, 天言其主宰."[19]

정자(程子 : 程顥·程頤)가 말했다. "하늘도 어기지 않는데 하물며 귀신은 어떻겠는가? 귀신은 그 공용(功用)을 말하고, 하늘은 그 주재함을 말한다."

● 王氏宗傳曰 : "‘先天而天弗違’, 時之未至, 我則先乎天而爲之, 而天自不能違乎我. ‘後天而奉天時’, 時之旣至, 我則後乎天而奉之, 而我亦不能違乎天. 蓋大人卽天也, 天卽大人也."

왕종전(王宗傳)이 말했다. "‘하늘보다 먼저 해도 하늘이 어기지 않는다’는 말은 때가 아직 이르지 않아 내가 하늘보다 먼저 해도 하늘이 저절로 나를 어길 수 없는 것이다. ‘하늘보다 뒤에 해도 하늘의 때를 받든다’는 말은 때가 이미 이르러 내가 하늘보다 뒤에 받들어도 나는 또한 하늘을 어길 수 없는 것이다. 대인은 곧 하늘이고, 하늘은 곧 대인이다."

---

18) 정호·정이, 『하남정씨유서(河南程氏遺書)』 권2상(上).
19) 정호·정이, 『하남정씨외서(河南程氏外遺書)』 권8.

[건괘 문언 6-6]

亢之爲言也, 知進而不知退, 知存而不知亡, 知
得而不知喪.

'끝까지 올라감[亢]'이라는 말은 나아감은 알지만 물러섬을 모르고,
보존됨을 알지만 멸망함을 모르며, 얻음은 알지만 잃음을 모르는
것이다.

本義

所以動而有悔也.

움직이면 후회가 있게 되는 까닭이다.

集說

● 孔氏穎達曰 : "言上九所以亢極有悔者, 正由有此三事. 若能
三事備知, 雖居上位, 不至於亢也."[20]

공영달(孔穎達)이 말했다. "상구(上九)가 끝까지 올라가 후회가 있
는 것은 바로 이 세 가지 일이 있는 데서 말미암음을 말한다. 만약
이 세 가지 일을 다 알 수 있으면, 비록 윗자리에 자리 잡아도 끝까
지 올라가는 데 이르지 않을 것이다."

---

20) 공영달 소(孔穎達 疏), 『주역주소(周易註疏)』 권1.

[건괘 문언 6-7]

> 其唯聖人乎! 知進退 · 存亡而不失其正者, 其唯
> 聖人乎!

아마 오직 성인뿐일 것이다! 나아감과 물러남, 보존됨과 멸망함을
알면서 그 올바름을 잃지 않는 사람은 아마 오직 성인뿐일 것이다!

本義

知其理勢如是, 而處之以道, 則不至於有悔矣, 固非計私以避
害者也. 再言'其唯聖人乎!', 始若設問, 而卒自應之也.

그 이치와 형세가 이와 같음을 알고 도(道)로 대처하면 후회하는 데
이르지 않으니, 본디 사사로운 자아를 헤아려 해로움을 피하는 것이
아니다. 두 번이나 '아마 오직 성인뿐일 것이다!'라고 말한 것은 처
음에는 가설하여 묻는 것처럼 하고, 끝에는 스스로 응답한 것이다.

此第六節, 復申第二節 · 三節 · 四節之意.

이는 제6절이니, 제2절 · 제3절 · 제4절의 뜻을 다시 펼친 것이다.

程傳

極之甚爲亢. 至於亢者, 不知進退 · 存亡 · 得喪之理也. 聖人

則知而處之, 皆不失其正, 故不至於亢也.

지극함이 심한 것이 '끝까지 올라감[亢]'이 된다. 끝까지 올라가는
데 이르는 자는 나아감과 물러남, 보존됨과 멸망함, 얻음과 잃음의
이치를 알지 못한다. 성인은 그것을 알고 대처하여 모두 그 올바름
을 잃지 않기 때문에 끝까지 올라가는 데 이르지 않는다.

● 李氏鼎祚曰 : "再稱聖人者, 歎美用九能知進退·存亡而不失
其正.'"21)

이정조(李鼎祚)가 말했다. "다시 성인을 일컬은 것은 용구(用九)가
나아감과 물러남, 보존됨과 멸망함을 알아 그 올바름을 잃지 않을
수 있음을 찬미한 것이다."

● 朱氏震曰 : "亢者處極而不知反也. 萬物之理, 進必有退, 存
必有亡, 得必有喪. 亢知一而不知二, 故道窮而致災. 人固有知
進退·存亡者矣, 其道詭於聖人, 則未必得其正. 不得其正, 則
與天地不相似. 知進退·存亡而不失其正者, 其唯聖人乎, 故兩
言之."22)

주진(朱震)이 말했다. "끝까지 올라간 자는 지극한 곳에 처하여 돌
이킬 줄 모른다. 만물의 이치는 나아가면 반드시 물러남이 있고,

---

21) 이정조(李鼎祚), 『주역집해(周易集解)』 권1.
22) 주진(朱震), 『한상역전(漢上易傳)』 권1.

보존되면 반드시 멸망함이 있으며, 얻으면 반드시 잃음이 있다. 끝까지 올라간 자는 하나는 알지만 둘을 알지 못하기 때문에 방도가 다 해서 재앙을 초래한다. 사람들 가운데는 본디 나아감과 물러남, 보존됨과 멸망함을 아는 자가 있지만, 그 도(道)가 성인에 위배되면 그 올바름을 반드시 얻을 수는 없다. 그 올바름을 얻지 못하면 천지와 서로 비슷해 질 수 없다. 나아감과 물러남, 보존됨과 멸망함을 알면서 그 올바름을 잃지 않는 사람은 아마 오직 성인뿐일 것이기 때문에 두 번 그것을 말했다."

● 胡氏炳文曰 : "陽極則剝, 乾上則亢. 中不可過也, 知其時將過乎中, 而處之不失其正, 其唯聖人乎! 貞者正也, 乾元之用所歸宿也. 乾之四德始於元, 至此又論聖人之體乾而歸於正, 其意深矣."[23]

호병문(胡炳文)이 말했다. "양(陽)이 지극하면 깎이고, 건(乾)이 위로 가면 끝까지 올라간다. 중도(中道)는 지나칠 수 없으니 그 때가 중도를 넘어서려고 하는 것을 알고 대처함에 그 올바름을 잃지 않는 사람은 아마 오직 성인일 것이다! 곧음[貞]은 올바름이니 건원(乾元)의 작용이 귀착하는 곳이다. 건의 네 가지 덕은 원(元)에서 시작하지만, 여기에 이르러 또 성인이 건을 체인하여 올바름에 귀결하는 것을 논했으니, 그 의미가 깊다."

● 陳氏琛曰 : "進極必退, 存極必亡, 乃理勢之自然也. 知其如是, 則隨時變通, 而處以是道之當然. 有收斂而無施張, 有舍棄

23) 호병문(胡炳文), 『주역본의통석(周易本義通釋)』 권7.

而無繫吝, 如此則不至於有悔矣. 然此唯聖人能之. 蓋聖人樂天
·知命, 達理而能權也. 常人則明不足以見幾, 心不免於物累, 故
不能也."

진침(陳琛)이 말했다. "나아감이 지극하면 반드시 물러나고, 보존됨
이 지극하면 반드시 멸망하는 것이 이치의 자연스러운 추세이다.
이와 같은 것을 알면 때에 따라 변통하여 이 도(道)의 당연함으로
대처한다. 수렴하되 전개함이 없고 버리되 인색함이 없으면 후회가
있음에 이르지 않는다. 그러나 이는 오직 성인만이 그렇게 할 수
있다. 대개 성인은 천리(天理)를 즐거워하고 천명을 알아 이치에
통달하고 권도(權道)를 쓸 수 있다. 보통 사람은 밝기가 기미를 알
기에 부족하고 마음이 외물에 얽매임을 모면하지 못하기 때문에 그
렇게 할 수 없다."

總論

朱子答萬正淳曰:"大抵『易』卦之辭,24)　　本只是各著本卦·本爻
之象, 明占凶之占當如此耳, 非是就聖賢地位說道理也. 故乾六
爻, 自天子以至於庶人, 自聖人以至於愚不肖, 筮或得之, 義皆
有取. 但純陽之德, 剛健之至, 若以義類推之, 則爲聖人之象, 而
其六位之高下,　又有似聖人之進退.　故「文言」因潛·見·曜·飛
自然之文, 而以聖人之跡各明其義."25)

주자가 만정순(萬正淳 : 주자 문인)에게 답하여 다음과 같이 말했

---

24) 大抵『易』卦之辭 : 주희(朱熹),『주문공문집(朱文公文集)』권51에는 '大
　抵『易』卦爻辭[대개『역』의 괘사(卦辭)와 효사(爻辭)는]'라고 되어 있다.
25) 주희(朱熹),『주문공문집(朱文公文集)』권51.

다. "대개 『역』 괘(卦)의 말은 본래 본괘(本卦)와 본효(本爻)의 모습을 각각 드러내어 길흉의 점(占)이 마땅히 이와 같음을 밝혔을 뿐이지, 성현의 지위에서 도리를 말한 것은 아니다. 그러므로 건(乾)괘의 여섯 효는 천자로부터 서인, 성인으로부터 어리석고 못난 사람에 이르기까지 점을 쳐서 간혹 그것을 얻으면 의미상 모두 취함이 있다. 다만 순양(純陽)의 덕과 강건(剛健)의 지극함을 의미로 유추하면 성인의 모습이 되고, 그 여섯 가지 지위의 높고 낮음도 또한 성인과 비슷한 나아감과 물러남이 있다. 그러므로 「문언전」에서 잠겨 있고 나타나며 뛰어오르고 날아다닌다는 자연스런 현상에 따라 성인의 자취로 각각 그 의미를 밝혔다."

곤괘 문언 1

[곤괘 문언 1-1]

> 坤至柔而動也剛, 至靜而德方.
>
> 곤괘(坤卦)는 지극히 유순하지만 움직임이 굳세고, 지극히 고요하
> 지만 덕이 방정(方正)하다.

本義

剛・方, 釋'牝馬之貞'也. 方, 謂生物有常.

굳셈과 방정함은 '암말의 곧음'을 해석하였다. 방정함은 만물을 낳
음에 항상됨이 있다는 것을 말한다.

集說

● 『朱子語類』云:"'坤至柔而動也剛.' 坤只是承天, 如一氣之施, 坤則盡能發生承載, 非剛安能如此?"[1]

『주자어류』에서 말했다. "'곤괘(坤卦)는 지극히 유순하지만 움직임이 굳세다.' 곤은 하늘을 이어 받들 뿐이어서 하나의 기(氣)가 베풀어지는 것 같으니, 곤은 발생시키고 받들어 싣기를 다할 수 있는데 굳세지 않으면 어찌 이와 같을 수 있겠는가?"

● 問 : "『程傳』云, '坤道至柔而動則剛, 坤體至靜而德則方', 柔與剛相反, 靜與方疑相似." 曰 : "靜無形, 方有體. 靜言其體, 則不可得見; 方言其德, 則是其著也."[2]

물었다. "『이천역전(伊川易傳)』에서 '곤(坤)의 도(道)는 지극히 유순하지만 그 움직임은 굳세고, 곤의 체(體)는 지극히 고요하지만 그 덕은 방정하다'라고 했는데, 유순함과 굳셈은 서로 반대되고, 고요함과 방정함은 서로 비슷한 것 같습니다."
(주자가) 대답했다. "고요함에는 형상이 없지만 방정함에는 체(體)가 있다. 고요함에서 그 체(體)를 말하면 볼 수 없지만 방정함에서 그 덕을 말하면 그것이 드러난다."

● 吳氏澄曰 : "坤體中含乾陽, 如人肺藏之藏氣, 故曰'至柔.' 然其氣機一動而闢之時, 乾陽之氣, 直上而出, 莫能禦之, 故曰'剛.' 剛卽六二爻辭所謂'直'也. 乾運轉不已, 而坤體隤然不動, 故曰'至靜.' 然其生物之德, 普遍四周, 無處欠缺, 故曰'方.' 方卽六二爻辭所謂'方'也. 乾之九五, 不徒剛健而能中正, 故爲乾元之大; 坤之六二, 不徒柔靜而能剛方, 故爲坤元之至."[3]

---

1) 주희, 『주자어류』 권69, 137조목.
2) 주희, 『주자어류』 권69, 138조목.

오징(吳澄)이 말했다. "곤(坤)의 체(體) 가운데 건(乾)의 양(陽)을 머금고 있는 것은 마치 사람의 폐가 기(氣)를 간직하고 있는 것과 같으므로, '지극히 유순하다'라고 말했다. 그러나 그 기(氣)의 기틀이 한 번 움직여 열릴 때 건(乾)의 양(陽)의 기가 곧바로 올라가 나와서 제지할 수 없기 때문에 '굳세다'라고 말했다. 굳셈은 바로 곤괘 육이(六二) 효사의 이른바 '곧음'이다. 건은 그 운행이 그치지 않지만 곤의 체(體)는 유순하게 움직이지 않기 때문에 '지극히 고요하다'라고 말했다. 그러나 곤이 만물을 낳는 덕은 사방으로 두루 널리 퍼져 그 어느 경우에도 빠트림이 없기 때문에 '방정하다'라고 말했다. 방정함은 바로 곤괘 육이(六二) 효사의 이른바 '방정함'이다. 건괘 구오(九五)는 굳세고 굳건할 뿐 아니라 중정(中正)할 수 있기 때문에 건원(乾元)의 위대함이 되고, 곤괘 육이(六二)는 유순하고 고요할 뿐 아니라 굳세고 방정할 수 있기 때문에 곤원(坤元)의 지극함이 된다."

● 何氏楷曰 : "乾剛坤柔, 定體也. 坤固至柔矣, 然乾之施一至, 坤卽能翕受而發生之. 氣機一動, 不可止遏屈撓, 此又柔中之剛矣. 乾動坤靜, 定體也. 坤固至靜矣, 及其承乾之施, 陶冶萬類, 各有定形, 不可移易, 此又靜中之方矣. 柔靜者體也, 剛方者用也."[4]

하해(何楷)가 말했다. "건은 굳세고 곤은 유순한 것이 정해진 성질이다. 곤은 본디 지극히 유순하지만, 건의 베풂이 한 번 이르면 곤은 바로 온순하게 받아들여 건이 베푼 것을 펼친다. 기(氣)의 기틀

---

3) 오징(吳澄), 『역찬언(易纂言)』 권9.
4) 하해(何楷), 『고주역정고(古周易訂詁)』 권1.

이 한 번 움직이면 막거나 굽힐 수 없으니, 이는 또 유순함 가운데 굳셈이다. 건은 움직이고 곤은 고요한 것이 정해진 성질이다. 곤은 본디 지극히 고요하지만, 건의 베풂을 받드는 데 이르러서는 온갖 부류의 사물을 만들어 내어 각각 정해진 형상이 있게 하는 것을 바꿀 수 없으니 이 또한 고요함 가운데 방정함이다. 곤이 유순하고 고요한 것은 본체이며, 굳세고 방정한 것은 작용이다."

[곤괘 문언 1-2]

後得主而有常.

뒤에 하면 얻는데 이로움을 위주로 하여 항상됨이 있다.

本義

『程傳』曰 : "'主'下當有'利'字."

『정전(程傳)』에서 "'위주로 한다[主]'라는 글자 아래에 마땅히 '이롭다[利]'는 글자가 있어야 한다."라고 말했다.

集說

● 趙氏汝楳曰 : "坤無乾以爲始, 孰開其端? '先迷'也. 天先施而地後生, '後得主'也. 先陽後陰, 乃天地生生之常理."[5]

조여매(趙汝楳)가 말했다. "곤이 건으로 시작을 삼음이 없다면 어느 것이 그 단서를 열겠는가? 이것이 바로 '먼저 하면 혼미하다'는 뜻이다. 하늘이 먼저 베풀고 땅이 뒤에 낳는 것이 '뒤에 하면 얻는다'는 말이다. 먼저 하는 것이 양(陽)이고 뒤에 하는 것이 음(陰)인 것이 바로 천지가 낳고 또 낳는 불변하는 이치이다."

....

5) 조여매(趙汝楳), 『주역집문(周易輯聞)』 권1상.

● 余氏芑舒曰 : "程子以'主利'爲一句, 朱子因之, 故以「文言」'後 得主'爲闕文. 然「象傳」'後順得常', 與'後得主而有常', 意正一律, 似非闕文也."

여기서(余芑舒)가 말했다. "정자(程子 : 程頤)는 '이로움을 위주로 한다[主利]'는 것을 하나의 구절로 삼았고, 주자도 그것을 따랐기 때 문에 「문언전」의 '뒤에 하면 얻는데 (이로움을) 위주로 한다[後得 主]'에 빠진 글자가 있다고 보았다. 그러나 곤괘 「단전」에서 '뒤이어 따르면 상도(常道)를 얻는다'라고 한 말과 '뒤에 하면 얻는데 이로 움을 위주로 한다'라는 말은 그 뜻이 한결 같기 때문에 빠진 글이 아닌 것 같다."

● 俞氏琰曰 : "坤道之常, 蓋當處後, 不可撓先也. 撓先則失坤 之常矣. 唯處乾之後, 順乾而行, 則得其所主, 而不失坤道之常 也."6)

유염(俞琰)이 말했다. "곤도(坤道)의 항상됨은 마땅히 뒤에 처하는 것이니 어지럽게 먼저 할 수 없다. 어지럽게 먼저 하면 곤의 항상 됨을 잃는다. 오직 건의 뒤에 처하여 건에 순응하여 행하면 그 위 주로 하는 것을 얻어 곤도의 항상됨을 잃지 않는다."

---

6) 유염(俞琰), 『주역집설(周易集說)』 권27.

含萬物而化光.

만물을 포용하여 화육의 공효(功效)가 빛난다.

本義

復明‘亨’義.

‘형통한다[亨]’라는 의미를 다시 밝혔다.

集說

● 王氏宗傳曰 : “唯其動剛, 故能德應乎乾, 而成萬物化育之功.
唯其德方, 故能不拂乎正, 而順萬物性命之理. 此坤之德所以能
配天也. ‘後得主而有常’, 則申‘後順得常’之義;‘含萬物而化光’,
則申‘含弘光大, 品物咸亨’之義.”

왕종전(王宗傳)이 말했다. “오직 그 움직임이 굳세기 때문에 덕이
건에 호응할 수 있어 만물을 화육하는 공로를 이룬다. 오직 그 덕
이 방정하기 때문에 바름에 어긋나지 않을 수 있어 만물이 지닌 성
명(性命)의 이치에 순응한다. 이것이 곤의 덕이 하늘과 짝할 수 있
는 까닭이다. ‘뒤에 하면 얻는데 이로움을 위주로 하여 항상됨이 있
다’는 ‘뒤이어 따르면 상도(常道)를 얻는다’는 의미를 거듭 설명한
것이고, ‘만물을 포용하여 화육의 공효(功效)가 빛난다’는 ‘포용하고

넓고 현명하고 크니[含·弘·光·大], 다양한 것들이 모두 형통하다'
라는 의미를 거듭 설명한 것이다."

[곤괘 문언 1-4]

坤道其順乎! 承天而時行.

곤(坤)의 도(道)는 순응하는 것이다! 하늘을 받들어 때에 맞게 행한다.

本義

復明順承天之意.

하늘을 순응하여 받드는 뜻을 다시 밝혔다.

此以上申「象傳」之意.

이 위로는 「단전」의 뜻을 펼친 것이다.

程傳

坤道至柔, 而其動則剛; 坤體至靜, 而其德則方. 動剛故應乾不違, 德方故生物有常. 陰之道, 不唱而和, 故居後爲得, 而主利成萬物, 坤之常也. 含容萬類, 其功化光大也. '主'字下脫'利'字, '坤道其順乎, 承天而時行', 承天之施, 行不違時, 贊坤道之順也.

곤(坤)의 도(道)는 지극히 유순하지만 그 움직임은 굳세고, 곤의 체(體)는 지극히 고요하지만 그 덕은 방정하다. 움직임이 굳세기 때문에 건(乾)에 호응하여 어기지 않고, 덕이 방정하기 때문에 만물을 낳음에 항상됨이 있다. 음(陰)의 도(道)는 선창하지 않고 화답하기 때문에 뒤에 자리 잡는 것이 얻음이 되어 만물을 이롭게 이루는 것을 위주로 하니, 곤(坤)의 항상됨이다. 온갖 부류를 포용하니 그 공업(功業)과 화육이 빛나고 크다. '위주로 한다[主]'라는 글자 아래에 이롭다[利]라는 글자를 빠트렸다. '곤(坤)의 도(道)는 순응하는 것이다! 하늘을 받들어 때에 맞게 행한다'는 하늘이 베푼 것을 받들어 행함이 때에 어긋나지 않는 것이니, 이는 곤도(坤道)의 순응함을 찬미한 것이다.

集說

● 俞氏琰曰 : "'至柔而動也剛', 申'德合無疆'之義. '至靜而德方', 釋'貞'義. '後得主而有常', '後順得常'之謂. '含萬物而化光', 卽'含弘光大, 品物咸亨'之謂. '坤道其順乎! 承天而時行', 卽'乃順承天'之謂."[7]

유염(俞琰)이 말했다. "곤이 '지극히 유순하지만 움직임이 굳세다'는 말은 '그 덕이 그치지 않는 하늘의 덕에 부합한다'라는 의미를 펼친 것이다. '지극히 고요하지만 덕이 방정(方正)하다'는 '올바름을 굳게 지킨다[貞]'는 의미를 풀이한 것이다. '뒤에 하면 얻는데 이로움을 위주로 하여 항상됨이 있다'는 '뒤이어 따르면 상도(常道)를

---

7) 유염(俞琰), 『주역집설(周易集說)』 권27.

얻는다'라는 것을 말한다. '만물을 포용하여 화육의 공효(功效)가 빛난다'는 '포용하고 넓고 현명하고 크니[含·弘·光·大], 다양한 것들이 모두 형통하다'는 것을 말한다. '곤(坤)의 도(道)는 순응하는 것이다! 하늘을 받들어 때에 맞게 행한다'는 바로 '하늘의 이치를 유순하게 이어받는다'는 것을 말한다."

案

動·剛, 釋'元亨'也, 氣之發動而物生也. 德·方, 釋'利貞'也, 形之完就而物成也. 柔·靜者坤之本體, 其剛其方, 乃是乾爲之主, 而坤順之以行止者. 故繼之曰'後得主而有常', 釋'先迷後得主'也. 含物化光, 謂亨·利之間, 致養萬物, 其功盛大, 釋'西南得朋'也. 承天時行, 謂順承於元, 至貞不息, 陰道終始於陽, 釋'東北喪朋'也.

움직임과 굳셈은 '원형(元亨)'을 풀이한 것이니, 기(氣)가 발동하여 만물이 생겨나는 모습이다. 덕과 방정함은 '이정(利貞)'을 풀이한 것이니, 형체가 완성되어 만물이 이루어지는 모습이다. 유순함과 고요함은 곤(坤)의 본체인데 그것이 굳세고 방정함은 바로 건(乾)이 주인이 되고 곤이 그것에 순응하여 나아가고 멈추기 때문이다. 이어서 '뒤에 하면 얻는데 이로움을 위주로 하여 항상됨이 있다'라고 말한 것은 '먼저 하면 혼미하고 뒤에 하면 얻는데 이로움을 주로 한다'라는 말을 풀이하였다. 만물을 포용하여 화육의 공효(功效)가 빛난다는 것은 형통함[亨]과 이로움[利] 사이에서 만물을 양육함이 그 공로가 성대함을 말하니, '서남쪽에서 벗을 얻는다'라는 말을 풀이하였다. 하늘의 이치를 이어 받들어 때에 따라 행한다는 것은 원(元)을 유순하게 받들어 지극히 정(貞)함이 그치지 않는 것이 음(陰)의 도가 양(陽)에서 시작하고 끝난다는 것을 말하니, '동북쪽에서 벗을 잃는다'라는 말을 풀이하였다.

蓋孔子旣以坤之'元・亨・利・貞', 配乾爲四德, 則所謂'西・南・東・北'者, 卽四時也. 故用「象傳」所謂'含弘光大'者, 以切西南, 又用所謂'乃順承天'・'行地無疆'者, 以切東北, 欲人知四方・四德, 初非兩義. 此意「象傳」未及, 故於「文言」發之.

공자가 이미 곤(坤)의 '원・형・이・정'을 건(乾)에 짝지어 네 가지 덕으로 삼았으니, 이른바 '서・남・동・북'이라고 한 것은 바로 사계절이다. 그러므로 「단전」에서 이른바 '포용하고 넓고 현명하고 크다(含・弘・光・大)'라는 말을 써서 서남쪽에 부합시키고, 또 이른바 '하늘의 이치를 유순하게 이어받는다'라 말하고 '땅에서 달리는 것에 끝이 없다'라는 말을 써서 동북쪽에 부합시킨 것은 사람들에게 네 방향과 네 가지 덕이 애초에 두 가지 의미가 아님을 알도록 하려는 것이다. 이러한 뜻이 「단전」에서 언급되지 못했기 때문에 「문언전」에서 그것을 드러내었다.

又案

乾爻唯九五'剛健中正', 得乾道之純, 故「象傳」言'乘龍'・'禦天.' '首出庶物', 卽九五'飛龍在天, 利見大人'之義也. 坤爻唯六二柔順中正, 得坤道之純, 故「文言」言'動剛德方.' 含物承天, 卽六二'直方大'之義也. 「象傳」於乾五曰'位乎天德', 於坤二曰'地道光'也, 明乎乾・坤之主, 在此二爻矣.

건괘의 효 가운데 오직 구오(九五)효가 강건(剛健)하고 중정(中正)하여 건도(乾道)의 순수함을 얻었기 때문에 「단전」에서 '용을 올라

탄다'라 하고 '하늘의 운행을 제어한다'라고 말했다. '모든 것 가운데 가장 뛰어나다'라고 한 것은 바로 구오효에서 '날아다니는 용이 하늘에 있으니 대인을 만나는 것이 이롭다'라고 말한 것의 의미이다. 곤괘의 효 가운데 오직 육이(六二)효가 유순(柔順)하고 중정(中正)하여 곤도(坤道)의 순수함을 얻었기 때문에 「문언전」에서 움직임이 굳세고 덕이 방정하다고 말했다. 만물을 포용하여 하늘을 받든다고 한 것은 바로 육이효에서 '곧고 방정하며 크다'라고 말한 것의 의미이다. 「상전(象傳)」에서 건괘 구오효에 대해 '하늘의 덕에 자리한다'라고 말했고, 곤괘 육이효에 대해 '땅의 도(道)가 빛난다'라고 말한 것은 건괘와 곤괘의 주인이 이 두 개의 효에 있음을 밝힌 것이다.

[곤괘 문언 2-1]

積善之家, 必有餘慶; 積不善之家, 必有餘殃. 臣弑其君, 子弑其父, 非一朝一夕之故, 其所由來者漸矣, 由辨之不早辨也. 『易』曰 : "履霜, 堅冰至", 蓋言順也.

선을 쌓은 집안은 반드시 후손들에게 남겨지는 경사가 있고, 불선을 쌓은 집안은 반드시 후손들에게 남겨지는 재앙이 있다. 신하가 군주를 시해하고 자식이 부모를 시해하는 것은 하루아침이나 하루저녁에 일어나는 일이 아니라 그 일의 유래가 점진적인 것이니, 이를 일찌감치 분별하지 않은 데서 말미암은 것이다. 『역』에서 '서리를 밟으면 단단한 얼음이 이른다'라고 하였으니, 이는 순차적임을 말한 것이다.

本義

古字'順'·'愼'通用. 案此當作'愼', 言當辨之於微也.

고자(古字)에 '순(順)'자와 '신(愼)'자는 통용하였다. 생각건대 여기서는 마땅히 '신(愼)'자로 되어야 하니, 은미할 때 분별해야 됨을 말한다.

程傳

天下之事, 未有不由積而成, 家之所積者善, 則福慶及於子孫, 所積不善, 則災殃流於後世. 其大至於弒逆之禍, 皆因積累而至, 非朝夕所能成也. 明者則知漸不可長, 小積成大, 辨之於早, 不使順長. 故天下之惡, 無由而成, 乃知霜冰之戒也, 霜而至於冰, 小惡而至於大, 皆事勢之順長也.

천하의 일은 누적되어 이루어지지 않는 것이 없으니, 집안에서 쌓은 것이 선이면 복과 경사가 자손에게 미치고, 쌓은 것이 불선(不善)이면 재앙이 후세에까지 전해진다. 그 큰 악으로 시해와 반역의 재앙에 이르는 것도 모두 누적된 일로 인하여 이르게 되지, 하루아침에 이루어질 수 있는 것이 아니다. 지혜가 밝은 자는 점점 불어나는 것이 자라나게 해서는 안 되고 작은 것이 쌓여 큰 것을 이룬다는 것을 알아, 일찌감치 분별하여 순차적으로 자라지 못하게 한다. 그러므로 천하의 악이 말미암아 이루어질 것이 없으니, 이에 서리를 밟으면 얼음이 이를 것이라는 경계를 안다. 서리가 얼음에 이르고 작은 악이 큰 악에 이르게 됨은 모두 일의 추세가 순차적으로 자라는 것이다.

集說

● 呂氏祖謙曰 : "蓋言順也', 此一句尤可警. 非心邪念, 不可順養將去. 若順將去, 何所不至? 懲治遏絕, 正要人著力."

여조겸(呂祖謙)이 말했다. "'이는 순차적임을 말한 것이다'라고 한 구절은 특히 경계해야 한다. 그릇된 마음과 사악한 생각은 순차적으로 자라나게 해서는 안 된다. 만약 순차적으로 자라난다면 그 어느 곳인들 이르지 않겠는가? 징벌하여 금지시키는 것이 바로 사람들이 노력할 일이다."

● 張氏振淵曰 : "天道有陽必有陰, 原相爲用. 然陰之爲道, 利於從陽, 而不利於抗陽, 坤道可謂至順矣. 而順之變反爲逆, 故聖人深著其順之利, 明臣子之大分, 究極其逆之禍, 立君父之大防也."

장진연(張振淵)이 말했다. "천도(天道)에는 양(陽)이 있으면 반드시 음(陰)이 있어 원래 서로 작용하게 된다. 그러나 음(陰)의 도는 양을 따르는 것이 이롭고 양에 항거하는 것은 이롭지 않으니, 곤(坤)의 도는 지극히 유순하다고 말할 수 있다. 그런데 유순함이 변하면 거꾸로 거역함이 되기 때문에 성인은 그 유순함의 이로움을 깊이 드러내어 신하된 자의 큰 본분을 밝히고, 그 거역의 재앙을 끝까지 궁구하여 군주나 부모가 중요하게 방비해야 할 일을 세웠다."

直其正也, 方其義也. 君子敬以直內, 義以方外, 敬
義立而德不孤. '直方大, 不習無不利', 則不疑其所
行也.

직(直 : 곧음)은 그 올바름이고 방(方 : 방정함)은 그 의로움이다. 군
자가 경(敬)으로 안을 곧게 하고 의(義)로 밖을 방정하게 하여, 경
(敬)과 의(義)가 확립되면 덕이 외롭지 않다. '곧고 방정하며 크니,
익히지 않아도 이롭지 않음이 없다'라고 한 말은 그 행한 바를 의심하
지 않는 것이다.

本義

此以學言之也. '正', 謂本體, '義', 謂裁制, '敬'則本體之守也.
'直內'·'方外', 『程傳』備矣. '不孤', 言大也. 疑故習而後利, 不
疑則何假於習?

이는 배움으로 말한 것이다. '정(正 : 올바름)'은 본체를 말하고, '의
(義 : 의로움)'는 재제함을 말하며, '경(敬)'은 본체를 지키는 일이다.
'안을 곧게 하고' '밖을 방정하게 한다'라는 말에 대해서는 『정전(程
傳)』에 자세히 갖추어져 있다. '외롭지 않다'라는 말은 큰 것을 뜻한
것이다. 의심하기 때문에 익힌 뒤에 이로운 것이니, 의심하지 않으
면 무엇 때문에 익힐 필요가 있겠는가?

'直'言'其正也', '方'言'其義也.' 君子主敬以直其內, 守義以方
其外, 敬立而內直, 義形而外方. 義形於外, 非在外也. 敬·義
旣立, 其德盛矣, 不期大而大矣, '德不孤'也. 無所用而不周,
無所施而不利, 孰爲疑乎?

'직(直 : 곧음)'은 '그 올바름'을 말하고, '방(方 : 방정함)'은 '그 의로움'
을 말한다. 군자가 경(敬)을 위주로 하여 안을 곧게 하고 의(義)를
지켜 밖을 방정하게 하니, 경(敬)이 확립되어 안이 곧아지고 의(義)
가 드러나 밖이 방정해진다. 의(義)는 밖으로 나타나는 것이지 밖에
있는 것은 아니다. 경(敬)과 의(義)가 이미 확립되면 그 덕이 성대해
져 커지기를 기약하지 않아도 커지니, '덕이 외롭지 않다'는 말이다.
쓰는 곳마다 그 어느 곳도 두루하지 않음이 없고 베푸는 곳마다 그
어느 곳도 이롭지 않음이 없으니, 무엇 때문에 의심하겠는가?

● 孔氏穎達曰 : "君子用敬以直內, 內謂心也, 用此恭敬以直內
心. '義以方外'者, 用此義事以方正外物. 言君子法地正直而生
萬物, 皆得所宜."[1]

공영달(孔穎達)이 말했다. "군자는 경(敬)을 써서 안을 곧게 하는
데, 그 안은 마음을 말하니, 이 공경을 써서 속마음을 곧게 하는 것
이다. '의(義)로 밖을 방정하게 한다'는 것은 이 의로운 일을 써서

---

1) 공영달 소(孔穎達 疏), 『주역주소(周易註疏)』 권1.

바깥 사물을 방정하게 하는 일이다. 이는 군자가 땅이 올바르고 곧아 만물을 낳는 일을 본받음이 모두 그 마땅함을 얻는데 있음을 말한다."

● 程子曰 : "'敬以直內, 義以方外', 合內外之道也. 釋氏內外之道不備者也.[2] 敬‧義夾持, 直上達天德自此.[3]"

정자(程子 : 程顥‧程頤)가 말했다. "'경(敬)으로 안을 곧게 하고 의(義)로 밖을 방정하게 한다'는 것은 안과 밖을 합치시키는 도(道)이다. 불교의 교리는 안과 밖의 도가 갖추어지지 않은 것이다. 경(敬)과 의(義)를 둘 다 지닐 때, 바로 위로 하늘의 덕에 도달하는 것이 이로부터 시작한다."

● 問 : "'必有事焉', 當用敬否?" 曰 : "敬只是涵養一事. '必有事焉', 須當'集義.'"

물었다. "'반드시 일삼음이 있다'[4]라고 할 때는 마땅히 경(敬)을 써야 합니까?"
(정자가) 대답했다. "경(敬)은 함양하는 일일 뿐이다. '반드시 일삼음이 있다'라고 할 때는 모름지기 '의(義)를 축적해야'[5] 한다."

....

2) '敬以直內, 義以方外', 合內外之道也. 釋氏內外之道不備者也 : 정호‧정이, 『하남정씨유서』 권11.
3) 敬義夾持, 直上達天德自此 : 정호‧정이, 『하남정씨유서』 권5.
4) 반드시 일삼음이 있다 : 『맹자』「공손추 상」에서, "반드시 일삼음이 있고 미리 기대하지 말아서, 마음에 잊지도 말고 억지로 조장하지도 말아야 한다.[必有事焉而勿正, 心勿忘, 勿助長也.]"라고 하였다.

又問: "義莫是中理否?" 曰: "中理在事, 義在心."

또 물었다. "의(義)는 이치에 알맞은 것이 아닙니까?"
(정자가) 대답했다. "이치에 알맞은 것은 일에 있고 의(義)는 마음
에 있다."

問: "敬·義何別?" 曰: "敬只是持己之道, 義便知有是有非, 順理
而行是爲義也. 若只守一個敬, 不知集義, 卻是都無事也."

물었다. "경(敬)과 의(義)는 어떻게 구별됩니까?"
(정자가) 대답했다. "경(敬)은 자신을 다잡는 도(道)일 뿐이고, 의
(義)는 옳음과 그름이 있는 것을 알고 이치에 순응하여 행위할 때,
바로 이 의(義)가 된다. 만약 하나의 경(敬)만을 지킬 줄 알고 의
(義)를 축적할 줄 모른다면 또한 전혀 일삼음이 없는 것이다."

又問: "義只在事上, 如何?" 曰: "內外一理, 豈特事上求合義
也?"[6]

또 물었다. "의(義)가 일에 있을 뿐이라는 말은 어떻습니까?"
(정자가) 대답했다. "안과 밖이 하나의 이치인데 어찌 일에서만 의
(義)에 합치되는 것을 구하겠는가?"

....

5) 의(義)를 축적해야: 『맹자』「공손추 상」에서, "이 호연지기(浩然之氣)는
의(義)를 축적하여 생겨나는 것이다. 의(義)는 하루아침에 갑자기 엄습
하여 취해지는 것은 아니니, 행하고 마음에 부족하게 여기는 것이 있으
면 이 호연지기가 굶주리게 된다.[是集義所生者. 非義襲而取之也, 行
有不慊於心, 則餒矣.]"라고 하였다.
6) 정호·정이, 『하남정씨유서(河南程氏遺書)』권2상(上).

● 謝氏良佐曰 : "釋氏所以不如吾儒, 無'義以方外'一節. '義以方外', 便是窮理, 釋氏卻以理爲障礙. 然不可謂釋氏無見處, 但見了不肯就理."[7]

사량좌(謝良佐)가 말했다. "불교의 교리가 우리 유교만 같지 못한 까닭은 '의(義)로 밖을 방정하게 한다'는 이 한 부분이 없기 때문이다. '의(義)로 밖을 방정하게 한다'는 것은 바로 이치를 궁구하는 일인데, 불교의 교리는 도리어 이치를 장애로 여겼다. 그러나 불교가 이치를 파악한 것이 없다고 말해서는 안 되니, 단지 이치를 파악하고 나서 이치에 기꺼이 나아가려고 하지 않은 것일 뿐이다."

● 『朱子語類』云 : "'敬以直內', 是持守功夫; '義以方外', 是講學功夫.[8] '直'是直上直下, 胸中無纖豪委曲. '方'是割截方正之意,[9] 是處此事皆合宜, 截然不可得而移易之意.[10]"

『주자어류』에서 말했다. "'경(敬)으로 안을 곧게 한다'는 것은 자신을 다잡아 지키는 공부이고, '의(義)로 밖을 방정하게 한다'는 것은 강학하는 공부이다. '곧게 한다'는 아래위를 관통하여 가슴속에 조금도 왜곡됨이 없는 것이다. '방정하다'는 잘라서 방정하게 한다는 것이고, 이 일을 처리하는 것이 모두 적합하여 자른 듯이 분명하여 바뀔 수 없다는 뜻이다."

---

7) 사량좌(謝良佐), 『상채어록(上蔡語錄)』 권3.
8) 주희, 『주자어류』 권69, 141조목.
9) 주희, 『주자어류』 권69, 142조목.
10) 주희, 『주자어류』 권69, 151조목.

● 又云 : "'敬義夾持, 直上達天德自此', 最是下得'夾持'兩字好. 敬主乎中, 義防於外, 二者相夾持. 要放下霎時也不得, 只得直上去, 故便達天德自此.11) 表裏夾持, 更無東西走作去處, 上面只更有個天德.12)"

(주자가) 또 말했다. "정자가 '경(敬)과 의(義)를 둘 다 지닐 때, 바로 위로 하늘의 덕에 도달하는 것이 이로부터 시작한다'라고 말한 것에서 '둘 다 지닌다'라고 한 표현이 가장 훌륭하다. 경(敬)은 안을 위주로 하고 의(義)는 밖을 방비하는 것이니 그 둘은 아울러 지녀야 한다. 잠시라도 내버려 두어서는 안 되고 바로 위로 올라가게 해야 되기 때문에 하늘의 덕에 도달하는 것이 이로부터 시작한다는 말이다. 겉과 속을 둘 다 지녀서 다시는 그 어떤 것도 제멋대로 하는 점이 없으면 위에는 또한 하늘의 덕만이 있게 된다."

● 問, 義形而外方. 曰 : "義是心頭斷事底, 心斷於內, 而外便方正, 萬物各得其宜."13)

의(義)가 나타나 밖이 방정해진다는 뜻에 대해 물었다.
(주자가) 대답했다. "의(義)는 마음속으로 일을 결단하는 것이니, 마음이 안에서 결단하여 밖이 바로 방정해지면 만물이 각각 그 마땅함을 얻는다."

● 又云 : "『文言』將'敬'字解'直'字, '義'字解'方'字, '敬義立而德不

---

11) 주희, 『주자어류』 권95, 138조목.
12) 주희, 『주자어류』 권95, 139조목.
13) 주희, 『주자어류』 권69, 146조목.

孤', 卽解'大'字. 敬而無義, 則作事出來必錯了. 只義而無敬則無本, 何以爲義? 皆是孤也. 須是敬·義立, 方不孤. 施之事君則忠於君, 事親則悅於親, 交朋友則信於朋友, 皆不待習而無一之不利也."[14]

(주자가) 또 말했다. "『문언전』에서는 '경(敬)'이라는 글자를 가지고 '직(直 : 곧음)'자를 풀이하고 '의(義)'라는 글자를 가지고 '방(方 : 방정함)'자를 풀이하였으며, '경(敬)과 의(義)가 확립되면 덕이 외롭지 않다'라는 말은 바로 '대(大 : 크다)'자를 풀이하였다. 경(敬)은 있지만 의(義)가 없으면 일을 하는 것이 반드시 잘못된다. 의(義)만 있고 경(敬)이 없으면 근본이 없으니, 무엇으로 의(義)가 될 수 있겠는가? 모두 외로운 것이다. 모름지기 경(敬)과 의(義)가 동시에 확립되어야 비로소 외롭지 않다. 이를 군주를 섬기는 데 적용하면 군주에게 충성하고, 부모를 섬기는 데 적용하면 부모를 기쁘게 해드리며, 친구를 사귀는 데 적용하면 친구에게 신의가 있을 것이니, 이는 모두 익힘을 기다리지 않아도 그 어느 것도 이롭지 않음이 없다."

● 黃氏幹曰 : "乾言德·業, 坤言敬·義, 雖若不同, 而實相爲經緯也. 欲進乾之德, 必本之以坤之敬; 欲修乾之業, 必制之以坤之義. 非敬則內不直, 德何由而進? 非義則外不方, 業何由而修? '終日乾乾', 雖進修夫德業, 而所以進修者, 乃用力於敬·義之間. 用力於敬·義, 固可以至於大. 而所謂大者, 乃德之日新, 而業之富有也."[15]

....

14) 주희, 『주자어류』 권69, 151조목.
15) 황간(黃幹), 『면재집(勉齋集)』 권1.

황간(黃幹)이 말했다. "건(乾)괘는 덕과 공업(功業)을 말하고 곤괘
는 경(敬)과 의(義)를 말한 것이 비록 같지 않은 것 같지만 사실 서
로 날줄과 씨줄이 된다. 건의 덕을 증진시키려고 하면 반드시 곤의
경(敬)으로 그 근본을 삼아야 하고, 건의 업을 닦으려고 하면 반드
시 곤의 의(義)로 그것을 마름질해야 한다. 경(敬)이 아니면 안이
곧아질 수 없는데 덕이 무엇으로 말미암아 증진될 수 있겠는가? 의
(義)가 아니면 밖이 방정해질 수 없는데 업이 무엇으로 말미암아
닦여질 수 있겠는가? '종일토록 힘쓰고 힘쓴다'는 것은 비록 그 덕
과 업을 증진시키고 닦는 일이지만 그것이 증진되고 닦여지는 근거
는 바로 경(敬)과 의(義)에 노력을 쏟은 데 있다. 경(敬)과 의(義)에
노력을 쏟는 일이야말로 본디 큼에 이르게 될 수 있는 것이다. 그
리고 이른바 크다는 것은 바로 덕이 나날이 새로워지고 업이 풍부
해지는 일이다."

● 王氏應麟曰 : "『丹書』'敬·義'之訓, 夫子於坤六二「文言」發之,
孟子以集義爲本, 程子以居敬爲先, 張宣公謂功夫並進, 相須而
相成也."[16]

왕응린(王應麟)이 말했다. "『단서』에 '경(敬)'과 '의(義)'의 가르침이
있는데,[17] 공자는 곤괘 육이효에 대하여 「문언전」으로 그것을 발휘

----

16) 왕응린(王應麟), 『곤학기문(困學紀聞)』 권1.
17) 『단서』에 '경(敬)'과 '의(義)'의 가르침이 있는데 : 『단서』는 전설에 주(周)
   나라 때 붉은 새가 물고 왔다는 상서로운 글로, 주 무왕(周武王)이 즉위
   할 때 강태공(姜太公)에게 『단서』의 내용에 대해 물은 뒤, 기물(器物)에
   그 내용을 새겨서 경계로 삼았다고 한다. 그 글에 "공경이 태만을 이기는
   자는 길하고, 태만이 공경을 이기는 자는 망한다. 의리가 욕심을 이기는
   자는 순조롭고, 욕심이 의리를 이기는 자는 흉하다.[敬勝怠者吉, 怠勝敬

하였고, 맹자는 의(義)를 축적하는 것으로 근본을 삼았으며, 정자 (程子 : 정호·정이)는 경(敬)에 거처하는 것을 우선으로 삼았고, 장 선공(張宣公 : 張栻)은 공부가 아울러 증진하면 서로 기다려 서로를 이룬다고 말했다."

● 胡氏炳文曰 : "乾九三, 明·誠並進也.[18] 坤六二, 敬·義偕立 也.[19] 主敬是爲學之要, 集義乃講學之功."[20]

호병문(胡炳文)이 말했다. "건괘 구삼효는 명(明 : 이치에 밝음)과 성(誠)이 아울러 증진하는 것이다. 곤괘 육이효는 경(敬)과 의(義) 가 함께 확립되는 것이다. 경(敬)을 위주로 하는 일은 학문하는 요 체이고 의(義)를 축적하는 일은 강학하는 공효이다."

● 薛氏瑄曰 : "'敬以直內', 涵養未發之中; '義以方外', 省察中節 之和."[21]

설선(薛瑄)이 말했다. "'경(敬)으로 안을 곧게 한다'는 것은 아직 발

者滅. 義勝欲者從, 欲勝義者凶.]"라고 하였다. 이 기록이 현재 『대대례 기(大戴禮記)』 권6 '무왕천조(武王踐阼)'와 『순자(荀子)』「의병(議兵)」 에 전한다.

18) 明·誠並進也 : 호병문(胡炳文), 『주역본의통석(周易本義通釋)』 권7에 는 이 구절 뒤에 '聖人事也[성인의 일이다]'라는 말이 더 있다.

19) 敬·義偕立也 : 호병문(胡炳文), 『주역본의통석(周易本義通釋)』 권7에 는 이 구절 뒤에 '學者事也[배우는 사람의 일이다]'라는 말이 더 있다.

20) 호병문(胡炳文), 『주역본의통석(周易本義通釋)』 권7.

21) 설선(薛瑄), 『독서록(讀書錄)』 속록(續錄) 권3.

동하지 않은 중(中)을 함양하는 일이고, '의(義)로 밖을 방정하게
한다'는 것은 절도에 맞는 화(和)를22) 성찰하는 일이다."

● 又曰: "'敬以直內', 戒愼恐懼之事; '義以方外', 知言集義之
事. 內外夾持, 用力之要, 莫切於此."23)

(설선이) 또 말했다. "'경(敬)으로 안을 곧게 한다'는 것은『중용』의
경계하고 삼가며 두려워하는 일이고24) '의(義)로 밖을 방정하게 한
다'는 것은『맹자』의 말을 알고 의(義)를 축적하는 일이다. 안과 밖
을 둘 다 지니려고 할 때, 노력해야 할 요점이 이보다 절실한 일이
없다."

● 蔡氏淸曰: "'正'是無少邪曲, '義'是無少差謬."25)

....

22) 아직 발동하지 않은 중(中) … 절도에 맞는 화(和):『중용』제1장에서
"기뻐하고 노여워하며 슬퍼하고 즐거워하는 감정이 아직 발동하지 않은
것을 중(中)이라 하고, 발동하여 모두 절도에 맞는 것을 화(和)라고 한
다. 중(中)은 천하의 큰 근본이고 화(和)는 천하의 공통된 도(道)이다.
[喜怒哀樂之未發, 謂之中; 發而皆中節, 謂之和. 中也者, 天下之大本
也; 和也者, 天下之達道也.]"라고 하였다.
23) 설선(薛瑄),『독서록(讀書錄)』속록(續錄) 권3.
24)『중용』의 경계하고 삼가며 두려워하는 일이고:『중용』제1장에서 "도
(道)는 잠시라도 떠날 수 없는 것이니, 떠날 수 있으면 도(道)가 아니다.
이 때문에 군자는 그 보지 않는 것에도 경계하고 삼가며, 그 듣지 않는
것에도 두려워한다.[道也者, 不可須臾離也, 可離, 非道也. 是故君子戒
愼乎其所不睹, 恐懼乎其所不聞.]"라고 하였다.
25) 채청(蔡淸),『역경몽인(易經蒙引)』권1하(下).

채청(蔡淸)이 말했다. "'정(正 : 올바름)'은 사소한 부정직함조차 없는 것이고, '의(義)'는 사소한 잘못조차 없는 것이다."

● 又曰 : "此'正'·'義'二字, 皆以見成之德言. 然直不自直, 必由於敬; 方不自方, 必由於義. 直卽主忠信, 方卽徒義. 直卽心無私, 方卽事當理. 故直內以動者言爲當."26)

(채청이) 또 말했다. "여기에서의 '정(正 : 올바름)'자와 '의(義)'자는 모두 실현되어 있는 덕으로 말한 것이다. 그러나 곧음[直]은 저절로 곧아지지 않으니 반드시 경(敬)에서 말미암으며, 방정함은 저절로 방정해지지 않으니 반드시 의(義)에서 말미암는다. 곧음은 바로 충(忠)과 신(信)을 위주로 하는 것이고, 방정함은 바로 의(義)에 옮겨가는 것이다.27) 곧음은 바로 마음에 사사로움이 없는 것이고 방정함은 일처리를 이치에 합당하게 하는 것이다. 그러므로 안을 곧게 하여 움직이는 사람은 말이 합당하다."

---

26) 채청(蔡淸), 『역경몽인(易經蒙引)』 권1하(下).
27) 충(忠)과 신(信)을 위주로 하는 것이고 … 의(義)에 옮겨가는 것이다 : 『논어』「안연(顏淵)」에서 "자장(子張)이 덕을 높이고 의혹을 분별하는 것에 대해 물었다. 공자가 말했다. '충(忠)과 신(信)을 위주로 하고 의(義)에 옮겨가는 것이 덕을 높이는 것이다.'[子張問崇德辨惑. 子曰: '主忠信, 徒義, 崇德也.']"라고 하였다.

> 陰雖有美, 含之以從王事, 弗敢成也. 地道也, 妻
> 道也, 臣道也. 地道無成而代有終也.

음(陰)은 비록 아름다움이 있으나 그것을 품고 왕(王)의 일에 종사
하되 감히 이루지 말아야 한다. 이것이 땅의 도(道)이고 아내의
도이며 신하의 도이다. 땅의 도는 이룸이 없지만 대신하여 끝마침
이 있다.

程傳

> 爲下之道, 不居其功, 含晦其章美以從上事, 代上以終其事,
> 而不敢有其成功也. 猶地道代天終物, 而成功則主於天也. 妻
> 道亦然.

아랫사람 노릇하는 도리는 그 공로를 자처하지 않고, 그 아름다움
을 그윽이 품고서 윗사람의 일에 종사하여, 윗사람을 대신해 그 일
을 끝마치지만 감히 그 성공을 차지하지 않는다. 이는 마치 땅의 도
(道)가 하늘을 대신해 만물을 낳는 일을 끝마치지만 그 성공은 하늘
에게 맡기는 것과 같다. 아내의 도리 또한 그러하다.

集說

● 宋氏衷曰 : "臣子雖有才美, 含藏以從其上, 不敢有所成名也.
地終天功, 臣終君事, 婦終夫業, 故曰'而代有終'也."[28]

송충(宋衷)이 말했다. "신하는 비록 아름다운 재능이 있어도 그것을 감추고 윗사람에게 종사해야지 감히 성공한 명성을 가져서는 안 된다. 땅은 하늘의 공로를 끝맺고 신하는 군주의 일을 끝맺으며 아내는 남편의 사업을 끝맺기 때문에 '대신하여 끝마침이 있다'라고 하였다."

● 程子曰 : "天地日月一般, 月之光, 乃日之光也. 地中生物者, 皆天氣也. 唯'無成而代有終'者, 地之道也."29)

정자(程子 : 程顥·程頤)가 말했다. "천지와 일월은 마찬가지이니 달의 빛은 바로 태양의 빛이다. 땅속에서 만물이 생겨나는 것은 모두 하늘의 기(氣)이다. 오직 '이룸이 없지만 대신하여 끝마침이 있다'라는 것이 땅의 도(道)이다."

● 王氏申子曰 : "三非有美而不發, 特不敢暴其美. 唯知代上以終其事, 而不居其成功. 猶地代天生物, 而功則主於天也."30)

왕신자(王申子)가 말했다. "곤괘 육삼효는 아름다움을 가지고 발산하지 않는 것은 아니지만 감히 그 아름다움을 폭로하지 않을 뿐이다. 오직 윗사람을 대신하여 그 일을 끝맺지만 그 성공을 차지하지 않을 뿐이다. 이는 마치 땅이 하늘을 대신하여 만물을 낳지만 그 공로는 하늘에 맡기는 것과 같다."

....

28) 이정조(李鼎祚), 『주역집해(周易集解)』 권2에 송충(宋衷)의 말로 기재되어 있다.
29) 정호·정이, 『하남정씨유서』 권11.
30) 왕신자(王申子), 『대역집설(大易緝說)』 권3.

● 俞氏琰曰 : "旣曰'地道無成', 而又曰'代有終', 何也? 乾能始物, 不能終物. 坤繼其終而終之, 則坤之所以爲有終者, 終乾之所未終也."[31]

유염(俞琰)이 말했다. "이미 '땅의 도는 이룸이 없다'고 말했는데 게다가 또 '대신하여 끝마침이 있다'라고 말한 것은 무엇 때문인가? 건(乾)은 만물을 낳는 것을 시작할 수 있지만 만물을 낳는 것을 끝맺지는 못한다. 곤(坤)은 그 끝을 이어 그것을 끝맺으니, 곤이 끝맺을 수 있는 까닭은 건이 끝맺지 못한 것을 끝맺기 때문이다."

● 蔡氏淸曰 : "'以從王事', 以含章之道而從王事. '弗敢成也', 卽是含章之道, 用於從王事者也."[32]

채청(蔡淸)이 말했다. "'왕(王)의 일에 종사한다'는 것은 아름다움을 머금는 도리로 왕의 일에 종사한다는 뜻이다. '감히 이루지 말아야 한다'는 것은 곧 아름다움을 머금는 도리를 왕의 일에 종사하는 데 쓴다는 말이다."

● 谷氏家杰曰 : "爻言'有終', 此言'代有終', 則幷其終亦非坤之所敢有也."

곡가걸(谷家杰)이 말했다. "효사에서 '끝맺음이 있다'라 말했고, 여기서는 '대신하여 끝마침이 있다'라고 말했으니, 모두 그것을 끝맺지만 또한 곤이 감히 그것을 소유하는 것은 아니다."

---

31) 유염(俞琰), 『주역집설(周易集說)』 권27.
32) 채청(蔡淸), 『역경몽인(易經蒙引)』 권1하(下).

● 何氏楷曰 : “乾能始萬物而已. 必賴坤以作成之, 故曰‘代有終.’ 正對乾之始而言.”33)

하해(何楷)가 말했다. “건은 만물이 생겨나도록 시작하게 할 수 있을 뿐이다. 반드시 곤에 의지하여 그것을 이루어낼 수 있기 때문에 ‘대신하여 끝마침이 있다’라고 하였다. 이는 바로 건의 시작에 짝하여 말한 것이다.”

[곤괘 문언 2-4]

天地變化, 草木蕃; 天地閉, 賢人隱. 『易』曰 : "括囊無咎無譽. 蓋言謹也.

천지가 변화하면 초목이 번성하고, 천지가 닫히면 현명한 사람이 은둔한다. 『역』에서 "주머니 끈을 묶듯이 하면 허물도 없고 칭찬도 없다"라고 하였다. 이는 삼가야 함을 말하였다.

程傳

四居上近君, 而無相得之義, 故爲隔絶之象. 天地交感, 則變化萬物, 草木蕃盛, 君臣相際而道亨. 天地閉隔, 則萬物不遂, 君臣道絶, 賢者隱遯. 四於閉隔之時, 括囊晦藏, 則雖無令譽, 可得無咎, 言當謹自守也.

곤괘 육사(六四)효는 위에 자리 잡아 군주와 가깝지만 서로 어울리려는 뜻이 없기 때문에 단절되는 모습이다. 하늘과 땅이 서로 감응하면 만물이 변화하여 초목이 번성하고 군주와 신하가 서로 관계가 좋아 도(道)가 형통한다. 하늘과 땅이 서로 단절되면 만물이 이루어지지 못하고 군주와 신하의 도(道)가 끊기어 현자는 은둔한다. 육사는 단절된 때 주머니 끈을 묶듯이 그윽이 감추면, 비록 아름다운 명예는 없으나 허물이 없을 수 있으니, 마땅히 삼가서 스스로 지켜야 함을 말한다.

● 張氏浚曰 : "'括囊', 蓋內充其德, 待時而有爲者也. 漢儒乃以括囊爲譏, 豈不陋哉? 陽舒陰閉, 故孔子發天地閉之訓. 夫閉於前而舒於後, 生化之功, 自是出也. 括囊之愼, 庸有害乎?"[34]

장준(張浚)이 말했다. "'주머니 끈을 묶듯이 한다[括囊]'는 것은 안으로 그 덕을 충만하게 만들어 때를 기다려 큰일을 한다는 말이다. 한나라 유학자가 괄낭(括囊)을 비난하였는데 어찌 비루하지 않은가? 양은 펼치고 음은 닫기 때문에 공자는 천지가 닫히는 가르침을 발휘하였다. 무릇 앞에서 닫히면 뒤에서 펼쳐지니 생겨나는 조화(造化)의 공로가 여기에서 나온다. 주머니 끈을 묶듯이 한다는 신중함에 어찌 해로움이 있겠는가?"

---

34) 장준(張浚), 『자암역전(紫巖易傳)』 권1.

[곤괘 문언 2-5]

君子黃中通理.

군자는 황색(黃色 : 땅의 색)이 중앙에 있어 이치에 통달한다.

本義

黃中, 言中德在內, 釋'黃'字之義也.

황색이 중앙에 있다는 것은 중(中)의 덕이 안에 있음을 말하니, '황(黃 : 곤괘 육오효 효사 중 누런 치마[黃裳]의 황(黃))'자의 의미를 풀이하였다.

集說

● 蔡氏淸曰 : "'通理', 卽是黃中處通而理也. 蓋黃中非通, 則無以應乎外. 通而非理, 則所以應乎外者, 不能皆得其當. 此所以言黃中, 而必並以'通理'言之. 通理亦在內也."[35]

채청(蔡淸)이 말했다. "'이치에 통달한다'는 것은 황색이 중앙에 있는 곳에 통달하여 이치가 된다는 말이다. 황색이 중앙에 있는 것이 통달하지 않으면 그 어떤 것도 밖으로 대응할 수 없다. 통달하되

----

35) 채청(蔡淸), 『역경몽인(易經蒙引)』 권1하(下).

이치가 아니면 밖으로 대응하는 것이 모두 그 마땅함을 얻을 수 없다. 이것이 황색이 중앙에 있다는 의미이고 반드시 아울러 '이치에 통달한다'는 것으로 말한 까닭이다. '이치에 통달한다'는 것 또한 안에 있다."

正位居體.

바른 자리에서 하체(下體)에 자리 잡는다.

本義

雖在尊位, 而居下體, 釋'裳'字之義也.

비록 존귀한 지위에 있지만 하체(下體)에 자리 잡았으니, '상(裳 : 곤괘 육오효 효사 중 누런 치마[黃裳]의 상(裳))'자의 의미를 풀이한 것이다.

案

孟子曰, '立天下之正位', '正位', 卽禮也. 此言'正位居體'者, 猶言以禮居身爾. 禮以物躬, 則自卑而尊人, 故爲釋'裳'字之義.

맹자가 '천하의 바른 자리에 선다'라고 했는데³⁶⁾ '바른 자리'는 바로

---

36) 맹자가 '천하의 바른 자리에 선다'라고 했는데 :『맹자』「등문공 하」에서 "천하의 넓은 집에 거처하고, 천하의 바른 자리에 서며, 천하의 큰 도(道) 를 행한다. 뜻을 얻으면 백성과 함께 그것을 실천하고 뜻을 얻지 못하면 홀로 그 도를 행한다. 부귀가 마음을 방탕하게 하지 못하고 빈천이 절개 를 옮겨놓지 못하며, 무력의 위협이 지조를 굽히게 할 수 없는 것, 이것

예(禮)이다. 여기에서 '바른 자리에서 하체(下體)에 자리 잡는다'라고 말한 것은 마치 예로서 처신할 뿐이라고 말과 같다. 예로 자신을 대상으로 하면 스스로를 낮추고 남을 높이기 때문에 '상(裳)'자의 의미를 풀이하는 것이 된다.

을 대장부라 한다.[居天下之廣居, 立天下之正位, 行天下之大道. 得志, 與民由之; 不得志, 獨行其道. 富貴不能淫, 貧賤不能移, 威武不能屈, 此之謂大丈夫.]"라고 하였다.

[곤괘 문언 2-7]

> 美在其中, 而暢於四支, 發於事業, 美之至也.

아름다움이 그 가운데에 있어 사지(四支)에 펼쳐지며 사업에 발휘되니, 아름다움이 지극하다.

本義

'美在其中', 復釋'黃中'; '暢於四支', 復釋'居體.'

'아름다움이 그 가운데에 있다'는 다시 '황중(黃中)'을 풀이한 것이고, '사지(四支)에 펼쳐진다'는 다시 '거체(居體)'를 풀이한 것이다.

程傳

黃中, 文在中也, 君子文中而達於理, 居正位而不失爲下之體. 五尊位, 在坤則唯取中正之義. 美積於中, 而通暢於四體, 發見於事業, 德美之至盛也.

황중(黃中)은 문채가 중앙에 있는 것이니, 군자는 문채가 중앙에 있고 이치에 통달하며, 바른 자리에 자리 잡아 아랫사람으로서의 체(體)를 잃지 않는다. 오(五)는 존귀한 자리이지만 곤(坤)괘에서는 오직 중정(中正)의 의미만을 취했다. 아름다움이 중앙에 쌓여 온몸에 두루 통하고 사업에 발현하는 것은 덕의 아름다움이 지극히 성대해서이다.

集說

● 『朱子語類』云 : "二在下, 方是就功夫上說. 如'不疑其所行',
是也. 五得尊位, 則是就它成就處說. 所以云'美在其中, 而暢於
四支, 發於事業, 美之至也.'"37)

『주자어류』에서 말했다. "육이효는 아래에 있어 비로소 공부 측면
으로 말한 것이다. 예컨대 '그 행한 것을 의심하지 않는 것이다'라
고 한 말이 이것이다. 육오효는 존귀한 지위를 얻었으니 그가 성취
한 측면으로 말하였다. 그러므로 '아름다움이 그 가운데에 있어 사
지(四支)에 펼쳐지며 사업에 발휘되니, 아름다움이 지극하다'라고
말했다."

● 蔡氏淵曰 : "'黃中通理', 釋'黃'義, '正位居體', 釋'裳'義. '黃中',
正德在內, '通理', 文無不通, 言柔順之德蘊於內也. '正位', 居在
中之位, '居體', 居下體而不僭, 言柔順之德形於外也. '美在其
中', '黃中通理'也; '暢於四支, 發於事業', '正位居體'也. 二·五皆
中, 二居內卦之中, 其發見於外者, '不疑其所行'而已; 五外卦之
中, 其施於外, 有事業之可觀, 坤道之美, 至此極矣."38)

채연(蔡淵)이 말했다. "'황색(黃色 : 땅의 색)이 중앙에 있어 이치에
통달한다'는 '황(黃 : 곤괘 육오효 효사 중 황상(黃裳)의 황(黃))'자의

---

37) 주희, 『주자어류』 권69, 128조목.
38) 안사성(晏斯盛), 『역익설(易翼說)』 권6에 채연(蔡淵)의 말로 기재되어 있다.

의미를 풀이한 것이다. '바른 자리에서 하체(下體)에 자리 잡는다'는 '상(裳 : 곤괘 육오효 효사 중 황상(黃裳)의 상(裳)'자의 의미를 풀이한 것이다. '황색(黃色 : 땅의 색)이 중앙에 있다'는 말은 바른 덕이 아래에 있는 것이고, '이치에 통달한다'는 말은 문채가 통달하지 않음이 없다는 뜻이니, 유순한 덕이 안에 온축되어 있음을 말한다. '바른 자리'는 중앙의 자리에 자리 잡는다는 말이고, '하체(下體)에 자리 잡는다'는 것은 하체에 자리 잡아 참람하지 않는다는 뜻이니, 유순한 덕이 밖으로 나타남을 말한다. '아름다움이 그 가운데에 있다'는 '황색(黃色 : 땅의 색)이 중앙에 있어 이치에 통달한다'는 것이고, '사지(四支)에 펼쳐지며 사업에 발휘한다'는 '바른 자리에서 하체(下體)에 자리 잡는다'는 말이다. 육이효와 육오효는 모두 중앙에 자리 잡는데, 육이효는 내괘의 중앙에 자리 잡아 그것이 밖으로 발현된 것은 '그 행한 것을 의심하지 않는 것'일 뿐이고, 육오효는 외괘의 중앙에 자리 잡아 그것이 밖으로 베푸는 것은 볼 만한 사업이 있으니 곤도(坤道)의 아름다움은 여기에 이르러 다하였다."

● 蔡氏淸曰 : "'黃裳'二字, 分而言之, 則'黃'爲中, '裳'爲順; 合而言之, 則唯中故順, 存於中爲中, 形於外爲順, 理一而已. 天下無有形於外而不本乎中者, 唯有黃中之德, 故能以下體自居."[39]

채청(蔡淸)이 말했다. "'황상(黃裳)'이라는 두 글자는 나누어 말하면 '황(黃)'은 중(中)이 되고 '상(裳)'은 유순함이 되며, 합쳐서 말하면 오직 중(中)이기 때문에 유순하니, 가운데에 보존한 것이 중(中)이 되어야 밖으로 나타난 것이 유순함이 되므로 그 이치는 하나일 뿐이다. 세상에 밖으로 나타난 것이 안에 근본하지 않은 것은 없으니,

---

39) 채청(蔡淸), 『역경몽인(易經蒙引)』 권1하(下).

오직 황중(黃中)의 덕이 있기 때문에 하체로 자처할 수 있다."

● 林氏希元曰 : "「文言」旣分釋'黃裳'了. 又恐人認爲二物, 不知
歸重處, 故發'美在其中'一條, 見得其所謂順, 乃本於中. 與「象
傳」'文在中也', 及'六二之動直以方也', 意思一般."⁴⁰⁾

임희원(林希元)이 말했다. "「문언전」에서 이미 '황상(黃裳)'을 나누
어 풀이하였다. 그런데 또 사람들이 그것을 두 가지로 인식하여 중
요한 것을 알지 못할까 걱정했기 때문에 '아름다움이 그 가운데 있
어 사지(四支)에 펼쳐지고 사업에 발휘되니, 아름다움이 지극하다'
라는 구절을 발휘하여 그 이른바 유순함이 바로 중(中)에 근본하는
것임을 알도록 했다. 이는 「상전」에서 '문채가 그 중(中)에 있다'라
고 한 것과 '육이효의 움직임은 곧고 방정하다'라고 한 것과 그 의
미가 마찬가지이다."

附録

● 胡氏炳文曰 : "蓋直內方外之君子, 卽'黃中通理'之君子也. '敬
以直內', 則胸中洞然表裏如一, 是卽所以爲'黃中'; '義以方外',
則凡事之來, 義以處之, 無不合理, 是卽所以爲'通理.' 五之'黃中
通理', 本於直內方外, 故其'正位'也. 雖居乎五之尊, 而其'居體'
也, 則不失乎二之常. 二之直內方外, 是內外夾持, 兩致其力; 五
之'黃中通理', 則內外通貫, 無所容其力矣."⁴¹⁾

··

40) 임희원(林希元), 『역경존의(易經存疑)』 권1.
41) 호병문(胡炳文), 『주역본의통석(周易本義通釋)』 권7.

호병문(胡炳文)이 말했다. "안을 곧게 하고 밖을 방정하게 하는 군
자는 바로 '황색(黃色 : 땅의 색)이 중앙에 있어 이치에 통달하는' 군
자이다. '경(敬)으로 안을 곧게 하면' 가슴속이 매우 명료하여 겉과
속이 한결 같으니 이것이 바로 '황색이 중앙에 있게 되는' 까닭이
다. '의(義)로 밖을 방정하게 하면' 당면하는 모든 일을 의(義)로 처
리하여 이치에 부합되지 않음이 없으니 이것이 바로 '이치에 통달
하게 되는' 까닭이다. 육오효의 '황색(黃色)이 중앙에 있어 이치에
통달한다'는 것은 안을 곧게 하고 밖을 방정하게 하는 데 근본하기
때문에 그것이 '바른 자리'이다. 비록 육오효의 존귀한 지위에 자리
잡고 있지만 그것이 '하체에 자리 잡으니' 육이효의 항상됨을 잃지
않는다. 육이효의 안을 곧게 하고 밖을 방정하게 하는 것은 안과
밖을 둘 다 지니므로 그 힘을 두 곳에 모두 쏟고, 육오효의 '황색(黃
色)이 중앙에 있어 이치에 통달한다'는 것은 안과 밖을 관통하여 그
힘을 쓸 곳이 없다."

案

乾爻之言學者二 : 於九二, 則曰言信行謹, 閑邪存誠也; 於九三,
則曰忠信以進德, 修辭立誠以居業也. 坤爻之言學者二 : 於六
二, 則曰'敬以直內, 義以方外'也; 於六五, 則曰'黃中通理, 正位
居體'也.

건괘의 효사 가운데 배움을 말한 것은 두 곳이다. 구이효에서는 말
이 신의가 있고 행동이 신중하며, 사악한 것을 막고 성실함[誠]을
보존한다고 했으며, 구오효에서는 충(忠)과 신(信)으로 덕을 향상
시키고, 말을 함에 그 성실함[誠]을 세워 업(業)을 차지한다고 했다.
곤괘의 효사 가운데 배움을 말한 것은 두 곳이다. 육이효에서는 '경
(敬)으로 안을 곧게 하고 의(義)로 밖을 방정하게 한다'고 말했으며,

육오효에서는 '황색(黃色)이 중앙에 있어 이치에 통달하고 바른 자리에서 하체(下體)에 자리 잡는다'라고 말했다.

分而言之則有四, 合而言之, 則乾二之存誠, 卽乾三之忠信, 皆以心之實者言也; 乾二之信謹, 卽乾三之修辭立誠, 皆以言行之實者言也. 在二爲大人, 則以成德言之, 由其言行以窺其心, 見其純亦不已如此也. 在三爲君子, 則以進學言之, 根於心而達於言行, 見其交修不懈如此也.

나누어서 말하면 넷이지만, 합쳐서 말하면 건괘 구이효의 성실함을 보존하는 것은 바로 건괘 구삼효의 충(忠)과 신(信)이니 모두 마음의 실질로 말하였고, 건괘 구이효의 신의와 신중함은 바로 건괘 구삼효의 말을 함에 그 성실함[誠]을 세우는 것이니 모두 언행의 실질로 말하였다. 구이효에서 대인이 됨은 덕을 이루는 것으로 말하여, 그 언행으로 말미암아 그 마음을 엿보면 그 순수함이 또한 그치지 않음을 볼 수 있는 것이 이와 같다. 구삼효에서 군자가 됨은 배움에 증진이 있는 것으로 말하여, 마음에 뿌리를 두어 언행에 표현되면 그 수양함이 게으르지 않음을 볼 수 있는 것이 이와 같다.

坤二之'直內', 卽坤五之'黃中', 皆以心之中直者言也; 坤二之'方外', 卽坤五之'正位', 皆以行之方正者言也. 二言直而五言中, 直則未有不中者, 中乃直之至也; 二言方而五言正, 方則未有不正者, 正乃方之極也. 二居下位, 不疑所行而已; 五居尊, 又有發於事業之美, 此則兩爻所以異也.

곤괘 육이효의 '안을 곧게 하는 것'은 바로 곤괘 육오효의 '황색(黃色)이 중앙에 있는' 것이니 모두 마음의 정직으로 말하였고, 곤괘 육이효의 '밖을 방정하게 하는 것'은 바로 곤괘 육오효의 '바른 자리'이니 모두 행위의 방정함으로 말하였다. 육이효에서 곧음[直]을 말하고 육오효에서 중(中)을 말했지만 곧으면 중(中)하지 않음이 없으니 중(中)은 바로 곧음이 지극한 것이며, 육이효에서 방정함을 말하고 육오효에서 바름[正]을 말했지만 방정하면 바르지 않음이 없으니 바름은 바로 방정함이 지극한 것이다. 육이효는 아랫자리에 자리 잡아서 행한 것을 의심하지 않을 뿐이지만, 육오효는 존귀한 자리에 자리 잡고 또 사업의 아름다움을 발휘함이 있으니, 이는 두 효가 다르기 때문이다.

在乾之兩爻, 誠之意多, 實心以體物, 是乾之德也. 坤之兩爻, 敬之意多, 虛心以順理, 是坤之德也. 而要之未有誠而不敬, 未有敬而不誠者, 乾·坤一德也, 誠·敬一心也. 聖人所以分言之者, 蓋乾陽主實, 坤陰主虛. 人心之德, 必兼體焉. 非實則不能虛, 天理爲主, 然後人欲退聽也; 非虛則不能實, 人欲屛息, 然後天理流行也. 自其實者言之則曰誠, 自其虛者言之則曰敬. 是皆一心之德, 而非兩人之事. 但在聖人則純乎誠矣, 其敬也, 自然之敬也; 其次則主敬以至於誠. 故程子曰: "誠則無不敬, 未能誠, 則必敬而後誠." 而以乾·坤分爲聖·賢之學者, 此也.

건괘의 구이·구오 두 효에는 성(誠)의 뜻이 많아 마음을 알차게 하여 만물을 체인하니 이는 건의 덕이다. 곤괘의 육이·육오 두 효에는 경(敬)의 뜻이 많아 마음을 비워서 이치에 순응하니 이는 곤의 덕이다. 그러나 요컨대 성(誠)하면서 경(敬)하지 않은 적이 없고 경(敬)하면서 성(誠)하지 않은 적이 없으니 건과 곤은 하나의 덕이고 성과 경은 하나의 마음이다. 성인이 그것을 나누어 말한 까닭은 건의 양은 채움을 위주로 하고 곤의 음은 비움을 위주로 하기 때문이

다. 그러나 사람의 마음의 덕은 반드시 그것을 겸해서 체인해야 한
다. 채움이 아니면 비울 수 없으니 천리(天理)가 위주가 된 뒤에 인
욕(人欲)이 물러나 순종하며, 비움이 아니면 채움이 될 수 없으니
인욕이 제거된 뒤에 천리가 유행한다. 그 채우는 것으로 말하면 성
(誠)이라 하고 그 비우는 것으로 말하면 경(敬)이라 한다. 이들은
모두 하나의 마음의 덕이지 두 사람의 일이 아니다. 그러나 성인에
게서는 성(誠)에 순수하니 그 경(敬) 또한 저절로 그러한 경(敬)이
지만, 그 다음부터는 경(敬)을 위주로 하여 성(誠)에 이르러야 한
다. 그러므로 정자(程子 : 程顥·程頤)는 "성(誠)하면 경(敬)하지 않
음이 없지만, 성(誠)하지 못하면 반드시 경(敬)한 뒤에 성(誠)할 수
있다"42)고 말했다. 그리하여 건과 곤으로 성인과 현인의 학문으로
나누었는데, 바로 이것이다.

---

42) 성(誠)하면 경(敬)하지 … 경(敬)한 뒤에 성(誠)할 수 있다 : 『하남정씨수
언(河南程氏粹言)』권 상(上).

陰疑於陽必戰, 爲其嫌於無陽也, 故稱龍焉, 猶未離其類也, 故稱血焉. 夫玄黃者, 天地之雜也, 天玄而地黃.

음(陰)이 양(陽)과 대등해지면 반드시 싸우니, 양(陽)이 없다고 의심하기 때문에 용(龍)이라 일컬었고, 아직 그 부류를 떠나지 않았기 때문에 피[血]라고 일컬었다. 검고 누런 것은 천지가 섞인 것이니, 하늘은 검고 땅은 누렇다.

本義

'疑', 謂鈞敵而無小大之差也. 坤雖無陽, 然陽未嘗無也. '血', 陰屬, 蓋氣剛而血陰也. '玄黃', 天地之正色, 言陰陽皆傷也.

'의(疑)'는 힘이 대등하여 크고 작음의 차이가 없음을 말한다. 곤(坤)괘는 비록 양(陽)효가 없지만 양(陽)이 없었던 적이 없다. '피'는 음(陰)에 속하는데, 기(氣)는 양(陽)이고 피는 음(陰)이기 때문이다. '검고 누런 것'은 하늘과 땅의 올바른 색이니, 음(陰)과 양(陽)이 모두 손상된 것을 말한다.

此以上申「象傳」之意.

이 위로는 「상전」의 뜻을 펼친 것이다.

陽大陰小, 陰必從陽. 陰旣盛極, 與陽偕矣, 是疑於陽也, 不相
從則必戰. 卦雖純陰, 恐疑無陽, 故稱龍, 見其與陽戰也. '于
野', 進不已而至於外也. 盛極而進不已, 則戰矣. 雖盛極, 不
離陰類也, 而與陽爭, 其傷可知, 故稱'血.' 陰旣盛極, 至與陽
爭, 雖陽不能無傷, 故'其血玄黃.' '玄黃', 天地之色, 謂皆傷也.

양(陽)은 크고 음(陰)은 작으니 음이 반드시 양을 좇아야 한다. 음
이 이미 지극히 성대하여 양과 함께 하면 이는 양과 대등해지는 것
이니, 서로 좇지 않으면 반드시 싸우게 된다. 곤괘는 비록 순전히
음이지만 양이 없다고 의심할까 걱정했기 때문에 용(龍)이라고 일
컬어 그것이 양과 싸우는 것을 나타냈다. '들에서[于野]'라고 한 것
은 나아감을 그치지 않아 밖에까지 이르렀다는 뜻이다. 성함이 지
극한데도 나아감을 그치지 않으면 싸우게 된다. 비록 음의 성함이
지극하지만 음의 부류를 떠나지 않았는데 양과 다투니, 그 손상됨
을 알 수 있기 때문에 '피'라고 일컬었다. 음이 이미 지극히 성대하
여 양과 다툼에 이르게 되면, 비록 양일지라도 손상됨이 없을 수 없
기 때문에 '그 피가 검고 누렇다'고 했다. '검고 누런 것'은 하늘과
땅의 색이니, 모두 손상되었음을 말한다.

● 干氏寶曰 : "陰在上六, 十月之時也.[43] 卦成於乾, 乾體純剛,

---

43) 十月之時也 : 이정조(李鼎祚), 『주역집해(周易集解)』 권2에는 이 구절
   뒤에 "爻終於酉而[효는 유(酉)에서 끝나고]"라는 말이 더 있다.

不堪陰盛, 故曰'龍戰.' 戌亥, 乾之都也, 故稱龍焉. 未離陰類, 故
曰'血.' 陰陽色雜, 故曰'玄黃.' 陰陽離則異氣, 合則同功. 君臣·
夫妻, 其義一也."[44]

간보(干寶)가 말했다. "음이 상육(上六)효에 있을 때가 10월이다.
괘는 건(乾)에서 이루어지는데, 건의 체(體)가 순수한 굳셈[剛]이라
음이 성대해지는 것을 참지 못하기 때문에 '용이 싸운다'라고 했다.
술해(戌亥)는 건의 도읍이기 때문에 용이라 일컬었다. 아직 그 부
류를 떠나지 않았기 때문에 '피[血]'라고 했다. 음과 양이 색깔이 섞
였기 때문에 '검고 누렇다'라고 했다. 음과 양이 떨어지면 기(氣)가
달라지지만 합쳐지면 공로가 같아진다. 군주와 신하, 남편과 아내
의 관계에서도 그 의미가 한 가지이다."

● 蔡氏淵曰 : "十月爲純坤之月, 六爻皆陰. 然生生之理, 無頃
刻而息. 聖人爲其純陰而或嫌於無陽也, 故稱龍以明之. 古人謂
十月爲陽月者, 蓋出於此."[45]

채연(蔡淵)이 말했다. "10월은 순전히 곤(坤)의 달이 되니 여섯 효
가 모두 음이다. 그러나 낳고 또 낳는 이치는 잠시도 멈춘 적이 없
다. 성인은 그것이 순전히 음이라 혹 양이 없다고 의심하는 것 때
문에 용을 일컬어 그것을 밝혔다. 옛사람들이 10월을 양월(陽月)이
라고 말하는 것은 모두 여기에서 나왔다."

---

44) 이정조(李鼎祚), 『주역집해(周易集解)』 권2에 간보(干寶)의 말로 기재
되어 있다.
45) 호일계(胡一桂), 『역부록찬주(易附錄纂註)』 권9에 채연(蔡淵)의 말로
기재되어 있다.

● 俞氏琰曰 : "玄者天之色, 黃者地之色. 血言玄黃, 則天地雜類, 而陰陽無別矣. 故曰'夫玄黃者, 天地之雜也.' 陰陽相戰, 雖至於天地之雜亂, 然而天地定位於上下, 其大分終不可易, 故其終又分而言之曰'天玄而地黃.'"[46]

유염(俞琰)이 말했다. "검은색은 하늘의 색깔이고 누런색은 땅의 색깔이다. 피를 검고 누렇다고 말하면 하늘과 땅이 섞였고 음과 양이 구별이 없는 것이다. 그러므로 '검고 누런 것은 천지가 섞인 것이다'라고 말했다. 음과 양이 싸워서 비록 하늘과 땅이 혼란한 지경에 이르지만, 하늘과 땅이 위아래로 정해진 자리를 자리 잡는 큰 분별은 끝내 바뀌지 않기 때문에 그 구절 끝에서는 또 나누어 말하여 '하늘은 검고 땅은 누렇다'라고 했다."

● 鄭氏維嶽曰 : "謂之曰'戰', 陰與陽交戰也. 交戰而獨曰'龍戰'者, 是時陰處其盛, '嫌於無陽也.' 故獨稱龍爲戰. 若曰陰犯順而龍戰之云耳, 以討陰之義與陽, 不許陰爲敵也. 當其雜也, 玄黃似乎莫辨, 而不知卽雜之中, 玄者是天, 黃者是地, 斷斷不可餛淆, 定分原自如此."

정유악(鄭維嶽)이 말했다. "'싸운다'라고 말한 것은 음과 양이 교전하는 일이다. 교전하는데도 유독 '용이 싸운다'라고 말한 것은 이때에 음이 그 성대한 상황에서 '양(陽)이 없다고 의심하기' 때문에 용을 일컬어 싸운다고 하였다. 만약 음이 유순함을 위반했는데 용이 싸운다고 말하여 음의 의미와 양을 따져 묻는다면, 음이 맞섬을 허락하지 않았을 것이다. 그들이 섞여 있을 때는 검고 누런 것을

---

46) 유염(俞琰), 『주역집설(周易集說)』 권27.

분별할 수 없는 것 같지만, 이는 섞여있는 가운데 검은 것은 하늘이고 누런 것은 땅이니 이들은 단연코 뒤섞일 수 없는데, 정해진 분수가 원래 이와 같음을 몰라서이다."

| 역주자 소개 |

신창호申昌鎬

현 고려대학교 교수

고려대학교 박사(Ph. D, 동양철학/교육철학 전공)

권우(卷宇) 홍찬유(洪贊裕), 일평(一平) 조남권(趙南勸), 중관(中觀) 최권흥(崔權興), 위재(威齋) 김중렬(金重烈), 수강(修岡) 유명종(劉明鍾) 선생 등으로부터 한학 및 동양학 사사

한국교육철학학회 회장(역임)

「중용(中庸) 교육사상의 현대적 조명」(박사논문) 외 『관자』, 「주역 계사전」, 『유교의 교육학 체계』, 한글사서(『논어』, 『맹자』, 『대학』, 『중용』) 등 100여 편의 논저가 있음

김학목金學睦

현 고려대학교 연구교수

건국대학교 박사(Ph. D, 한국철학 전공)

해송학당 원장(사주명리·동양학 강의)

「박세당의 『신주도덕경』 연구」(박사논문)를 비롯하여 『왕필의 노자주』, 『하상공의 노자』, 『한국주역대전』 등 50여 편의 논저가 있음

심의용沈義用

현 숭실대학교 H.K 연구교수

숭실대학교 박사(Ph. D, 주역철학 전공)

「정이천의 『역전』 연구」(박사논문)를 비롯하여 『주역』, 『성리대전』, 『인역』, 『주역과 운명』, 『세상과 소통하는 힘』 『시적 상상력으로 주역을 읽다』 등 30여 편의 논저가 있음.

윤원현尹元鉉

전 고려대학교 연구교수

臺灣 文化大學校 박사(Ph. D, 주자철학 전공)

한중철학회 회장(역임)

「從朱子思想中之天人架構闡論其義理脈絡」(박사논문)를 비롯하여 『성리대전』, 『태극해의』, 『역학계몽』, 『율려신서』 등 10여 편의 논저가 있음.

한 국 연 구 재 단
학술명저번역총서
[동 양 편] 620

주역절중周易折中 10

초판 인쇄 2018년 11월 1일
초판 발행 2018년 11월 15일

편   찬 | 이광지
책임역주 | 신창호
공동역주 | 김학목 · 심의용 · 윤원현
펴 낸 이 | 하운근
펴 낸 곳 | 學古房

주   소 | 경기도 고양시 덕양구 통일로 140 삼송테크노밸리 A동 B224
전   화 | (02)353-9908 편집부(02)356-9903
팩   스 | (02)6959-8234
홈페이지 | www.hakgobang.co.kr
전자우편 | hakgobang@naver.com, hakgobang@chol.com
등록번호 | 제311-1994-000001호

ISBN   978-89-6071-800-5 94140
        978-89-6071-287-4 (세트)

값 : 36,000원

이 책은 2015년도 정부재원(교육부)으로 한국연구재단의 지원을 받아 연구되었음
(NRF-2015S1A5A7018113).
This work was supported by National Research Foundation of Korea Grant funded by
the Korean Government(NRF-2015S1A5A7018113).

이 도서의 국립중앙도서관 출판예정도서목록(CIP)은 서지정보유통지원시스템 홈페이지
(http://seoji.nl.go.kr)와 국가자료종합목록시스템(http://www.nl.go.kr/kolisnet)에서 이용
하실 수 있습니다. (CIP제어번호 : CIP2018032011)